Keigo Higashino (Osaka, 1958) is een van de bekendste en best verkochte auteurs in Japan. Na een carrière als ingenieur vestigde hij zich in Tokio om zich volledig op het schrijverschap te kunnen richten. Hij won onder andere de prestigieuze Naokiprijs – het Japanse equivalent van de Man Booker Prize – voor *De fatale toewijding van verdachte X*, het eerste boek van Higashino dat in Nederland verscheen. In Japan gingen daarvan al 2 miljoen exemplaren over de toonbank en de rechten zijn aan 12 landen verkocht.

Van Keigo Higashino verscheen ook bij De Geus

De fatale toewijding van verdachte X

Keigo Higashino

Redding van een heilige

Uit het Japans vertaald door
Luk Van Haute

DE GEUS

Deze uitgave is mede tot stand gekomen dankzij een
vertaal- en productiesubsidie van The Japan Foundation

De vertaler ontving voor deze vertaling een werkbeurs
van het Vlaams Fonds voor de Letteren

Oorspronkelijke titel *Seijo no kyūsai*, verschenen bij Bungeishunjū
Oorspronkelijke tekst © Keigo Higashino, 2008
Dutch translation rights arranged with Bungeishunjū Ltd., Tokyo
through Japan Foreign-Rights Centre/Aitken Alexander Associates
New York
Nederlandse vertaling © Luk Van Haute en De Geus BV, Breda 2013
Omslagontwerp Rozemarijn Koopmans
Omslagillustratie © Tomasz Jankowski/Trevillion Images
ISBN 978 90 445 2604 2
NUR 305

Personages

Manabu Yukawa	Doceert fysica aan de Keizerlijke Universiteit in Tokio. Bijgenaamd Professor Galileo.
Rechercheafdeling 1	(afdeling van de hoofdstedelijke politie in Tokio die zich bezighoudt met de zware criminaliteit):
Shunpei Kusanagi	Rechercheur. Dertiger. Was tijdens zijn studies sociologie aan de Keizerlijke Universiteit bij dezelfde badmintonclub als Manabu Yukawa. Roept bij bepaalde politiezaken diens hulp in.
Shintaro Mamiya	Chef van Kusanagi.
Kaoru Utsumi	Jonge vrouwelijke rechercheur, pas toegetreden tot de afdeling.
Kishitani	Jongere rechercheur in het team van Kusanagi.
Anderen:	
Yoshitaka Mashiba	Directeur IT-bedrijf.
Ayane Mashiba	Zijn echtgenote. Als patchworkartieste bekend onder haar meisjesnaam Mita.
Hiromi Wakayama	Assistente van Ayane Mashiba in de patchworkstudio Anne's House.
Tatsuhiko Ikai	Advocaat en raadsman van Yoshitaka Mashiba.
Yukiko Ikai	Zijn echtgenote.

1

De viooltjes in de bloembak stonden in volle bloei. Ondanks de droge grond had het patroon op de bloemblaadjes nog niets van zijn fleurigheid verloren. Bonte bloemen waren het niet, maar misschien zat daarin juist hun ware kracht. Ik moet straks ook de andere potplanten nog water geven, dacht Ayane terwijl ze door de glazen deur naar het balkon keek.

'Luister je wel naar wat ik zeg?' klonk een stem achter haar rug.

Ayane draaide zich om en glimlachte.

'Ja hoor. Natuurlijk luister ik.'

'Waarom reageer je dan zo traag?' Op de bank sloeg Yoshitaka zijn lange benen andersom over elkaar. Hij ging regelmatig fitnessen, maar hij lette er wel op aan zijn benen en om zijn heupen niet te veel spieren te kweken. Anders kon hij geen smalle broeken meer dragen, zoals hij zei.

'Ik was even elders met mijn gedachten.'

'O? Zo ken ik je niet.' Yoshitaka trok een van zijn mooi verzorgde wenkbrauwen op.

'Nou ja, het overviel me wel.'

'Echt? Maar je wist toch heel goed wat mijn levensplan is?'

'Ik nam aan van wel, ja.'

'Heb je dan niets te zeggen?' Yoshitaka hield zijn hoofd een beetje schuin. Zijn houding was ontspannen. Alsof dit alles niets voorstelde. Ayane wist niet of hij dat gewoon speelde.

Ze slaakte een diepe zucht en staarde opnieuw naar zijn scherpe gelaatstrekken.

'Is dat dan zo belangrijk voor jou?'

'Dat?'

'Wel ... Kinderen.'

Yoshitaka grijnsde smalend en nadat hij even opzij had gekeken, richtte hij zijn ogen weer op haar.

'Heb je dan niet gehoord wat ik al die tijd zei?'

'Dat heb ik gehoord, ja. Precies daarom stel ik je de vraag.'

Vanwege Ayanes strenge blik trok ook Yoshitaka weer een ernstig gezicht. Hij knikte langzaam.

'Het is wel degelijk belangrijk. Ik zie het als onontbeerlijk in mijn leven. Zonder kinderen heeft het huwelijksleven op zich geen zin. Romantische gevoelens tussen man en vrouw gaan na verloop van tijd verloren. Dat ze toch blijven samenwonen, doen ze om een gezin te stichten. Als een man en een vrouw trouwen, zijn ze eerst echtgenoten. Daarna krijgen ze kinderen en worden ze ouders. Dan pas kunnen ze ook gezellen voor het leven worden. Of ben je het daar niet mee eens?'

'Ik vind dat het niet alleen daarom gaat.'

Yoshitaka schudde zijn hoofd.

'Ik vind van wel. Het is wat ik geloof en ik ben niet van zins die overtuiging te veranderen. En aangezien ik mijn overtuiging niet verander, kan ik een leven zonder het vooruitzicht ooit kinderen te hebben ook niet voortzetten.'

Ayane drukte haar vingers tegen haar slapen. Ze had hoofdpijn. Nooit had ze gedacht dit te horen te krijgen.

'Daar komt het dan uiteindelijk op neer? Een vrouw die geen kinderen kan baren is van geen nut. Die moet je vlug zien kwijt te raken en inruilen voor een vruchtbaar exemplaar ... Meer niet dus?'

'Dat is wel heel cru uitgedrukt.'

'Maar daar komt het toch op neer?'

Yoshitaka rechtte zijn rug, misschien doordat Ayanes toon krachtiger was geworden. Vervolgens trok hij zijn wenkbrauwen samen en knikte met enige aarzeling.

'Uit jouw oogpunt komt het daar allicht op neer, ja. Hoe dan ook, mijn levensplan is me dierbaar. Het heeft voorrang op alles, mag je wel zeggen.'

Ayane ontspande onbewust haar lippen. Maar uiteraard was het niet echt haar bedoeling te lachen.

'Jij houdt van dat soort termen, hè? Je dierbare levensplan ... Toen ik je voor het eerst ontmoette, kwam je daar ook meteen mee aanzetten.'

'Zeg me eens, Ayane, waar klaag je in godsnaam over? Je hebt toch alles gekregen wat je hartje begeerde? Als je toch nog iets verlangt, mag je zeker niet twijfelen het me te vertellen. Ik ben van plan voor je te doen wat ik kan. Hou toch op met dat gepieker over alles en nog wat en denk aan je nieuwe leven. Of heb je een andere keus?'

Ayane wendde haar ogen van hem af en keek naar de muur. Daar hing een wandtapijt van wel een meter breed. Ze had er om en bij de drie maanden over gedaan om het te maken. Het bijzondere eraan was dat ze de gebruikte stof speciaal in Engeland had besteld.

Yoshitaka hoefde het haar niet te zeggen. Kinderen krijgen was ook haar droom geweest. Hoe had ze er niet naar verlangd op een schommelstoel patchwork te naaien terwijl ze haar buik koesterde en met de dag groter zag worden?

Maar door een gril van de goden was ze niet gezegend met die gave. Ze had er zich in de loop van haar leven in alle nuchterheid bij neergelegd dat er niets aan te doen viel. Ze had ook geloofd dat het met Yoshitaka wel goed zou komen.

'Mag ik je voor alle duidelijkheid één ding vragen? Ook al lijkt het voor jou misschien futiel.'

'Wat dan?'

Ayane draaide zich naar hem toe en haalde diep adem.

'Je liefde voor mij? Wat is daar van geworden?'

Yoshitaka schrok even terug, alsof de vraag hem overviel, maar even later toverde hij opnieuw de glimlach van daarvoor op zijn lippen.

'Die is onveranderd', zei hij. 'Dat kan ik je verzekeren. Ik hou nog steeds evenveel van je.'

Die uitspraak klonk Ayane als een regelrechte leugen in de oren. Maar ze glimlachte. Ze kon niet anders.

'Gelukkig maar', zei ze.

'Kom, we gaan.' Yoshitaka keerde haar de rug toe en liep naar de deur.

Terwijl ze hem volgde, wierp Ayane een blik op de toilettafel.

Ze dacht aan het witte poeder dat verborgen lag in de onderste lade rechts. Het zat in een plastic zakje, dat stevig was dichtgebonden.

Er lijkt niets anders op te zitten dan het te gebruiken, dacht ze. Ze zag geen licht meer in de duisternis voor haar.

Ayane keek naar Yoshitaka's rug. Liefste, riep ze hem in haar binnenste achterna. Ik hou van je uit het diepst van mijn hart. Precies daarom gaven je woorden van zonet dat hart de doodsteek. Sterf jij nu ook maar ...

2

Toen ze de Mashiba's de trap af zag komen, vond Hiromi Wakayama dat ze zich vreemd gedroegen. Allebei hadden ze een lach op hun gezicht, maar die had duidelijk iets gekunstelds. Vooral Ayane gaf sterk die indruk. Hiromi hield haar opmerkingen echter voor zich. Een voorgevoel zei haar dat die alleen maar roet in het eten zouden gooien.

'We hebben je laten wachten, hè. Heb je al iets van de Ikai's gehoord?' vroeg Yoshitaka. Ook zijn manier van praten klonk een beetje verkrampt.

'Ze belden me net op mijn mobiel. Over vijf minuten zijn ze er.'

'Goed, dan zal ik me alvast maar gereedhouden om de champagne te ontkurken?'

'Dat doe ik wel', zei Ayane prompt. 'Zet jij de glazen maar klaar, Hiromi.'

'Oké.'

'Ik help je even', zei Yoshitaka.

Nadat ze Ayane in de keuken zag verdwijnen, trok Hiromi een deur van de wandkast open. Het was een antiek meubelstuk, dat, naar ze ooit hoorde, bijna drie miljoen yen had gekost. Uiteraard stond er ook uitsluitend vaatwerk van een al even hoge kwaliteit in.

Ze pakte er behoedzaam drie fluitglazen van Baccarat en twee Venetiaanse champagneglazen uit. Bij de Mashiba's was het de gewoonte het Venetiaanse glas voor te behouden aan de eregasten.

Op de eettafel voor acht begon Yoshitaka vijf placemats uit te spreiden. Hij was gewend aan etentjes bij hem thuis. Ook Hiromi wist inmiddels hoe het in zijn werk ging.

Ze zette de champagneglazen op de klaarliggende placemats. Uit de keuken weerklonk het geluid van stromend water.

'Waar had je het over met haar?' vroeg Hiromi zacht.

'Niets bijzonders', antwoordde Yoshitaka zonder naar haar te kijken.

'Heb je het haar verteld?'

Nu keek hij voor het eerst Hiromi aan. 'Wat dan?'

'Wel, dat je ...' begon ze, maar toen ging de bel van de intercom.

'Daar zijn ze', riep Yoshitaka in de richting van de keuken.

'Sorry. Ik heb even mijn handen niet vrij. Doe jij maar open', riep Ayane terug.

'Oké', zei Yoshitaka en hij liep naar de intercom aan de muur.

Tien minuten later zat het voltallige gezelschap aan tafel. Iedereen zette een vrolijk gezicht op. Hiromi leek het alsof ze allemaal hun best deden er zo ontspannen mogelijk uit te zien, om de vredige sfeer niet te verstoren. Ze vroeg zich altijd af hoe iemand zich zulke tact eigen maakte. Ze kon zich niet voorstellen dat het aangeboren was. Hiromi wist dat Ayane Mashiba zich in zowat een jaar tijd aan dit soort sfeer had kunnen aanpassen.

'Ayane, het is weer even heerlijk als altijd. Normaal besteden mensen niet zo veel zorg aan een gemarineerde saus', sprak Yukiko Ikai haar bewondering uit nadat ze een stuk witte vis naar haar mond had gebracht. Het was haar vertrouwde rol de gerechten een voor een de hemel in te prijzen.

'Jij gebruikt alleen saus die per postorder besteld is', zei haar echtgenoot, Tatsuhiko Ikai, naast haar.

'Dat is niet eerlijk. Het gebeurt best wel dat ik hem zelf maak.'

'Die saus van groene *shiso**, bedoel je? Dat is dan ook het enige wat je maakt.'

'Wat is daar mis mee? Die is toch lekker?'

'Ik eet graag saus van groene shiso, hoor', mengde Ayane zich in het gesprek.

---

* De betekenis van woorden met * staat in de Verklarende woordenlijst achterin.

'Ja toch? En het is nog gezond ook.'

'Ayane, neem haar niet zo in bescherming, wil je. Wie weet krijgt ze het nu helemaal te pakken en gaat ze zelfs mijn steak overgieten met shisosaus.'

'O, dat klinkt lekker. De volgende keer probeer ik het.'

Bij die uitspraak van Yukiko lachte iedereen, terwijl Ikai een frons op zijn gezicht kreeg.

Tatsuhiko Ikai was advocaat. Hij trad op als raadsman voor een aantal bedrijven. Het bedrijf dat Yoshitaka Mashiba runde was er een van, maar daar ging het niet louter om advies; hij nam ook vrij actief deel aan het management. In hun studententijd zaten Ikai en Yoshitaka al bij dezelfde vereniging.

Ikai pakte de fles uit de wijnkoeler en wilde Hiromi's glas bijvullen.

'O, voor mij niet meer.' Ze hield een hand over haar glas.

'Nee? Jij dronk toch graag wijn, Hiromi?'

'Jazeker, maar ik heb nu even genoeg, dank u.'

Ikai knikte brommend en schonk witte wijn in het glas van Yoshitaka.

'Voel je je niet lekker?' vroeg Ayane.

'Nee, dat is het niet. Ik was de laatste tijd een paar keer uit met vrienden en zo, en daardoor heb ik een beetje te veel gedronken ...'

'Ach, wat leuk, jong zijn.' Nadat Ikai ook Ayanes glas met wijn had gevuld, keek hij vluchtig naar zijn echtgenote naast hem en bracht toen de fles naar zijn eigen glas. 'Yukiko onthoudt zich voorlopig ook van de drank. Goed dat je vanavond niet alleen bent, hè.'

'O, onthoudt ze zich?' Yoshitaka hield halverwege zijn mond zijn hand met de vork stil. 'Dat is dus nodig?'

'Nou ja, haar melk dient als voeding voor de baby', zei Ikai met zijn glas zwaaiend. 'Je mag die melk toch niet mengen met alcohol?'

'En hoelang moet je dat zo volhouden?' vroeg Yoshitaka aan Yukiko.

'Eh, een jaar ongeveer, zegt de dokter.'

'Eerder anderhalf jaar', zei Ikai. 'Het mag zelfs twee jaar zijn. Of nee, beter nog, waarom stop je niet voorgoed met drinken?'

'Luister eens jij, vanaf nu wachten me lange jaren van opvoeden. Als ik ook al geen glaasje meer mag drinken, houd ik dat harde leven nooit uit. Of wil jij misschien de kleine grootbrengen? Dan wil ik er wel even over nadenken.'

'Oké, oké. Over een jaar kun je weer bier en wijn drinken. Maar met mate, hè.'

'Dat weet ik ook wel', mokte Yukiko, waarna ze meteen haar glimlach terugkreeg. Het geluk straalde van haar gezicht af. Op deze manier met haar echtgenoot bekvechten leek tegenwoordig een hoogst vermakelijk ritueel voor haar.

Yukiko Ikai was twee maanden eerder bevallen. Voor het echtpaar was het hun eerste, en tevens langverwachte, baby. Ikai was dit jaar tweeënveertig geworden en Yukiko vijfendertig. De twee namen keer op keer de uitdrukking 'op het nippertje' in de mond.

De bijeenkomst van vanavond was dan ook een feestje voor hen, om de geboorte te vieren. Yoshitaka had het idee geopperd, en Ayane had de nodige voorbereidingen getroffen.

'Hebben jullie hem vanavond bij zijn grootouders gelaten?' Yoshitaka keek afwisselend naar Tatsuhiko en Yukiko Ikai.

Ikai knikte.

'Ze zeiden dat we het er maar van moesten nemen. Ze waren heel enthousiast dat ze de baby ongestoord voor zich alleen hadden. Op zulke momenten is het echt handig dat je ouders in de buurt wonen.'

'Maar ik moet eerlijk toegeven dat ik me ook een beetje zorgen maak.' Yukiko fronste haar wenkbrauwen. 'Zijn moeder heeft de neiging wat overbezorgd te zijn. Ik hoor van mijn vriendinnen dat je hem best mag laten liggen, ook al huilt hij even.'

Hiromi merkte dat Yukiko's glas leeg was en stond op van haar stoel.

'Eh ... Ik zal u wat water brengen.'

'Er staat mineraalwater in de koelkast, breng de fles maar mee', zei Ayane.

Hiromi liep de keuken in en trok de koelkast open. Het was een enorm ding met dubbele deur, en een capaciteit van wel vijfhonderd liter, schatte ze. Aan de binnenkant van een van de deuren stond een rij petflessen met mineraalwater. Ze pakte er een uit en deed de koelkast weer dicht. Op het moment dat ze terugliep naar de tafel, kruiste haar blik die van Ayane. Haar lippen vormden het woord 'bedankt'.

'Verandert je leven nu echt als je een kind krijgt?' vroeg Yoshitaka.

'Het werk daargelaten gaat je hele dagelijkse leven rond het kind draaien', antwoordde Ikai.

'Dat lijkt me onvermijdelijk. En helemaal los van je werk staat het toch ook niet? Ik zou denken dat je door de geboorte van een kind ook verantwoordelijkheidsgevoel kweekt, en dat je meer dan ooit tevoren zin krijgt om extra je best te doen, of niet?'

'Dat is zeker zo, ja.'

Ayane pakte de fles water over van Hiromi en begon ieders glas te vullen. Rond haar mondhoeken zweefde een glimlach.

'En jullie twee? Is het niet zoetjesaan zover?' Ikai keek naar het gezicht van Yoshitaka en toen naar dat van Ayane. 'Al een jaar getrouwd, niet? Dan ben je het leven alleen met z'n tweetjes toch moe?'

'Schatje toch.' Yukiko gaf haar man een vermanend tikje op de arm. 'Je babbelt te veel.'

'Ach, nou ja, ieder mens is anders, nietwaar.' Nadat hij met een gemaakte lach zijn wijn had opgedronken, richtte Ikai zich tot Hiromi. 'En hoe zit het met jou, Hiromi? Eh, begrijp me niet verkeerd: ik wil geen indiscrete vragen stellen. Ik bedoel met de lessen. Loopt alles vlot?'

'Ja, voorlopig lukt het wel. Al ben ik nog geregeld de kluts kwijt.'

'Laat je het nu helemaal over aan Hiromi?' vroeg Yukiko aan Ayane.

Ayane knikte.

'Ik kan Hiromi niets meer leren.'

'Echt? Wat geweldig.' Yukiko keek Hiromi bewonderend aan.

Hiromi ontspande haar mondhoeken en sloeg haar ogen neer. In feite had ze zo haar twijfels over de belangstelling die de Ikai's hadden voor wat ze deed. Wie weet waren ze gewoon bezorgd dat het arme meisje zich daar aan tafel tussen twee echtparen niet op haar plaats voelde en wilden ze haar toch ook een beetje betrekken bij het gesprek.

'Dat is waar ook. Ik heb een cadeautje voor jullie twee.' Ayane stond op en bracht van achter de bank een grote papieren tas mee.

'Dit hier', zei ze. Toen Yukiko zag wat ze tevoorschijn haalde, slaakte ze een overdreven gilletje van verrassing en sloeg beide handen voor haar mond.

Het was een beddensprei van patchwork. Maar veel kleiner dan een gewone.

'Ik dacht zo dat hij kon dienen als dekkleedje voor het babybedje', zei Ayane. 'En als jullie het bedje niet meer gebruiken, kun je hem altijd nog ophangen als wandtapijt.'

'Het is prachtig. Dankjewel, Ayane.' Yukiko's gezicht liep over van dankbaarheid en ze pakte de rand van het stuk patchwork stevig vast. 'Ik zal er goed voor zorgen. Echt bedankt.'

'Is dit geen heuse krachttoer? Zoiets moet toch enorm veel tijd kosten?' Ikai keek naar Hiromi om haar instemming te zoeken.

'Een half jaar zal het zowat geduurd hebben, nietwaar?' vroeg Hiromi ter bevestiging aan Ayane. Ze kon het productieproces van dit werkstuk wel enigszins inschatten.

'Goh, hoelang was het ook alweer?' Ayane boog haar hoofd opzij. 'Ach wat, als jullie er maar blij mee zijn.'

'Ik ben er bijzonder blij mee. Kan ik het wel aannemen? Besef je hoe verschrikkelijk duur dit is, schat? Een werk van Ayane Mita zelf nog wel. Bij haar tentoonstelling in Ginza droeg een sprei voor een eenpersoonsbed een prijskaartje van een miljoen yen.'

'Hè?' Ikai zette grote ogen op. Hij leek oprecht verbaasd. Gewoon voor wat lappen stof die bij elkaar genaaid zijn, stond op zijn gezicht te lezen.

'Hier heeft ze behoorlijk haar best op gedaan', zei Yoshitaka en hij gebaarde met zijn kin naar de bank in de living. 'Ook op mijn vrije dagen was ze daar voortdurend in de weer met haar naald. Van 's ochtends tot 's avonds. Daar was ik van onder de indruk.'

'Goed dat ik op tijd klaar was', fluisterde Ayane, haar ogen tot spleetjes geknepen.

Na het eten verhuisden ze naar de zithoek en wilden de mannen overgaan op het drinken van whisky. Yukiko zei dat ze nog wel een koffie lustte en dus liep Hiromi naar de keuken.

'Voor de koffie zal ik wel zorgen', zei Ayane. 'Zet jij de whisky en zo maar gereed, Hiromi. In de vriezer zitten ijsblokjes.' Ze draaide de kraan open en deed water in de ketel.

Hiromi zette de benodigdheden voor de whisky op een dienblad en liep terug naar de living, waar de Ikai's het gespreksonderwerp op tuinieren hadden gebracht. De tuin van het huis was uitgebreid voorzien van verlichting, zodat je ook 's avonds kon genieten van het zicht op de potplanten en dergelijke.

'Het is vast een hele klus om zorg te dragen voor zo veel bloemen?' zei Ikai.

'Ik zou het niet meteen weten, maar zij lijkt er in ieder geval flink wat werk mee te hebben. Boven op het balkon staan er ook nog. Iedere dag geeft ze ze zorgvuldig water. Best een karwei, als je het mij vraagt, maar zelf vindt ze het zo te zien niet bepaald erg. Ze houdt zielsveel van bloemen, neem ik aan.' Yoshitaka leek dit onderwerp niet bijzonder boeiend te vinden. Hiromi wist dat hij geen interesse had in dingen als planten en de natuur.

Ayane bracht drie kopjes koffie. Hiromi begon vlug de whisky aan te lengen.

Het was even over elven toen de Ikai's aanstalten maakten om te vertrekken.

'Bedankt voor de heerlijke maaltijd. En daarbij nog dat prachtige geschenk, ik voel me schuldig', zei Ikai nadat hij was opgestaan. 'De volgende keer moeten jullie zeker bij ons komen eten. Hoewel, momenteel ligt het hele huis overhoop door de baby.'

'Ik zal binnenkort wel opruimen.' Nadat Yukiko haar man in de zij had gepord, lachte ze naar Ayane. 'Kom maar naar ons prinsje kijken. Zijn gezichtje lijkt wel een *daifuku**.'

'Doen we zeker', antwoordde Ayane.

Voor Hiromi was het ook langzamerhand tijd om naar huis te gaan. Ze besloot samen met de Ikai's te vertrekken. Ikai zei dat ze haar met hun taxi eerst bij haar flat zouden afzetten.

'Hiromi, vanaf morgen ben ik er eventjes niet', zei Ayane toen ze in de hal haar schoenen aantrok.

'We hebben een lang weekend van drie dagen, hè. Een reisje?' vroeg Yukiko.

'Nee, ik moet even mijn ouders opzoeken.'

'Je ouders? In Sapporo*?'

Ayane knikte, zonder de glimlach van haar gezicht te halen.

'Blijkbaar maakt mijn vader het niet zo goed en dus ga ik mijn moeder een handje helpen. Heel ernstig lijkt het trouwens niet te zijn.'

'Toch zul je je wel zorgen maken.' Ikai sloeg een hand tegen zijn voorhoofd.' Nu voel ik me nog schuldiger dat je de geboorte van onze baby vierde, op een moment als dit.'

Ayane schudde haar hoofd.

'Zit er niet over in. Het is echt niet erg ... Goed, Hiromi, je weet het, als er iets is, bel je maar naar mijn mobiel, oké?'

'Wanneer komt u terug?'

'Tja, dat ...' Ayane hield haar hoofd schuin. 'Zodra ik daar zicht op heb, zal ik bellen.'

'Goed.'

Hiromi gluurde naar Yoshitaka. Die keek de andere kant op.

Toen ze het huis van de Mashiba's hadden verlaten en bij de brede boulevard kwamen, hield Ikai een taxi aan. Hiromi, die er als eerste uit moest, stapte als laatste in.

'Hebben we niet een beetje te veel over kinderen gepraat', zei Yukiko, even nadat de taxi zich in beweging had gezet.

'Hoezo? Dat geeft toch niet. Ze wilden tenslotte de geboorte vieren', reageerde Ikai op de passagiersstoel.

'Dat bedoel ik niet. Ik ben bang dat we niet genoeg rekening hielden met de situatie bij hen. Ze proberen toch ook een kind te krijgen, of niet?'

'Dat heb ik Mashiba al eens horen zeggen, ja.'

'Wie weet lukt het hun niet. Heb jij niets opgevangen, Hiromi?'

'Nee, ik niet.'

'O?' ontsnapte Yukiko een zucht van teleurstelling. Misschien boden ze aan me naar huis te brengen in de hoop mij informatie te ontfutselen, bedacht Hiromi.

De volgende ochtend ging Hiromi zoals altijd om negen uur de deur uit, om zich naar Anne's House in Daikanyama te begeven. Dat was een flat heringericht als studio voor cursussen patchwork. Uiteraard had niet zij maar Ayane die studio geopend. En de dertig of wat cursisten kwamen omdat ze er zich de techniek eigen konden maken onder persoonlijk toezicht van Ayane Mita.

Toen Hiromi uit de lift stapte, zag ze op de gang Ayane voor de deur van de flat staan. Naast haar stond een koffer. Bij het zien van Hiromi glimlachte Ayane minzaam.

'Is er iets gebeurd?'

'Nee hoor. Ik wilde je gewoon dit overhandigen.' Ayane viste iets uit de zak van haar jasje. Op haar uitgestoken hand lag een sleutel.

'Dat is ...'

'Onze huissleutel. Zoals ik gisteren al zei, weet ik nog niet precies wanneer ik terugkom en dus maak ik me zorgen om het huis. Daarom dacht ik hem voorlopig aan jou toe te vertrouwen.'

'O ... weet u dat zeker?'

'Wil je het liever niet?'

'Nee, dat is het niet, maar hebt u dan zelf nog een sleutel?'

'Die heb ik niet echt nodig. Als ik terugkom, laat ik het je wel weten, en als het je op dat moment toevallig niet schikt, is er nog altijd mijn man die 's avonds thuis is.'

'Dan zal ik hem voor u bewaren.'

'Alsjeblieft.' Ayane pakte haar hand en legde de sleutel erin. Vervolgens vouwde ze Hiromi's vingers eromheen en kneep haar hand stevig dicht.

'Tot ziens', zei Ayane en de koffer met zich mee trekkend liep ze weg. Achter haar rug riep Hiromi zonder nadenken: 'Eh, mevrouw ...'

Ayane bleef staan. 'Wat is er?'

'Eh, niets, goede reis.'

'Dank je.' Ayane zwaaide even met haar vrije hand en liep door.

De lessen patchwork duurden tot 's avonds. Om de zoveel tijd verschenen weer nieuwe gezichten in de studio, en Hiromi had nauwelijks een vrij moment. Tegen dat ze de laatste cursisten uitzwaaide, waren haar schouders en nek vreselijk stijf.

Toen ze had opgeruimd en de flat wilde verlaten, ging haar mobiele telefoon. Ze keek naar het LCD-scherm en moest even naar adem happen. Het was Yoshitaka.

'Zijn de lessen afgelopen?' vroeg hij onomwonden.

'Ik ben net klaar.'

'Goed. Ik zit nu nog midden in een zakendiner. Zodra dat achter de rug is, ga ik naar huis. Kom maar langs.'

Hij zei het zo luchtig dat Hiromi verlegen zat om een antwoord.

'Wat is er? Past het niet?'

'Toch wel, maar ... Is het wel oké?'

'Natuurlijk is het oké. Zoals je weet, blijft ze nog wel even weg.'

Hiromi keek naar de tas naast haar. Daarin zat de sleutel die ze die ochtend had ontvangen.

'Trouwens, ik wil iets met je bespreken', zei hij.

'Bespreken?'

'Ik vertel het je straks wel. Om negen uur ben ik thuis. Bel me even voor je komt.' Daarop maakte hij, zonder haar nog de kans te geven iets te zeggen, een eind aan het gesprek.

Hiromi at haar avondeten in een familierestaurant dat bekendstond om zijn pasta en belde daarna naar Yoshitaka. Hij was al thuis. 'Kom vlug', zei hij. Er klonk opwinding door in zijn stem.

In de taxi op weg naar het huis van de Mashiba's verzonk Hiromi in zelfhaat. Dat Yoshitaka helemaal geen last leek te hebben van zijn geweten, deed haar de wenkbrauwen fronsen, maar tegelijk moest ze toegeven dat ze zich zelf ook opgewonden voelde.

Yoshitaka verwelkomde haar met een stralende glimlach. Zijn gedrag had niets stiekems en hij zag er helemaal op zijn gemak uit.

Toen ze de living binnenging, zweefde de geur van koffie haar tegemoet.

'Het is langgeleden dat ik zelf koffiezette. Ik weet niet of het een geslaagde poging is.' Yoshitaka liep naar de keuken en kwam terug met in elke hand een kopje. Een schoteltje vond hij blijkbaar niet nodig.

'Dit is de eerste keer dat ik je de keuken zie binnengaan.'

'O ja? Je kunt gelijk hebben. Sinds ik getrouwd ben, doe ik niets meer zelf.'

'Omdat *sensei** zo toegewijd is.' Hiromi nipte van de koffie. Hij was sterk en bitter.

Yoshitaka vertrok ook zijn mond. 'Te veel poeder gebruikt, ben ik bang.'

'Zal ik nieuwe zetten?'

'Nee, laat maar. Doe jij het de volgende keer. Hoe dan ook ...' Hij zette zijn koffiekopje op de marmeren salontafel. 'Gisteren heb ik het haar verteld.'

'Dus toch ...'

'Maar ik zei niet dat jij het bent. Ik zei dat het iemand is die ze niet kent. Al weet ik niet in hoeverre ze me geloofde.'

Hiromi moest denken aan Ayanes gezicht, toen die haar 's ochtends de sleutel overhandigde. Ze kon zich niet voorstellen dat achter haar glimlach enige misleiding schuilging.

'En hoe reageerde ze?'

'Hm. Ze aanvaardde het zonder problemen.'

'Echt?'

'Echt. Ik had je toch gezegd dat ze zich niet zou verzetten.'

Hiromi schudde haar hoofd.

'Het is misschien raar dat ik het zeg, maar ... dat vind ik onbegrijpelijk.'

'Zo waren de regels. Weliswaar regels die ik had opgesteld, maar goed. In elk geval hoef je je nu nergens meer zorgen om te maken. Alles is in orde.'

'We kunnen dus gerust zijn?'

'Natuurlijk', zei Yoshitaka, waarna hij zijn arm om Hiromi's schouders sloeg en haar met een ruk naar zich toe trok. Hiromi vlijde zich tegen hem aan. Ze voelde hoe hij zijn lippen naar haar oor bracht. 'Blijf vannacht alvast hier.'

'In de slaapkamer?'

Mashiba krulde zijn mondhoeken.

'We hebben een gastenkamer. Die heeft ook een tweepersoonsbed.'

Hiromi knikte even, haar gemoed nog steeds ten prooi aan een wirwar van twijfel, opluchting en ook onrust, die bleef knagen als voorheen.

Toen ze de volgende ochtend in de keuken koffie wilde zetten, kwam Yoshitaka bij haar staan. Hij zei haar hem te tonen hoe het moest.

'Ik heb het ook maar van mevrouw geleerd.'

'Dat geeft niet. Laat zien hoe je het doet.' Yoshitaka vouwde zijn armen voor zijn borst.

Hiromi plaatste een papieren filterzakje in de trechter en schepte er met een maatlepel koffiepoeder in. Yoshitaka keek naar de hoeveelheid poeder en knikte.

'Hier giet je eerst een beetje heet water in. Een klein beetje maar. En je wacht tot het poeder opzwelt.' Nadat ze wat kokend water uit de ketel had gegoten, wachtte Hiromi twintig seconden en begon toen weer te gieten. 'Je beschrijft een cirkel, zie je. De koffie borrelt op en al gietend moet je dat zo houden. Ondertussen kijk je naar de schaalverdeling op de schenkkan en als je genoeg hebt voor twee personen, haal je meteen de trechter eraf. Anders wordt hij te slap.'

'Het lijkt moeilijker dan ik had verwacht.'

'Je zette vroeger toch ook zelf?'

'Ik gebruikte een koffiezetapparaat. Maar toen ik met Ayane trouwde, heeft ze dat weggegooid. Ze zei dat het op deze manier lekkerder is.'

'Ze wist dat je er verslaafd aan was en dus wilde ze vast de lekkerste koffie voor je maken.'

Yoshitaka trok zijn mond scheef en wiegde zijn hoofd heen en weer. Die reactie vertoonde hij telkens als Hiromi het had over hoe toegewijd Ayane wel was.

Yoshitaka dronk van de verse koffie en zei: 'Inderdaad, lekker.'

's Zondags was Anne's House gesloten. Maar dat betekende niet dat Hiromi geen werk had. Ze kluste bij als lesgeefster in een cultureel centrum in Ikebukuro. Ook die baan had ze van Ayane overgenomen.

Yoshitaka had haar gezegd na afloop van haar lessen te bellen. Blijkbaar wilde hij 's avonds samen met haar eten. Hiromi had geen reden te weigeren.

Even na zeven uur was ze klaar met haar werk in het cultureel centrum. Terwijl ze zich gereedmaakte om te vertrekken, belde ze. Maar ze kreeg geen verbinding met Yoshitaka's mobiele telefoon. Ze hoorde de beltoon wel, maar hij nam niet op. Ze probeerde ook de vaste telefoon bij de Mashiba's thuis, maar met hetzelfde resultaat.

Zou hij ergens naartoe zijn? Nee, ze kon zich niet voorstellen dat hij zijn mobiel had laten liggen.

Noodgedwongen besloot Hiromi naar het huis van de Mashiba's te gaan. Onderweg probeerde ze nog verschillende keren te bellen, maar tevergeefs.

Uiteindelijk stond ze voor het huis. Vanaf de poort zag ze licht branden in de living. Toch beantwoordde niemand de telefoon.

Hiromi nam een beslissing en pakte de sleutel uit haar tas. De sleutel die ze van Ayane kreeg.

De voordeur zat op slot. Ze draaide de sleutel om en duwde de deur open. Ook in de hal was het licht aan.

Hiromi trok haar schoenen uit en liep door de gang. Er hing een vage koffiegeur. Van 's ochtends was er geen koffie meer over, dus moest Yoshitaka verse gezet hebben.

Ze deed de deur van de living open. Het volgende moment stond ze als aan de grond genageld.

Yoshitaka lag op de vloer. Naast hem lag een omgevallen koffiekopje en de zwarte vloeistof was uitgelopen over de houten vloer.

Een ambulance, ik moet bellen, het nummer, het nummer ... Met trillende handen pakte Hiromi haar mobiele telefoon. Maar ze kon zich maar niet herinneren welk nummer ze moest intoetsen.

3

Langs de glooiende weg stond de ene na de andere riante villa. Ook met niets dan de straatverlichting kon je meteen zien dat ieder huis prima onderhouden was. Dit leek geen wijk voor mensen die zich hooguit een eenvoudige gezinswoning konden veroorloven.

Er stond een aantal politiewagens in de straat. Toen hij die zag, zei Kusanagi tegen de taxichauffeur: 'Hier is het.'

Hij stapte uit en keek al lopend op zijn horloge. Het was even over tienen. En maar denken dat ik vanavond lekker tv zou kijken, dacht hij. Ze zonden een Japanse film uit die hij had gemist in de bioscoop. Toen hij te weten kwam dat die op tv zou komen, had hij ervan afgezien de dvd te gaan huren. En door na de oproep in alle haast zijn flat te verlaten, had hij ook vergeten de timer in te stellen om hem op te nemen.

Misschien kwam het doordat het zo laat op de avond was, maar er leken geen pottenkijkers te zijn. Ook de lui van de televisieomroepen waren nog niet toegesneld. Misschien is deze zaak makkelijk af te handelen, hoopte hij voorzichtig.

Voor de poort van de villa in kwestie stond met strenge blik een agent op wacht. Toen Kusanagi zijn politiepenning liet zien, bedankte die hem met een knikje voor zijn komst.

Voor hij door de poort liep, keek hij naar het huis. De stemmen van de mensen binnen waren hoorbaar tot op straat. In bijna alle kamers was het licht aangestoken.

Naast de heg stond een gedaante. In de schemering kon hij het niet goed zien, maar uit de kleine gestalte en het kapsel leidde Kusanagi af wie het was. Hij liep ernaartoe.

'Wat sta je hier te doen?' zei hij, waarop Kaoru Utsumi, niet merkbaar verrast, langzaam haar gezicht in zijn richting draaide.

'Goedenavond', zei ze zonder enige intonatie.

'Ik vroeg je wat je hier doet in plaats van naar binnen te gaan.'

'Geen bijzondere reden.' Kaoru Utsumi schudde haar hoofd, nog even uitdrukkingsloos. 'Ik keek gewoon naar de heg en de bloemen in de tuin en zo. En ook naar de bloemen op het balkon.'

'Het balkon?'

'Daar.' Ze wees naar boven.

Toen Kusanagi omhoogkeek, zag hij dat de bovenverdieping inderdaad een balkon had, waar tal van bloemen en bladeren uitstaken. Maar een ongewone aanblik was dat niet bepaald.

'Sorry dat ik aandring, maar waarom ga je niet naar binnen?'

'Omdat er al zo veel mensen binnen zijn. De bevolkingsdichtheid is er aanzienlijk.'

'Je houdt niet van drukke ruimtes, is dat het?'

'Met veel volk op dezelfde plek rondkijken heeft naar mijn mening niet veel zin. Ik zou ook maar in de weg lopen van het forensisch team. En dus besloot ik buiten maar eens rond te kijken.'

'Maar je keek toch niet rond? Je stond simpelweg naar de bloemen te turen.'

'Ik had net een rondje gedaan.'

'Al goed. Heb je ten minste de plaats delict gezien?'

'Nee dus. Ik ben tot in de hal gegaan en daar maakte ik weer rechtsomkeert.'

Verwonderd keek Kusanagi naar Kaoru Utsumi, die hem zo onbewogen antwoordde. Hij had altijd gedacht dat een rechercheur instinctief sneller dan wie ook op de plaats delict wilde aankomen. Maar voor deze jonge vrouwelijke collega leek die algemene regel niet op te gaan.

'Ik weet nu hoe je erover denkt, maar kom toch maar met me mee. Er zijn ook heel wat dingen die je maar beter met je eigen ogen kunt zien.'

Toen Kusanagi zich omdraaide en naar de poort liep, volgde ze hem zwijgend.

In het huis bevonden zich inderdaad een heleboel politiemensen. Er waren rechercheurs van het district, evenals leden van Kusanagi's eigen sectie. Toen zijn jongere collega Kishitani hem opmerkte, kreeg die een grijns op zijn gezicht.

'Bedankt dat u zo snel aanwezig kon zijn.'

'Is dat sarcastisch bedoeld? Zeg me liever of het echt om moord gaat.'

'Dat is nog niet duidelijk. Maar de kans is groot.'

'Waar gaat het over? Leg het me even in een paar woorden uit.'

'Wel, kort gezegd: de eigenaar van dit huis is plotseling overleden. In de living. Terwijl hij alleen was.'

'Terwijl hij alleen was?'

'Komt u maar even mee, alstublieft.'

Kishitani leidde Kusanagi en Kaoru Utsumi naar de living. Het was een ruime kamer van naar schatting wel vijftig vierkante meter. Er stond een met groen leder overtrokken bankstel, met in het midden een marmeren salontafel.

Op de vloer naast die tafel was met witte tape het silhouet van een liggende man afgetekend. Kishitani keek ernaar en keerde zich toen naar Kusanagi.

'De overledene is Yoshitaka Mashiba, heer des huizes.'

'Dat weet ik al. Dat vernam ik voor ik hiernaartoe kwam. De directeur van een of ander bedrijf toch?'

'Een zogenaamd IT-bedrijf blijkbaar. Vandaag is het zondag en dus had hij vrij. We weten nog niet of hij overdag het huis uit ging.'

'De vloer ziet er nat uit.' Op de houten vloer zaten nog sporen van wat eruitzag als een gemorste vloeistof.

'Het is koffie', zei Kishitani. 'Die lag uitgelopen over de vloer toen het lijk aangetroffen werd. Iemand van het forensisch team heeft het met een spuit opgezogen. De koffiekop lag er ook.'

'Wie vond het lichaam?'

'Eh ...' Kishitani sloeg zijn notitieboekje open en noemde de naam van Hiromi Wakayama. 'Ze schijnt een leerlinge van de echtgenote te zijn.'

'Hoezo een leerlinge?'

'De echtgenote is een bekende patchworkartieste.'

'Patchwork? Kun je met zoiets dan bekend worden?'

'Kennelijk wel. Ik wist het zelf ook niet.' Kishitani keek naar Kaoru Utsumi. 'Misschien weten vrouwen daar meer van. Heb jij nooit de naam Ayane Mita gehoord? Je schrijft het zo.'

In Kishitani's boekje stond de naam in karakters geschreven.

'Ken ik niet', antwoordde ze kortaf. 'Waarom denk je dat vrouwen daar meer over zouden weten?'

'Eh, zomaar.' Kishitani krabde aan zijn hoofd.

Toen hij de twee zo hoorde praten, kon Kusanagi maar met moeite een glimlach onderdrukken. De jonge Kishitani wilde wellicht de ervaren rot uithangen tegenover zijn pas in dienst getreden collega, maar hij leek de nodige moeite te hebben met zijn vrouwelijke opponent.

'Wat ging er vooraf aan de ontdekking?' vroeg Kusanagi aan Kishitani.

'Het zit zo: de echtgenote is sinds gisteren bij haar ouders op bezoek. En voor haar vertrek gaf ze de huissleutel in bewaring bij mevrouw Wakayama. Voor als er iets gebeurde, want ze wist naar het schijnt niet wanneer ze terug zou komen. Toen mevrouw Wakayama meneer Mashiba belde om te vragen of hij misschien iets nodig had, nam hij niet op, op zijn mobiel niet en op het vaste nummer niet, zo vertelde ze. Daardoor verontrust kwam ze naar het huis. Toen ze de eerste keer probeerde te bellen was het even over zevenen. En ze vermoedt dat ze hier iets voor acht uur aankwam.'

'En toen trof ze het dode lichaam aan?'

'Dat klopt. Ze belde met haar eigen mobiel het noodnummer 119. Er kwam onmiddellijk ambulancepersoneel, maar die stelden het overlijden vast en dus haalden ze er een dokter uit de buurt bij die het lichaam onderzocht. Omdat die zijn twijfels had over de doodsoorzaak, nam het ambulancepersoneel contact op met de politie van het district. Nou, zo is het dus gegaan.'

Kusanagi knikte brommend en keek ondertussen naar Kaoru

Utsumi. Zonder dat hij het had gemerkt, was die van zijn zijde verdwenen en ze stond nu voor een wandkast.

'En waar is die vrouw die hem ontdekte nu?'

'Mevrouw Wakayama komt even op adem in een politiewagen. De chef is bij haar.'

'De ouwe is hier al? Ik had niet gemerkt dat hij in een van de auto's zat.' Kusanagi trok een grimas. 'Weten we de doodsoorzaak?'

'Er is een sterk vermoeden dat het gif is. Mogelijk gaat het om zelfmoord, maar omdat boos opzet zeker niet uit te sluiten valt, hebben ze ons erbij geroepen.'

'Hm.' Kusanagi's ogen volgden Kaoru Utsumi, die de keuken in liep. 'En de deur, was die op slot toen die Hiromi Wakayama – zo heet ze toch? – het huis wilde binnengaan?'

'Naar ze zegt wel.'

'En de ramen en de glazen schuifdeuren? Hoe zat het daarmee?'

'Toen de onderzoekers van het district aankwamen, zat naar het schijnt alles op slot behalve het raampje van het toilet op de bovenverdieping.'

'Een toilet op de bovenverdieping dus? Kan iemand daarlangs naar binnen en naar buiten?'

'Ik heb het niet uitgeprobeerd, maar dat lijkt me onmogelijk.'

'Tja, dan is het zelfmoord.' Kusanagi ging op de bank zitten en sloeg zijn benen over elkaar. 'Of zeggen ze dat iemand gif in de koffie deed? Hoe kwam de dader dan dit huis uit? Dat houdt toch geen steek? Waarom denken die van het district dat het ook moord kan zijn?'

'Alleen op basis daarvan is het misschien moeilijk in de richting van moord te denken, ja.'

'Is er dan nog iets?'

'Toen onze collega's van het district de plaats delict onderzochten, ging er een mobiele telefoon. Het was die van de overledene. Toen ze opnamen, kregen ze een restaurant in Ebisu aan de lijn. Daar had meneer Mashiba een tafel gereserveerd voor acht uur vanavond. Een tafel voor twee, zo bleek. Het restaurant belde omdat hij op dat uur niet was komen opdagen. Hij maakte de reservering voor vandaag rond half zeven. Zoals ik net al zei, belde mevrouw Wakayama meneer Mashiba even over zeven, en toen kreeg ze al geen verbinding meer. Iemand reserveert om half zeven een tafel en pleegt even over zeven zelfmoord – dat is hoe dan ook vreemd. Persoonlijk vind ik dat die van het district de situatie correct beoordeelden.'

Bij het horen van Kishitani's uitleg fronste Kusanagi zijn voorhoofd. Met een gekromde vingertop krabde hij aan de zijkant van zijn wenkbrauw.

'Zeg dat dan meteen, als het zo zit.'

'Door te antwoorden op uw vragen was ik daar nog niet aan toe gekomen.'

'Al goed.' Kusanagi sloeg zich op de knieën en stond op. Kaoru Utsumi was terug uit de keuken en stond weer voor de wandkast. Hij ging achter haar staan. 'Wat spook je allemaal uit terwijl Kishi speciaal moeite doet ons verslag uit te brengen?'

'Ik heb hem wel gehoord, hoor. Dankuwel, meneer Kishitani.'

'Graag gedaan', zei Kishitani en hij boog zijn hoofd.

'Is er iets met die kast?'

'Hier.' Ze wees naar de binnenkant. 'Vindt u dit schap niet leeg in vergelijking met de rest?'

Het viel inderdaad op dat de ruimte in dat gedeelte ongebruikt was. Normaal leek er eetgerei te staan.

'Nu je het zegt.'

'Toen ik in de keuken ging kijken, stonden daar nog vijf afgewassen champagneglazen.'

'Tja, dan horen die hier.'

'Denk ik ook, ja.'

'En? Wat is dan het probleem?'

Kaoru Utsumi keek op naar Kusanagi en bewoog even haar lippen. Maar toen schudde ze haar hoofd, alsof ze zich bedacht.

'Het is niet belangrijk. Ik vroeg me gewoon af of ze misschien onlangs nog een feestje hadden. Champagneglazen gebruiken ze alleen bij zulke gelegenheden, zou ik denken.'

'Daar kun je gelijk in hebben. Die rijkelui houden waarschijnlijk geregeld feestjes bij hen thuis. Maar dat hij onlangs nog een feestje gaf, wil daarom niet zeggen dat hij geen zorgen had die hem tot zelfmoord dreven.' Kusanagi draaide zich om naar Kishitani en ging verder. 'Mensen zijn complex en zitten vol tegenstrijdigheden. Ze mogen vlak daarvoor nog plezier gemaakt hebben op een feestje of pas een tafel gereserveerd hebben in een restaurant, als ze dood willen, gaan ze dood.'

'Oké', knikte Kishitani vrijblijvend.

'En de echtgenote?' vroeg Kusanagi.

'Hè?'

'Van het slachtoffer ... of nee, van de overledene. Is er met haar contact opgenomen?'

'Blijkbaar is dat nog niet gelukt. Volgens mevrouw Wakayama wonen de ouders van de echtgenote in Sapporo. Bovendien is het een eindje buiten de stad, dus zelfs als we haar kunnen bereiken, kan ze wellicht onmogelijk nog vannacht hiernaartoe komen.'

'Uit Hokkaido? Nee, dat is inderdaad onmogelijk.'

Gered, dacht Kusanagi opgelucht. Als de echtgenote zich hiernaartoe repte, zou iemand haar moeten opwachten. En dan kon je er donder op zeggen dat zijn chef Mamiya die taak aan hem zou toevertrouwen.

Het was al laat en dus zou het ondervragen van de buurtbewoners ook tot morgen moeten wachten. Kusanagi begon bijgevolg al te hopen dat hij zonder al te veel problemen naar huis zou kunnen, toen de deur openging en het vierkante hoofd van Mamiya verscheen.

'Kusanagi, je bent er dus toch. Beter laat dan nooit.'

'Ik ben hier al een hele tijd, hoor. Kishitani legde me in grote lijnen de situatie uit.'

Mamiya knikte, waarna hij achter zich keek. 'Alstublieft, komt u binnen.'

Op zijn verzoek kwam een slanke vrouw van vermoedelijk midden twintig de living binnen. Haar halflange haar was opvallend zwart voor vrouwen van haar leeftijd tegenwoordig. Die kleur deed de witheid van haar huid nog meer uitkomen. Hoewel, in haar huidige toestand was het adjectief 'vaal' misschien beter op zijn plaats dan wit. Maar in ieder geval hoorde ze ontegenzeggelijk thuis in de categorie 'aantrekkelijk'. Ook haar make-up was op een smaakvolle manier aangebracht.

Hiromi Wakayama, veronderstelde Kusanagi.

'Volgens wat u daarnet vertelde, ontdekte u het lichaam meteen bij het binnenkomen van deze kamer, nietwaar? Wil dat zeggen dat u het ongeveer vanaf de positie waar u nu staat kon zien?'

Hiromi Wakayama, die tot dan toe geneigd leek haar ogen neer te slaan, wierp bij die vraag van Mamiya een blik naar de bank. Waarschijnlijk moest ze terugdenken aan het moment waarop ze werd geconfronteerd met het levenloze lichaam.

'Ja. Ik denk dat het ongeveer hier was', antwoordde ze met een fijn stemmetje.

Mogelijk kwam het doordat ze zo mager en bleek was, maar Kusanagi scheen het toe alsof ze met moeite op haar benen kon staan. Ze voelde vast nog de naweeën van de schok die het zien van het lijk had teweeggebracht.

'En daarvoor was u eergisteravond voor het laatst in deze kamer?' zocht Mamiya bevestiging.

Hiromi Wakayama knikte van ja.

'Is er nu iets veranderd ten opzichte van toen? Hoe onbeduidend het ook mag lijken.'

Schichtig keek ze de kamer rond. Maar ze schudde meteen haar hoofd.

'Ik weet het niet precies. Eergisteren waren er andere mensen bij, en we hadden pas met z'n allen gegeten ...' Haar stem beefde.

Mamiya trok knikkend de puntjes van zijn wenkbrauwen samen. Hier schieten we niets mee op, gaf zijn gelaatsuitdrukking te kennen.

'Sorry dat we u zo lang hier hielden. U zult wel moe zijn, dus probeert u vannacht maar goed te slapen. Ik denk wel dat u morgen uw verhaal nog een keer zult moeten overdoen, als u dat niet erg vindt?'

'Geen probleem, maar ik ben bang dat ik u niet veel meer te vertellen heb.'

'Misschien niet, maar wij willen zo veel mogelijk details te weten komen. We verzoeken u dus om uw medewerking bij het onderzoek.'

Met neergeslagen ogen antwoordde Hiromi Wakayama kort van ja.

'Ik laat u door een van mijn agenten naar huis brengen', zei Mamiya en vervolgens keek hij naar Kusanagi. 'Hoe ben jij hier vandaag? Met de auto, neem ik aan?'

'Sorry, met de taxi.'

'Ach, en dat uitgerekend vandaag.'

'De laatste tijd gebruik ik mijn auto niet zo vaak.'

Mamiya klakte met zijn tong, waarna Kaoru Utsumi onmiddellijk zei: 'Ik ben met de auto.'

Kusanagi draaide zich verbaasd om. 'O ja? Je zit er warmpjes bij, zeg.'

'Ik was met de auto op weg om ergens te gaan eten toen ik de oproep kreeg. Sorry.'

'Je hoeft je niet te verontschuldigen. Goed, kun jij dan mevrouw Wakayama naar huis brengen?' vroeg Mamiya.

'Goed. Maar mag ik haar eerst één ding vragen?'

Mamiya reageerde verrast op dat verzoek van Kaoru Utsumi. Ook Hiromi Wakayama werd zichtbaar nerveus.

'Wat dan wel?' vroeg Mamiya.

Hiromi Wakayama strak aankijkend zette Kaoru Utsumi een stap naar voren.

'Blijkbaar zakte de heer Yoshitaka Mashiba in elkaar terwijl hij koffiedronk. Was het zijn gewoonte geen schoteltje te gebruiken?'

Geschrokken sperde Hiromi Wakayama haar ogen open. Haar blik was onvast.

'Eh ... als hij alleen was misschien wel, ja.'

'Dat betekent dat hij gisteren of vandaag bezoek had', zei Kaoru Utsumi stellig. 'Hebt u enig idee wie dat geweest kan zijn?'

Kusanagi keek haar van opzij aan.

'Hoe weet je dat hij bezoek had?'

'In de gootsteen in de keuken stonden één koffiekopje en twee schoteltjes die nog niet afgewassen waren. Als alleen meneer Mashiba zelf koffiegedronken had, zouden die schoteltjes er niet staan.'

Kishitani liep de keuken in en kwam meteen weer naar buiten.

'Het is zoals Utsumi zegt. Eén kopje en twee schoteltjes.'

Nadat Kusanagi een blik had uitgewisseld met Mamiya, richtte hij zich weer tot Hiromi Wakayama.

'Kunt u daar enige verklaring voor bedenken?'

Met een onrustig gezicht schudde ze haar hoofd.

'Ik ... weet het niet. Sinds ik eergisteravond wegging, was ik hier niet meer geweest. Of hij bezoek had, kan ik dus niet zeggen.'

Kusanagi keek opnieuw naar Mamiya. Die knikte peinzend en nam weer het woord.

'Begrepen. Bedankt dat u tot zo laat hier was ... Goed, Utsumi, breng haar naar huis. En Kusanagi, rijd jij ook maar mee.'

'Oké', antwoordde Kusanagi. Hij snapte waar Mamiya op uit was. Hiromi Wakayama had duidelijk iets te verbergen. En hij moest uitzoeken wat.

Toen ze met z'n drieën het huis uit liepen, zei Kaoru Utsumi: 'Wachten jullie maar hier. Ik ga de auto halen.' Het was haar eigen voertuig en dus had ze het netjes op een parkeerterrein gezet.

Terwijl ze op de auto wachtten, observeerde Kusanagi de jonge vrouw naast hem. Hiromi Wakayama zag er helemaal gebroken uit. Hij betwijfelde of alleen de confrontatie met een dood lichaam daarvan de oorzaak was.

‘Hebt u het niet te koud?’ vroeg hij.

‘Het gaat wel.’

‘Wilde u vanavond nog ergens naartoe gaan?’

‘Eh ... welnee, wat had u dan gedacht?’

‘O? Ik dacht dat u misschien met iemand afgesproken had, vandaar.’

Bij die woorden van Kusanagi bewoog Hiromi Wakayama heel even haar lippen. Ze leek in de war gebracht.

‘Ik neem aan dat deze vraag u al een paar keer gesteld is, maar mag ik het toch nog een keer doen?’

‘Welke vraag?’

‘Waarom wilde u vanavond meneer Mashiba bellen?’

‘Tja, ik had van mevrouw de sleutel in bewaring gekregen en dus ging ik ervan uit dat ik best af en toe contact op kon nemen. Als meneer Mashiba iets nodig heeft, moet ik hem helpen, dacht ik ...’

‘Maar omdat u geen verbinding kreeg, kwam u dus naar het huis, zo was het toch?’

‘Ja.’ Ze knikte kort ter bevestiging.

Kusanagi hield zijn hoofd schuin.

‘Maar het gebeurt toch vaker dat iemand zijn mobiele telefoon niet opneemt? Of zijn vaste trouwens. Kwam het dan niet bij u op dat meneer Mashiba ergens naartoe was en door omstandigheden toevallig zijn mobiel niet kon beantwoorden?’

Na een korte stilte schudde Hiromi Wakayama lichtjes haar hoofd.

‘Blijkbaar niet, nee ...’

‘Waarom niet? Was er iets wat u zorgen baarde?’

‘Nee, dat was het niet. Maar ik had ergens een bang voorgevoel ...’

‘Een bang voorgevoel dus.’

‘Had ik dat dan niet mogen doen? Puur vanwege een bang voorgevoel gaan kijken of er iets aan de hand was?’

‘Nee, dat bedoel ik niet. Ik ben zelfs onder de indruk. Niet veel mensen zouden zich zo verantwoordelijk voelen omdat ze een sleutel in bewaring kregen. Bovendien bleek uw voorgevoel uiteindelijk terecht, en dus vind ik het best lovenswaardig wat u deed.'

Hiromi Wakayama leek Kusanagi's woorden niet zomaar voor zoete koek te slikken, want ze wendde haar gezicht af.

Een karmijnrode Pajero stopte voor het huis. De deur zwaaide open en Kaoru Utsumi stapte uit.

'Vierwielaandrijving zowaar.' Kusanagi zette grote ogen op.

'Rijdt best comfortabel, hoor. Alstublieft, mevrouw Wakayama.'

Op Kaoru Utsumi's uitnodiging ging Hiromi Wakayama op de achterbank zitten. Kusanagi volgde haar voorbeeld.

Toen ze achter het stuur had plaatsgenomen, begon Kaoru Utsumi de gps in te stellen. Zo te zien had ze het adres van Hiromi Wakayama al gecheckt. Het was vlak bij het station Gakugei Daigaku, zag hij.

Even nadat de auto zich in beweging had gezet, vroeg Hiromi Wakayama aarzelend: 'Eh ... wat meneer Mashiba overkwam, was dat dan geen infarct of zo, of zelfmoord?'

Kusanagi keek naar de bestuurdersstoel. In de achteruitkijkspiegel kruiste zijn blik die van Kaoru Utsumi.

'Dat valt nog niet te zeggen. We hebben ook het resultaat van de autopsie nog niet.'

'Maar jullie zijn toch rechercheurs die zich met moordzaken bezighouden?'

'Dat natuurlijk wel, maar voorlopig blijft het bij een mogelijkheid dat het om moord gaat. Meer kunnen we niet zeggen, of liever: meer weten we zelf ook niet.'

'Ach zo?' antwoordde Hiromi Wakayama met een klein stemmetje.

'Nu, mevrouw Wakayama, mag ik u daarover van mijn kant een vraag stellen? Gesteld dat het hier om een moordzaak gaat, hebt u dan enig idee wat er gebeurd zou kunnen zijn?'

Haar adem leek te stokken. Kusanagi tuurde naar haar mond.

'Nee ... Ik weet zo goed als niets over meneer Mashiba, behalve dat hij de echtgenoot is van mijn lerares', antwoordde ze zwakjes.

'O? Nou ja, het geeft niet dat u niet zo meteen iets te binnen schiet. Als u zich toch iets herinnert, laat het dan weten alstublieft.'

Hiromi Wakayama bleef echter zwijgen, zonder zelfs maar te knikken.

Toen ze haar voor haar flat lieten uitstappen, verhuisde Kusanagi naar de passagiersstoel.

'Wat denk je?' vroeg hij, voor zich uit kijkend.

'Sterke vrouw', antwoordde Kaoru Utsumi prompt, terwijl ze de auto de weg op stuurde.

'Sterk? Vind je dat?'

'Wel, ze hield toch voortdurend haar tranen in bedwang? In onze aanwezigheid heeft ze er niet één vergoten.'

'Tja, misschien was ze helemaal niet zo verdrietig.'

'Nee. Ze moet gehuild hebben. Zelfs de hele tijd dat ze op de ambulance wachtte, vermoed ik.'

'Hoe weet je dat?'

'De make-up rond haar ogen. Ik kon merken dat haar uitgelopen mascara inderhaast bijgewerkt was.'

Kusanagi keek naar het profiel van zijn jongere collega. 'O ja?'

'Dat was zonneklaar.'

'Vrouwen letten echt op andere dingen. En dat bedoel ik als een compliment, hè.'

'Dat weet ik.' Ze ontspande. 'Welke indruk had u, meneer Kusanagi?'

'In één woord: verdacht. Ze blijft dan wel herhalen dat ze het deed omdat ze de sleutel kreeg, maar welke jonge vrouw gaat nu een kijkje nemen bij een man die alleen thuis is?'

'Daar ben ik het mee eens. Zelf zou ik er niet aan denken.'

'Zou ze eigenlijk niet iets gehad hebben met onze dode, of is dat te vergezocht?'

Kaoru Utsumi blies tussen haar tanden.

'Dat is niet te vergezocht, integendeel, ik zie het als de enige mogelijkheid. De twee waren van plan vanavond samen uit eten te gaan, denkt u ook niet?'

Kusanagi sloeg op zijn knie. 'In het restaurant in Ebisu?'

'Het restaurant belde toch omdat er op het gereserveerde tijdstip niemand kwam opdagen? En het was een tafel voor twee. Met andere woorden: niet alleen meneer Mashiba maar ook zijn tafelgenoot is niet komen opdagen.'

'Als we ervan uitgaan dat die tafelgenoot Hiromi Wakayama was, zou dat de verklaring zijn.'

Kusanagi was er vast van overtuigd dat ze het bij het rechte eind hadden.

'Als die twee iets hadden, zal dat vlug bewezen worden, neem ik aan', zei Kaoru Utsumi.

'Hoezo?'

'De koffiekop. Die in de gootsteen is wellicht door haar gebruikt. Dan zouden zouden daar ergens haar vingerafdrukken op moeten staan.'

'Ik snap het. Maar dat ze iets met elkaar hadden is op zich nog geen grond om haar als verdachte te behandelen, hè.'

'Dat besef ik natuurlijk ook', zei ze, waarop ze de auto naar links liet zwenken en stopte aan de kant van de weg.

'Is het goed als ik even bel? Ik wil iets checken.'

'Mij best, maar wie wil je bellen?'

'Hiromi Wakayama, uiteraard.'

Zonder acht te slaan op de verbaasde Kusanagi drukte Kaoru Utsumi de toetsen van haar mobiele telefoon in. Ze had zo te horen al vlug verbinding.

'Mevrouw Wakayama? Met Utsumi van de hoofdstedelijke politie. Bedankt voor daarnet ... Nee hoor, het is niets ernstigs. Ik vergat u te vragen wat uw plannen voor morgen zijn ... Is dat zo? Begrepen. Sorry voor het storen. Welterusten.' Kaoru Utsumi beëindigde het gesprek en verbrak de verbinding.

'Wat zegt ze dat ze morgen gaat doen?' vroeg Kusanagi.

'Ze wist het nog niet zeker, maar waarschijnlijk blijft ze

thuis. De patchworklessen zou ze dan afzeggen.'

'Hm.'

'Maar haar plannen voor morgen waren niet de enige reden voor mijn telefoontje.'

'Hoe bedoel je?'

'Ik hoorde tranen in haar stem. Ze wilde het verdoezelen, maar het was duidelijk. Zodra ze alleen in haar flat was, zijn volgens mij alle opgekropte emoties losgebarsten.'

Kusanagi richtte zich op in zijn stoel. 'En om dat te controleren belde je?'

'Ook bij iemand die je niet zo na aan het hart ligt, kan het feit van zijn dood je zo schokken dat je onwillekeurig in tranen uitbarst. Maar om na al die uren opnieuw te gaan huilen ...'

'Dan moet je wel speciale gevoelens koesteren voor die persoon ...' Kusanagi keek grijnzend naar de jonge politievrouw. 'Niet slecht gedaan, moet ik zeggen.'

'Tot uw dienst.' Kaoru Utsumi glimlachte en haalde de handrem eraf.

De volgende ochtend werd Kusanagi gewekt door het geluid van de telefoon. Mamiya hing aan de lijn. Het was pas zeven uur.

'U bent er vroeg bij', zei Kusanagi met enig sarcasme.

'Wees dankbaar dat je tenminste in je eigen bed kon slapen. Vanochtend doen we in het politiebureau van Meguro een briefing over het onderzoek. Allicht wordt er een hoofdkwartier voor ons opgezet. Het ziet ernaar uit dat je vanaf vanavond daar zult logeren.'

'En u belt me speciaal op om dat te zeggen?'

'Natuurlijk niet. Jij gaat nu naar Haneda.'

'Haneda? Wat heb ik daar te zoeken?'

'Wat anders dan de luchthaven? De echtgenote van meneer Mashiba komt terug uit Sapporo. Jij gaat haar afhalen. Zet haar in de auto en breng haar mee naar het bureau van Meguro.'

'Hebben we daar haar goedkeuring voor?'

'Dat zou geregeld moeten zijn. Ga samen met Kaoru Utsumi.

Zij zal rijden. De vlucht komt aan om acht uur.'

'Om acht uur?' Kusanagi veerde op.

Terwijl hij zich met grote spoed klaarmaakte, ging alweer zijn mobiele telefoon. Ditmaal was het Kaoru Utsumi. Ze zei dat ze al voor zijn flatgebouw stond.

Hij stapte net als de vorige avond in haar Pajero en samen begaven ze zich naar de luchthaven van Haneda.

'We krijgen weer de meest ondankbare rol toebedeeld. Confrontaties met de nabestaanden, hoe vaak ik het ook doe, het went nooit.'

'Maar de chef zei dat u beter dan wie ook overweg kunt met de nabestaanden.'

'Hè, zei die ouwe dat?'

'Omdat uw gezicht hen op hun gemak stelt, zei hij.'

'Ach wat. Wil hij misschien zeggen dat ik er als een sul uitzie?' Kusanagi klakte hard met zijn tong.

Om vijf voor acht arriveerden ze op de luchthaven. Terwijl ze in de aankomsthal stonden te wachten, kwamen er aan de lopende band passagiers naar buiten. Kusanagi keek samen met Kaoru Utsumi uit naar Ayane Mashiba. Beige jas en blauwe koffer, dat waren de herkenningspunten.

'Is het niet die dame daar?' Kaoru Utsumi staarde in één bepaalde richting.

Kusanagi volgde haar blik. Er was inderdaad een vrouw verschenen die perfect voldeed aan de beschrijving. Haar half neergeslagen ogen hadden iets droevigs en haar hele lichaam ademde een sfeer die je bijna statig kon noemen.

'Zij is het ... zo lijkt het.' Kusanagi's stem was hees.

Hij was van de wijs. Hij kon zijn ogen niet van haar afhouden. Waarom zijn hart zo hevig tekeerging, snapte hij zelf ook niet.

4

Toen ze Kusanagi en zijn collega zichzelf had horen voorstellen, was Ayane Mashiba's eerste vraag waar het stoffelijk overschot van haar man was.

'Het lichaam is overgedragen voor de gerechtelijke autopsie. De huidige stand van zaken weten we ook niet, maar we houden u op de hoogte van het verdere verloop', antwoordde Kusanagi.

'Ach zo ... Dan kan ik hem dus niet meteen zien?' Ayane knipperde bedrukt met haar ogen. Ze leek te vechten tegen haar tranen. Haar huid zag er enigszins ruw uit, wat in haar geval vermoedelijk niet van nature zo was.

'Zodra de autopsie achter de rug is, regelen we dat hij zo snel mogelijk vrijgegeven wordt.'

Kusanagi besefte zelf hoe merkwaardig stijf zijn manier van praten was. Confrontaties met nabestaanden maakten hem altijd wat nerveus, maar ditmaal voelde het toch een tikje anders aan.

'Dank u. Als u zo goed zou willen zijn.'

Ayane had een diepe stem voor een vrouw. Maar in Kusanagi's oren kreeg dat stemgeluid een bekoorlijke nagalm.

'We zouden graag met u praten op het bureau van Meguro, als u geen bezwaar hebt.'

'Nee, ze hadden me al laten weten dat u dat wilde doen.'

'Sorry voor de overlast. We hebben een auto voor u klaarstaan.'

Kusanagi liet haar plaatsnemen op de achterbank van Kaoru Utsumi's Pajero en ging zelf op de passagiersstoel zitten.

'Waar was u toen ze gisteravond contact met u opnamen?' vroeg hij terwijl hij zich naar achteren omdraaide.

'Een lokale *onsen**. Ik was er met een jeugdvriendin gaan logeren. Ik had mijn mobiele telefoon afgezet en dus was de oproep me helemaal ontgaan ... Pas voor ik ging slapen, luisterde ik naar mijn antwoordapparaat.' Ayane slaakte een langgerekte zucht. 'Ik dacht dat het een flauwe grap was. Ik had nog nooit meegemaakt dat de politie me belde.'

'Dat kan ik me voorstellen', zei Kusanagi.

'Maar, eh ... wat is er eigenlijk gebeurd? Ik weet nog helemaal van niets.'

Ayanes aarzelende vraag deed Kusanagi pijn van binnen. Het was waarschijnlijk de eerste vraag die ze had willen stellen. Maar tegelijk was ze vast ook bang het antwoord te horen.

'Wat zeiden ze u aan de telefoon?'

'Alleen dat mijn echtgenoot was komen te overlijden en dat er enige onduidelijkheid was over de doodsoorzaak, zodat er een politieonderzoek aan te pas moest komen. Meer details kreeg ik niet ...'

De agent die haar opbelde mocht wellicht niet meer zeggen. Maar voor Ayane moest het geweest zijn als een boze droom, die haar de hele nacht kwelde. Met welk gevoel was ze in het vliegtuig gestapt? Het idee alleen al sneed Kusanagi de adem af.

'Uw echtgenoot is thuis overleden', zei hij. 'De oorzaak is inderdaad nog onzeker. Hij had geen opvallende externe verwondingen. Mevrouw Hiromi Wakayama trof hem aan op de vloer van de woonkamer.'

'Zij ...?' Ayane moest merkbaar slikken.

Kusanagi keek naar Kaoru Utsumi aan het stuur. Daarop keek ook zij heel even steels naar hem. Hun blikken kruisten elkaar.

Ze denkt hetzelfde, realiseerde Kusanagi zich. Nog geen twaalf uur geleden had hij met Kaoru Utsumi van gedachten gewisseld over de relatie tussen Hiromi Wakayama en Yoshitaka Mashiba.

Hiromi Wakayama was Ayanes favoriete pupil. Dat ze haar zelfs uitnodigde voor etentjes bij haar thuis, betekende dat ze haar even dierbaar was als familie. Als die jongere vrouw dan met haar man aan de haal ging, zou dat zijn alsof de hond die ze te eten gaf haar in de hand beet.

De vraag was: wist Ayane af van hun affaire? Het was niet

omdat ze zo dicht bij de twee stond, dat ze daar zomaar van uit mochten gaan. Kusanagi kende genoeg gevallen van mensen die nergens erg in hadden, precies doordat ze er te dicht bij stonden.

'Leed uw echtgenoot aan een chronische ziekte of iets dergelijks?' vroeg Kusanagi.

Ayane schudde haar hoofd.

'Niet dat ik weet. Hij onderging regelmatig een medische check-up en ik heb nooit iets gehoord. Hij was evenmin een zware drinker.'

'En hij is ook nooit eerder plotseling ineengezakt?'

'Ik geloof het niet. Voor zover ik weet toch niet. Daarom is het ook zo onvoorstelbaar.' Ayane hield een hand tegen haar voorhoofd, alsof ze hoofdpijn wilde onderdrukken.

Kusanagi besloot dat het beter was nog niet te praten over mogelijke vergiftiging. Tot het resultaat van de autopsie er was, moest hij de vermoedens dat het om zelfmoord of boos opzet ging voor zich houden.

'Momenteel zijn de omstandigheden van het overlijden dus onduidelijk', zei Kusanagi. 'In zo'n geval moet de politie zo precies mogelijk de situatie ter plekke optekenen, daargelaten of er al dan niet een zaak van komt. En zo deden we de eerste vaststellingen met mevrouw Hiromi Wakayama als getuige. Op dat moment konden we u namelijk nog niet bereiken.'

'Dat is me gisteravond aan de telefoon uitgelegd.'

'Gaat u vaak terug naar Sapporo?'

Ayane schudde van nee.

'Het was de eerste keer sinds mijn huwelijk.'

'Was er iets met uw ouders?'

'Mijn vader sukkelt wat met zijn gezondheid, dus wilde ik hem gewoon een bezoekje brengen. Maar hij maakte het beter dan ik had verwacht, en daarom besloot ik met een vriendin naar een onsen te gaan ...'

'Dat kan ik begrijpen. Waarom gaf u de sleutel aan mevrouw Wakayama?'

'Voor het geval dat er tijdens mijn afwezigheid iets gebeurde. Ze helpt me bij mijn werk, en soms heeft ze voor een cursus materialen of werkstukken nodig die ik thuis bewaar.'

'Mevrouw Wakayama zegt dat ze uit bezorgdheid uw echtgenoot belde en ongerust werd toen ze maar geen verbinding kreeg, zodat ze naar het huis ging om een kijkje te nemen. Had u mevrouw Wakayama ook gevraagd zich over hem te ontfermen?' vroeg Kusanagi, zorgvuldig zijn woorden wegend; hij was er zich van bewust dat dit een cruciaal punt was.

Ayane fronste haar wenkbrauwen en boog haar hoofd opzij.

'Dat weet ik niet meer. Het kan zijn, ja. Maar ook al zei ik het niet met zo veel woorden, dat meisje is zo attent dat ze inderdaad misschien bezorgd was dat mijn man iets nodig had ... Eh, waarom vraagt u dat? Is het een probleem dat ik haar de sleutel gaf?'

'Nee hoor, helemaal niet. Gisteren vertelde mevrouw Wakayama ons dat het zo gegaan was en dus wilden we dat gewoon even verifiëren.'

Ayane bedekte met beide handen haar gezicht.

'Ik kan het maar niet geloven. Met zijn conditie was niets mis, en vrijdagavond hadden we zelfs nog vrienden uitgenodigd voor een feestje bij ons thuis. Hij leek zich ook uitstekend te vermaken, en dan ...' Haar stem trilde.

'Ik kan heel goed begrijpen hoe u zich voelt. Wie waren uw gasten op dat feestje?'

'Een oude studievriend van mijn man, en zijn vrouw.'

Ayane noemde de namen van Tatsuhiko en Yukiko Ikai.

Ze haalde haar handen van haar gezicht en zei peinzend: 'Ik heb een verzoek.'

'Wat dan?'

'Moeten we rechtstreeks naar het politiebureau?'

'Hoezo?'

'Als het kan, zou ik graag eerst thuis even langsgaan. Ik wil weten hoe hij daar lag ... Mag dat?'

Kusanagi keek opnieuw naar Kaoru Utsumi. Maar ditmaal

kruisten hun blikken elkaar niet. Zijn jongere vrouwelijke collega keek recht voor zich uit en leek zich te concentreren op het verkeer.

'Begrepen. Ik overleg even met mijn chef.' Kusanagi pakte zijn mobiele telefoon.

Toen Mamiya opnam, deelde Kusanagi hem Ayanes wens mee. Mamiya bromde een keer en antwoordde toen dat het in orde was.

'De situatie is trouwens enigszins gewijzigd. Misschien kun je beter op de plaats delict met haar praten. Neem haar maar mee naar het huis.'

'Wat is er dan gewijzigd aan de situatie?'

'Dat vertel ik je straks wel.'

'Oké.'

Nadat hij de verbinding had verbroken, zei Kusanagi tegen Ayane: 'We gaan bij u thuis langs.'

'Gelukkig', fluisterde ze.

Terwijl Kusanagi zijn ogen op de weg voor hem gericht hield, hoorde hij Ayane bezig met haar mobiele telefoon.

'Hallo, Hiromi? Met Ayane.'

Kusanagi schrok toen hij haar dat hoorde zeggen. Hij had niet verwacht dat ze nu Hiromi Wakayama zou opbellen. Maar hij kon haar moeilijk vragen dat te laten.

'... Ja, dat weet ik. Ik ben nu samen met mensen van de politie. We zijn net op weg naar het huis. Voor jou moet het verschrikkelijk geweest zijn, Hiromi.'

Kusanagi voelde zich niet op zijn gemak. Hij kon immers niet voorspellen hoe Hiromi Wakayama zou reageren. Het viel te vrezen dat ze, in al haar verdriet om het verlies van haar geliefde, haar verborgen gevoelens opbiechtte. En dan zou Ayane evenmin haar kalmte kunnen bewaren.

'... Daar lijkt het op, hè. Is met jou alles in orde? Voel je je niet te slecht? ... Nee? Dan is het goed. Zou je trouwens ook naar het huis kunnen komen, Hiromi? Ik wil je niet verplichten natuurlijk. Maar ik zou graag je verhaal horen.'

Hiromi Wakayama leek in ieder geval rustig te praten. Maar Kusanagi had niet voorzien dat Ayane haar erbij zou roepen.

'Gaat het? Goed, tot straks dan ... Ja, dank je. Doe jij ook maar rustig aan.' Ayane maakte zo te horen een einde aan het gesprek. Hij hoorde haar ook snuiven.

'Komt mevrouw Wakayama ook?' vroeg Kusanagi voor de zekerheid.

'Ja. O, mocht dat dan niet?'

'Jawel, geen probleem. Zij heeft hem gevonden, dus is het ook beter rechtstreeks van haar te horen wat er gebeurd is.' Hoewel hij dat zei, had Kusanagi moeite het hoofd koel te houden. Hij was echt benieuwd hoe de minnares de echtgenote persoonlijk zou vertellen over het moment waarop ze het lijk van de man ontdekte. Anderzijds, door aandachtig te observeren hoe Ayane zich gedroeg als ze dat vernam, rekende hij erop te kunnen doorzien of ze weet had van de affaire tussen haar man en haar pupil.

Nadat ze de hoofdstedelijke autosnelweg hadden verlaten, stuurde Kaoru Utsumi haar Pajero in de richting van de villa van de Mashiba's. Gisteren had ze zich al met deze auto naar de plaats delict gespoed. Misschien leek ze daarom niet aan de juiste weg te twijfelen.

Toen ze bij de Mashiba's aankwamen, was Mamiya er al. Hij stond samen met Kishitani voor de poort te wachten.

Ze stapten uit en Kusanagi stelde Ayane voor aan zijn chef en zijn collega.

'Onze innige deelneming.'

Nadat Mamiya beleefd zijn hoofd had gebogen naar Ayane, richtte hij zich tot Kusanagi.

'Heb je haar op de hoogte gebracht van de situatie?'

'Alleen de grote lijnen.'

Mamiya knikte en keek opnieuw naar Ayane.

'In feite zouden we u een aantal vragen willen stellen, mevrouw. Het spijt ons dat dit zo vlak na uw aankomst al moet gebeuren.'

'Dat geeft niet.'

'Laten we alvast naar binnen gaan ... Kishitani, de sleutel.'

Kishitani haalde uit zijn zak een sleutel tevoorschijn. Met enige verwarring op haar gezicht pakte Ayane die aan.

Ze deed de voordeur open en ging naar binnen, gevolgd door Mamiya en de anderen. Kusanagi liep haar als laatste achterna, met haar koffer in zijn hand.

'Waar lag mijn man?' vroeg Ayane nadat ze haar schoenen had uitgetrokken.

'Deze kant op.' Mamiya ging haar voor.

Op de vloer van de woonkamer plakte nog steeds de tape. Bij het zien van het silhouet sloeg Ayane een hand voor haar mond en verstijfde.

'Volgens mevrouw Wakayama is uw echtgenoot daar in elkaar gezakt', legde Mamiya uit.

Ayanes hele lichaam leek overmand door verdriet en verbijstering. Ze viel met haar knieën op de vloer. Kusanagi zag hoe haar schouders schokten. Er ontsnapten haar zachte snikken, als had ze de hik.

'Hoe laat was het?' zei ze met een dun stemmetje.

'Mevrouw Wakayama trof hem even voor acht uur aan', antwoordde Mamiya.

'Acht uur ... wat zou hij toen gedaan hebben?'

'Blijkbaar dronk hij koffie. Nu is het opgeruimd, maar er was een kopje op de grond gevallen en daar was koffie uitgelopen.'

'Koffie ... Had hij die zelf gezet?'

'Hoe bedoelt u?' vroeg Kusanagi.

'Nou ja, hij deed niets zelf. Ik heb hem ook nooit koffie zien zetten.'

Kusanagi zag hoe Mamiya's wenkbrauwen met een ruk omhoogschoten.

'Het is dus onwaarschijnlijk dat hij die zelf zette?' vroeg Mamiya met klem.

'Voor we trouwden deed hij dat wel. Maar toen had hij een koffiezetapparaat.'

'En nu?'

'Hebben we er geen. Ik had het niet nodig en dus gooide ik het weg.'

Mamiya's blik werd nog een stuk grimmiger. Zonder die uitdrukking te veranderen ging hij verder: 'Mevrouw, zolang we de resultaten van de autopsie niet hebben, kunnen we niets met zekerheid zeggen, maar het ziet ernaar uit dat uw man door vergiftiging om het leven gekomen is.'

Een ogenblik keek Ayane wezenloos voor zich uit, waarna ze grote ogen opzette.

'Vergiftiging ...? Wat voor vergiftiging?'

'Dat wordt nog uitgezocht. Maar bij de analyse van de resterende koffie op de plaats delict zou een krachtige toxische stof gedetecteerd zijn. Dat betekent dat het overlijden van uw echtgenoot niet te wijten is aan een ziekte of een simpel ongeluk of zo.'

Ayane bedekte haar mond en knipperde herhaaldelijk met haar ogen. Die ogen kleurden in een mum van tijd rood.

'Maar ... waarom zou hem zoiets ...'

'Dat is voorlopig een raadsel. Daarom wilde ik u vragen of u misschien enig vermoeden had.'

Kusanagi begreep dat dit de 'gewijzigde situatie' was waar Mamiya het over had aan de telefoon. Het verklaarde ook waarom zijn chef in hoogsteigen persoon was gekomen.

Met een hand tegen haar voorhoofd ging Ayane op de bank het dichtst bij haar zitten.

'Of ik een vermoeden heb? Nee, niet het minste.'

'Wanneer sprak u voor het laatst met uw echtgenoot?' vroeg Mamiya.

'Zaterdagochtend. Toen ik thuis vertrok, ging hij samen met me naar buiten.'

'Was er op dat moment iets ongewoons aan zijn gedrag? Hoe triviaal ook.'

Ayane zweeg, alsof ze er diep over nadacht, maar uiteindelijk schudde ze heftig van nee.

'Er schiet me niets te binnen.'

Niet verwonderlijk, leefde Kusanagi met haar mee. De plotselinge dood van haar man was op zich al schokkend, en als je dan ook nog te horen krijgt dat het om een verdacht overlijden gaat, en om vergiftiging, is het alleen maar normaal dat je in de war bent.

'Chef, waarom laten we haar niet even tot rust komen?' zei Kusanagi. 'Ze is pas terug uit Sapporo, ze zal wel moe zijn.'

'Hm, dat zal wel, ja.'

'Nee, het valt best mee', zei Ayane, haar rug strekkend. 'Maar zou ik me even mogen omkleden? Ik heb deze kleren al aan sinds vannacht.' Ze droeg een donker pak.

'Sinds vannacht al?' vroeg Kusanagi.

'Ja. Ik vroeg me de hele tijd af of ik toch niet op de een of andere manier naar Tokio terug zou kunnen. En dus maakte ik me alvast klaar, om ieder moment te kunnen vertrekken.'

'Dan hebt u helemaal geen nachtrust gehad.'

'Nee, maar slapen kon ik hoe dan ook niet.'

'Dat is niet zo best', zei Mamiya. 'Waarom rust u toch eerst niet een beetje uit?'

'Nee, het geeft heus niet. Ik kleed me om en ben zo terug.' Ayane stond op.

Nadat hij zich ervan had verzekerd dat ze de kamer uit was, vroeg Kusanagi aan Mamiya: 'Weten ze om welk gif het gaat?'

Mamiya knikte.

'Ze hebben arsenigzuur gedetecteerd in de koffie.'

Kusanagi sperde zijn ogen open.

'Arsenigzuur? Zoals in die zaak met de vergiftigde curry*?'

'Volgens de forensische dienst gaat het om natrium arseniet. Uit de concentratie in de koffie kunnen we aannemen dat Yoshitaka ruimschoots de dodelijke dosis binnenkreeg. Normaal gesproken kennen we vanmiddag ook de gedetailleerde resultaten van de autopsie, maar de vergiftigingsverschijnselen van arsenigzuur zouden overeenstemmen met de toestand van het lijk.'

Al zuchtend knikte Kusanagi. Een natuurlijke dood leek zo goed als uitgesloten.

'Ze zei dat Yoshitaka nooit zelf koffiezette. Wie zette hem dan wel?' zei Mamiya als bij zichzelf, maar uiteraard hoorbaar genoeg voor zijn ondergeschikten.

'Ik denk dat hij nu en dan wel zelf zijn koffie maakte', mengde Kaoru Utsumi zich plotseling in het gesprek.

'Hoe weet je dat zo zeker?' vroeg Mamiya.

'Omdat iemand dat verklaarde.' Na een blik naar Kusanagi vervolgde Kaoru Utsumi: 'Mevrouw Wakayama.'

'Heeft zij daar dan iets over gezegd?' Kusanagi tastte in zijn geheugen.

'Weet u nog dat ik haar gisteravond een vraag stelde over de schoteltjes? Ik vroeg of meneer Mashiba geen schoteltje gebruikte als hij koffiedronk. En mevrouw Wakayama antwoordde dat dat kon kloppen, als hij alleen was dan.'

Kusanagi herinnerde zich die conversatie.

Mamiya knikte ook. 'Nu je het zegt, ja. Dat hoorde ik haar ook zeggen. De vraag is: waarom weet de pupil van de echtgenote dingen die de echtgenote zelf niet weet?'

'Daarover wil ik u iets vertellen.'

Kusanagi fluisterde Mamiya de theorie toe die hij en Kaoru Utsumi hadden ontwikkeld: dat er tussen Hiromi Wakayama en Yoshitaka Mashiba iets meer aan de hand was.

Mamiya keek beurtelings naar het gezicht van Kusanagi en dat van Kaoru Utsumi, en hij grijnsde.

'Jullie zijn dus ook die mening toegedaan.'

'U dan ook, chef?' Kusanagi keek verrast terug.

'Ik ben niet voor niets zo'n oude rot in het vak. Gisteren ging me al een licht op.' Mamiya tikte hierbij met een vingertop tegen zijn hoofd.

'Eh, waarover gaat dit?' vroeg Kishitani.

'Jou leg ik het later wel uit', zei Mamiya, waarna hij weer naar Kusanagi keek. 'Geen woord daarover als de echtgenote erbij is. Onder geen beding.'

Kusanagi antwoordde dat hij het begrepen had. Naast hem knikte ook Kaoru Utsumi.

'Is dat gif eigenlijk alleen ontdekt in de restanten van de koffie?' vroeg Kusanagi.

'Nee, het is nog ergens aangetroffen.'

'En dat is ...?'

'In het filterzakje dat in de trechter zat. Om precies te zijn: in het koffiedik in dat filterzakje.'

'Het gif is dus bij het zetten van de koffie met het poeder gemengd?' zei Kishitani.

'Dat zou je wel denken, ja. Maar er is nog een mogelijkheid.' Mamiya stak zijn wijsvinger op.

'Dat het al van tevoren in het poeder zat', opperde Kaoru Utsumi.

Mamiya gooide zelfvoldaan zijn hoofd in zijn nek.

'Inderdaad. Het koffiepoeder stond in de koelkast. Volgens de forensische dienst is daar geen gif in gevonden, maar dat wil nog niet zeggen dat er geen in zat. Misschien was het alleen bovenaan aangebracht, zodat het allemaal weg was als je met een lepeltje de koffie eruit schepte.'

'Wanneer is het dan aangebracht?' vroeg Kusanagi.

'Dat weet ik niet. Het forensisch team haalde uit de vuilniszak een aantal gebruikte filterzakjes, maar daarin vonden ze geen gif terug. Nou ja, dat is niet meer dan normaal. Anders had er eerder al iemand vergiftigde koffie gedronken.'

'In de gootsteen stond een koffiekopje dat niet afgewassen was', zei Kaoru Utsumi. 'Het is belangrijk te weten wanneer daarvan gedronken is. En wie het gebruikte natuurlijk.'

Daarop likkebaardde Mamiya.

'Dat weet ik al. De test van de vingerafdrukken leverde twee resultaten op. Eén stel is van Yoshitaka. Het andere van wie jullie denken.'

Kusanagi en Kaoru Utsumi keken elkaar aan. Kennelijk was hun theorie al gestaafd door het onderzoek.

'Chef, in feite zit het zo dat Hiromi Wakayama op weg hiernaartoe is.' Kusanagi vertelde Mamiya over het telefoontje dat Ayane had gepleegd.

Mamiya knikte, een frons tussen zijn wenkbrauwen.

'Dat komt goed uit. Vraag haar wanneer ze die koffie dronk. En laat jullie niets wijsmaken, hoor je.'

'Oké', antwoordde Kusanagi.

Omdat ze voetstappen de trap af hoorden komen, hielden ze verder hun mond.

Ayane kwam binnen en zei: 'Sorry dat ik u liet wachten.' Ze was nu gekleed in een lichte, blauwe overhemdbloes en een zwarte broek. Haar gezicht leek iets meer kleur te hebben, maar waarschijnlijk had ze haar make-up bijgewerkt.

'Mogen we u dan nog een paar vragen stellen?' vroeg Mamiya.

'Ja. Waarover gaat het?'

'Gaat u in elk geval even zitten. U zult wel vermoeid zijn.' De chef wees naar de bank.

Ayane nam plaats. Daarna keek ze door de glazen schuifdeur naar de tuin.

'Och, ze zijn hun fleurigheid helemaal kwijt. Ik had mijn man gevraagd ze water te geven, maar hij heeft nooit veel interesse in bloemen gehad.'

Kusanagi richtte zijn blik op de tuin. Bontgekleurde bloemen bloeiden er in potten en bakken.

'Neem me niet kwalijk, maar zou ik de bloemen water mogen geven? Ik kan het niet verdragen als ze er zo bij staan.'

Even stond er verbazing te lezen op Mamiya's gezicht, maar hij ontspande meteen zijn kaken en knikte.

'Ja, doet u maar. We hebben geen haast.'

'Excuseert u me even', zei Ayane en ze stond op. Om de een of andere reden liep ze echter naar de keuken. Kusanagi vond dat vreemd en gluurde naar binnen. Hij zag dat ze een emmer vulde met kraanwater.

'Hebt u geen kraantje in de tuin?' vroeg Kusanagi achter haar rug.

Ayane draaide zich om en glimlachte.

'Dit water is voor de bloemen op het balkon. Boven is er geen wastafel, ziet u.'

'O, oké.'

Gisteren, toen hij voor het eerst naar dit huis kwam, stond Kaoru Utsumi omhoog te kijken naar het balkon op de bovenverdieping, herinnerde Kusanagi zich.

De volle emmer water zag er behoorlijk zwaar uit. 'Zal ik hem dragen?' Kusanagi stak zijn hand uit.

'Nee, het gaat wel.'

'Laat mij maar. Het is dus goed als ik hem naar boven breng?'

'Als u wilt', zei Ayane met een stem die leek weg te sterven.

Het slaapvertrek van het echtpaar was een westerse kamer van zo'n dertig vierkante meter. Aan de muur hing een enorm tapijt in patchwork. Kusanagi was gefascineerd door het wervelende kleurenpalet.

'Is dit van u?'

'Ja, het is een werk van een poosje geleden.'

'Het is prachtig. Neem me niet kwalijk, maar ik ging ervan uit dat het gewoon om een soort borduren ging. Dat het zo artistiek was, had ik nooit ...'

'Kunst is het niet. Een stuk patchwork is een gebruiksvoorwerp. Het moet vooral van pas komen in het dagelijkse leven. Maar als het aangenaam is voor het oog, des te beter, vindt u ook niet?'

'Zeker. Het is geweldig dat u zulke dingen kunt maken. Het zal toch best moeilijk zijn?'

'Het vergt tijd, en dus heb je geduld nodig. Maar eraan werken is ook een genot. Als je geen plezier hebt in het werk zelf, kun je geen goeie dingen maken.'

Kusanagi knikte en keek opnieuw naar het wandtapijt. Op het eerste gezicht leken de kleuren lukraak naast elkaar geplaatst, maar ernaar kijken met de gedachte aan Ayane die volop genietend het ontwerp verzon, was genoeg om zijn hart te doen smelten.

Het balkon was net als de kamer ruim bemeten. Maar door de hele rits bloembakken leek het toch alsof hoogstens één persoon er zich kon bewegen, en dan nog met veel moeite.

Ayane pakte een leeg blikje dat in een hoek stond.

'Interessant niet, dit?' zei ze en ze liet het zien aan Kusanagi.

In de bodem van het blik waren een aantal gaatjes gemaakt. Ze schepte ermee in de emmer. Uiteraard liep het water door de gaten. Zo begon ze het over de bloemen in de bakken te sproeien.

'Aha, in plaats van een gieter dus?'

'Ja. Met een gieter is het moeilijk om water uit een emmer te scheppen, nietwaar? Daarom heb ik met een priem gaatjes gemaakt in een blikje.'

'Uitstekend idee.'

'Ja, hè? Maar mijn man kon niet begrijpen dat ik zo ver ging om toch maar bloemen te kweken op het balkon.' Nadat ze dat had gezegd, verstarde plotseling Ayanes gezicht en ze hurkte neer. Het water bleef uit het blik lopen.

'Mevrouw Mashiba?' riep Kusanagi haar toe.

'Neem me niet kwalijk. Ik kan maar niet geloven dat mijn man niet langer onder ons is ...'

'Ik denk dat niemand dat van u kan verlangen.'

'U weet dit vast al, maar we waren pas een jaar getrouwd. Ik was eindelijk gewend aan mijn nieuwe leven, en ik begon net te weten wat hij lekker vond en zo. Ik dacht dat we samen nog zo veel leuke dingen zouden kunnen doen.'

Ayane bedekte met één hand haar gezicht en liet haar hoofd hangen. Kusanagi vond geen gepaste woorden. De bloemenpracht om haar heen voelde nu schrijnend aan.

'Sorry', fluisterde ze. 'Op deze manier kan ik de politie niet van dienst zijn, hè. Ik moet me sterk houden.'

'Zullen we onze vragen maar voor een andere dag bewaren?' zei Kusanagi zonder nadenken. Als Mamiya hem had gehoord, had die ongetwijfeld zuur gekeken.

'Nee, het gaat wel. Ik wil zelf ook snel de ware toedracht te weten komen. Maar hoe ik er ook over nadenk, ik snap het niet. Waarom moest hij met gif ...'

Midden in die zin weerklonk de deurbel. Geschrokken kwam Ayane weer overeind. Ze gluurde omlaag vanaf het balkon.

'Hiromi', riep ze naar beneden en ze stak even haar hand op.

'Is het mevrouw Wakayama?'

Ayane zei van ja en kwam naar binnen.

Ze liep de kamer uit en dus volgde Kusanagi haar. Toen ze de trap afdaalden, stond Kaoru Utsumi in de gang. Vermoedelijk omdat ze de bel had gehoord. 'Hiromi Wakayama is er', deelde Kusanagi haar fluisterend mee.

Ayane deed de voordeur open. Buiten stond Hiromi Wakayama.

'Hiromi.' Ayanes stem brak.

'Sensei, gaat het?'

'Het gaat. Bedankt dat je wilde komen.'

Zodra ze dat had gezegd, sloeg Ayane haar armen om Hiromi Wakayama. Ze begon luidkeels te huilen als een kind.

5

Ayane maakte zich weer los van Hiromi Wakayama en wreef met een vingertop onder haar ogen, waarna ze zich met een klein stemmetje verontschuldigde.

'Ik heb er de hele tijd tegen gevochten, maar toen ik je gezicht zag, kon ik me plotseling niet langer beheersen. Maar het gaat alweer, echt.'

Bij het zien van Ayanes krampachtige glimlach kreeg Kusanagi het moeilijk. Hij wilde haar het liefst alleen laten met haar verdriet.

'Sensei, kan ik iets voor u doen?' vroeg Hiromi Wakayama terwijl ze haar ogen opsloeg naar Ayane.

Ayane schudde haar hoofd.

'Het voornaamste is dat je hier bent. Ik kan nu trouwens nergens aan denken. Kom in ieder geval mee naar binnen. Ik wil graag meer horen.'

'Eh, mevrouw Mashiba', haastte Kusanagi zich te zeggen terwijl hij de twee vrouwen aankeek. 'Eigenlijk willen wij mevrouw Wakayama ook een paar vragen stellen. Gisteravond was alles een beetje warrig en konden we niet rustig praten.'

Hiromi Wakayama's onthutste blik schoot heen en weer. Waarschijnlijk dacht ze dat ze al meer dan voldoende had verteld over hoe ze het lijk ontdekte en dat er niets meer te zeggen viel.

'Uiteraard is het geen probleem als u en uw collega's erbij zijn.' Ayane leek helemaal niet door te hebben wat Kusanagi bedoelde.

'Wel, eh, eerst zouden we even alleen met mevrouw Wakayama ...'

Toen Kusanagi dat zei, knipperde Ayane misnoegd met haar ogen.

'Waarom? Ik wil ook horen wat Hiromi te zeggen heeft. Daarom vroeg ik haar tenslotte te komen.'

'Beste mevrouw Mashiba', kwam Mamiya tussenbeide. Kusanagi had niet eens gemerkt dat die inmiddels naast hem stond. 'Neemt u ons niet kwalijk, maar in ons werk als politie bestaat er zoiets als een procedure, dus zou u zo goed willen zijn het voorlopig over te laten aan Kusanagi? U zult het wel bureaucratisch gedoe vinden, maar als we ons niet houden aan de formaliteiten, kan ons dat achteraf in een lastig parket brengen.'

Dat perfecte staaltje van geveinsde beleefdheid zorgde voor een licht ontstemde uitdrukking op Ayanes gezicht. Maar ze knikte.

'Vooruit dan maar. Maar waar moet ik ondertussen naartoe?'

'O, blijft u gerust hier, mevrouw. We willen u ook het een en ander vragen', zei Mamiya, waarna hij Kusanagi en Kaoru Utsumi aankeek. 'Neem mevrouw Wakayama ergens mee naartoe waar jullie rustig kunnen praten.'

'Oké', antwoordde Kusanagi.

'Ik haal de auto.' Kaoru Utsumi deed de voordeur open en liep naar buiten.

Zo'n twintig minuten later zat Kusanagi aan een tafel in een hoekje van een familierestaurant. Naast hem zat Kaoru Utsumi en tegenover hem Hiromi Wakayama, met hangend hoofd en een starre blik.

'Hebt u vannacht goed geslapen?' vroeg Kusanagi nadat hij een slok koffie had genomen.

'Niet echt ...'

'Het dode lichaam vinden was een grote schok, neem ik aan?'

Hiromi Wakayama antwoordde niet op die vraag. Ze beet op haar lip, haar ogen nog steeds naar beneden gericht.

Volgens Kaoru Utsumi zou ze gisteravond zodra ze thuiskwam in tranen uitgebarsten zijn. Het mocht dan om overspel gaan, als je de man van wie je houdt voor je eigen ogen dood zag liggen, was de impact beslist niet te onderschatten.

'We zouden u graag een paar vragen stellen waar we gisteren niet aan toe gekomen zijn, als u het niet erg vindt.'

Hiromi Wakayama haalde diep adem.

'Ik weet verder niets meer ... Ik vrees dat ik op geen van uw vragen kan antwoorden.'

'Dat durf ik te betwijfelen. Zulke moeilijke vragen zijn het niet. Toch niet als u de intentie hebt eerlijk te antwoorden.'

Hiromi Wakayama wierp Kusanagi een blik toe. Die kon je gerust nijdig noemen.

'Ik lieg niet.'

'Goed zo. Wel, wat ik me dus afvroeg: u zei dat u het lichaam van meneer Yoshitaka Mashiba aantrof rond acht uur gisteravond, en dat u daarvoor voor het laatst bij de Mashiba's was op dat feestje vrijdag, klopt dat?'

'Dat klopt.'

'Echt waar? Het gebeurt wel vaker dat iemand door de schok van streek raakt en zijn geheugen hem parten speelt. Denkt u er in alle kalmte nog een keer goed over na. Was u echt niet meer aanwezig in het huis van de Mashiba's tussen het moment dat u vrijdag afscheid nam en gisteravond?' vroeg Kusanagi terwijl hij naar Hiromi Wakayama's lange wimpers staarde. Hij beklemtoonde de woorden 'echt niet'.

Nadat ze zich een poosje in stilzwijgen had gehuld, kwamen haar lippen van elkaar.

'Waarom vraagt u dat? Is er enige reden om zo koppig aan te dringen als ik u al zei dat het klopt?'

Kusanagi ontspande zijn mondhoeken.

'Ik ben hier wel degene die de vragen stelt.'

'Maar ...'

'Beschouw het als een simpele bevestiging. Maar aangezien we zo koppig aandringen, zoals u het zelf uitdrukte, zou ik ook graag hebben dat u heel goed nadenkt voor u antwoordt. Om het wat cru te stellen: als u achteraf zomaar op uw woorden terugkomt, zitten wij ook in de penarie.'

Hiromi Wakayama klemde haar lippen opnieuw opeen. Kusanagi voelde dat ze in haar hoofd allerlei afwegingen maakte. Dit was normaal gesproken het moment waarop ze dacht aan de mogelijkheid dat de politie haar leugens zou doorzien en ze wikte en woog of het raadzaam was alles maar meteen op te biechten.

Haar mentale weegschaal leek echter maar niet stil te willen staan en ze volhardde in haar stilzwijgen. Kusanagi werd ongeduldig.

'Toen we gisteravond aankwamen op de plaats delict, vonden we in de gootsteen een koffiekopje en twee schoteltjes. Toen we u vroegen of u daar iets van afwist, antwoordde u van niet. Maar bij nader onderzoek werden uw vingerafdrukken aangetroffen. Wanneer hebt u dat servies aangeraakt?'

Met een zucht gingen de schouders van Hiromi Wakayama langzaam omhoog en omlaag.

'Tijdens het weekend hebt u meneer Mashiba nog gezien, nietwaar? De levende meneer Mashiba wel te verstaan.'

Ze bracht een hand naar haar voorhoofd en plantte haar elleboog op tafel. Misschien bedacht ze een uitvlucht, maar Kusanagi was ervan overtuigd dat ze zich er niet uit zou praten.

Ze nam haar hand weer weg van haar hoofd en knikte met neergeslagen blik.

'U hebt gelijk. Het spijt me.'

'U hebt meneer Mashiba dus ontmoet?'

Na een korte pauze antwoordde ze van ja.

'Wanneer was dat?'

Ook op deze vraag kwam geen onmiddellijk antwoord. Ze geeft zich nog niet helemaal gewonnen, ergerde Kusanagi zich.

'Moet ik daarop antwoorden?' Hiromi Wakayama hief haar gezicht op en keek naar Kusanagi en Kaoru Utsumi. 'Dat is toch helemaal niet van belang? Is zoiets geen inbreuk op mijn privacy?'

Ze leek elk moment in tranen te gaan uitbarsten, maar in haar ogen schuilde gemeende boosheid. En haar toon was bits.

Kusanagi moest denken aan wat hij ooit van een oudere rechercheur had gehoord: hoe broos ze er ook uitziet, een vrouw die met een getrouwde man naar bed gaat, is te duchten.

Hoe dan ook, hij mocht nu geen tijd verliezen. Kusanagi besloot zijn volgende kaart op tafel te gooien.

'Meneer Mashiba's doodsoorzaak is vastgesteld. Het gaat om vergiftiging.'

Er ging een huivering door Hiromi Wakayama's gezicht.

'Vergifti...'

'Het gif is gedetecteerd in de koffie die op de plaats delict was achtergebleven.'

Ze sperde haar ogen open. 'Dat kan toch niet.'

Kusanagi boog zich lichtjes voorover en keek haar indringend aan.

'Waarom kan dat niet?'

'Omdat ...'

'Omdat er niets aan de hand was toen u daarvoor koffiedronk?'

Ze knipperde met haar ogen en ondanks enige aarzeling bewoog ze haar hals op en neer.

'Mevrouw Wakayama, dat is het nu net. Als meneer Mashiba het gif er zelf in deed en als daarvan vervolgens sporen achterbleven, zou er voor ons weinig of geen reden zijn om er een probleem van te maken. Het zou dan om zelfmoord of een ongeluk gaan. Maar momenteel lijkt die kans bijzonder klein. Onder de huidige omstandigheden moeten we wel aannemen dat iemand met opzet meneer Mashiba's koffie vergiftigde. Bovendien is de toxische stof ook aangetroffen in een gebruikt filterzakje. De meest plausibele theorie op dit moment is dan ook dat het gif met het koffiepoeder vermengd was.'

Hiromi Wakayama was zichtbaar aangeslagen en schudde heftig haar hoofd.

'Ik weet van niets.'

'Ook als dat zo is, wil ik dat u ten minste antwoordt op onze vragen. Dat u bij de Mashiba's thuis koffiedronk, is een erg belangrijk aanknopingspunt. Uw verklaring is cruciaal om het tijdstip in te schatten waarop de dader – of nee, of het woord "dader" op zijn plaats is, valt nu nog niet te beoordelen – waarop dus "iemand" het gif in de koffie deed. Wel?' zei Kusanagi om af te ronden, waarna hij zijn rug strekte en op haar neerkeek. Vanaf nu was hij van plan zelf ook te zwijgen tot zij iets zou zeggen.

Hiromi Wakayama hield beide handen voor haar mond. Haar blik dwaalde over de tafel. Eindelijk deed ze hortend haar mond open: 'Ik ... U vergist zich.'

'Hè?'

'Ik was het niet.' Met smekende ogen schudde ze haar hoofd. 'Ik heb hem niet vergiftigd of wat dan ook. Echt waar. Geloof me alstublieft.'

Kusanagi wisselde onwillekeurig een blik met Kaoru Utsumi.

Hiromi Wakayama was wel degelijk een verdachte. De meest voor de hand liggende verdachte kon je zelfs stellen. Zij had de gelegenheid het gif in de koffie te doen. En als ze een overspelige relatie had met Yoshitaka Mashiba, was het makkelijk voor te stellen dat 'amoureuze perikelen' meespeelden als motief. Dat ze hem eerst zelf vermoordde en zich daarna, als dekmantel, voordeed als degene die zijn lichaam ontdekte, was evenmin ondenkbaar.

Maar in dit stadium wilde Kusanagi dergelijke vooringenomenheid zo veel mogelijk achterwege laten en meegaan in haar verhaal. Hij had geen woorden in de mond genomen die erop wezen dat hij haar ergens van betichtte. Hij vroeg haar alleen wanneer ze samen met Yoshitaka Mashiba koffie had gedronken. Waarom deed ze dan toch dergelijke uitlatingen? Was het nu juist omdat ze de dader was, dat ze te veel zocht achter wat hij zei en onbewust op de zaken vooruitliep? Zo kon je het ook interpreteren.

'U staat niet onder verdenking, hoor.' Hij lachte haar toe. 'Zoals ik net al zei: we willen gewoon het tijdstip van het misdrijf achterhalen. Als u meneer Mashiba ontmoette en koffie met hem dronk, waarom vertelt u ons dan niet wanneer dat was, en wie op welke wijze die koffie zette?'

De verscheurdheid stond te lezen op Hiromi Wakayama's

blanke gezicht. Kusanagi kon nog steeds niet uitmaken of ze simpelweg aarzelde het overspel op te biechten.

'Mevrouw Wakayama.' Plotseling nam Kaoru Utsumi het woord.

Hiromi Wakayama hief geschrokken haar kin op.

'Wat de relatie was tussen u en meneer Mashiba, kunnen we ons zo'n beetje voorstellen.' Kaoru Utsumi ging verder. 'Ook als u dat ontkent, zullen we willen natrekken hoe het werkelijk zat, ziet u? En als politiemensen ergens hun zinnen op zetten, brengen ze de waarheid doorgaans aan het licht. Terwijl ze daarmee bezig zijn, zullen ze bovendien bij tal van personen gaan rondvragen. Denkt u daar alstublieft goed over na. Als u hier en nu eerlijk antwoordt, denk ik dat wij u van onze kant ook tegemoet kunnen komen. Als u ons bijvoorbeeld vraagt het zo veel mogelijk stil te houden voor de buitenwereld, zullen we dat in aanmerking nemen.'

Kaoru Utsumi zei het even onbewogen als een ambtenaar die de een of andere procedure uitlegt, waarna ze naar Kusanagi keek en hem een knikje gaf. Dat was dan waarschijnlijk bedoeld om zich te excuseren voor haar ongevraagde tussenkomst.

Maar haar raadgeving leek bij Hiromi Wakayama wel een gevoelige snaar te raken. Misschien vooral omdat die was uitgesproken door iemand van dezelfde kunne. Nadat ze een keer diep haar hoofd liet hangen, hief ze opnieuw haar gezicht op, knipperde langzaam met haar ogen en slaakte toen een zucht.

'Kunt u het echt geheim houden?'

'Zolang er geen verband is met de zaak, zullen we onze mond niet voorbijpraten, geloof me', verzekerde ook Kusanagi haar.

Hiromi Wakayama knikte.

'U hebt gelijk, ik had een verhouding met meneer Mashiba. Eerder dit weekend ging ik ook bij hem thuis op bezoek, en dus niet alleen gisteravond.'

'Wanneer precies?'

'Zaterdagavond. Ik denk dat ik even over negen aankwam.'

Zodra Ayane Mashiba naar haar ouders was vertrokken, hadden de twee echtbrekers blijkbaar genoten van een gezellig rendez-vous.

'Hadden jullie dat van tevoren afgesproken?'

'Nee. Rond de tijd dat ik klaar was met mijn cursussen patchwork, kreeg ik een telefoontje van hem. Hij vroeg me die avond langs te komen.'

'En dat deed u dus. Wat gebeurde er vervolgens?'

Heel even was er een weifeling op het gezicht van Hiromi Wakayama te zien, maar toen staarde ze Kusanagi aan, alsof ze zich schrap zette.

'Ik bleef die nacht slapen. Ik verliet het huis van de Mashiba's pas de volgende ochtend.'

Naast Kusanagi begon Kaoru Utsumi notities te maken. Van haar profiel viel geen enkele emotie af te lezen. Maar ze zou er wel het hare van denken. Ik wil straks weleens horen wat ze erover te zeggen heeft, dacht Kusanagi.

'Wanneer dronk u samen koffie?'

'Gisterochtend. Ik maakte hem. O, maar eergisteravond dronken we ook koffie.'

'Zaterdagavond? U dronk dus twee keer koffie?'

'Ja.'

'En maakte u hem toen ook?'

'Nee. Zaterdagavond was meneer Mashiba bezig hem zelf te zetten toen ik aankwam. Hij had ook voor mij een kopje voorzien.' Naar de grond kijkend ging Hiromi Wakayama verder. 'Dat was de eerste keer dat ik hem koffie zag zetten. Hij zei zelf ook dat het langgeleden was.'

'U gebruikte toen geen schoteltjes, klopt dat?' vroeg Kaoru Utsumi, opkijkend van haar notities.

Hiromi Wakayama antwoordde bevestigend.

'En gisterochtend zette u dus de koffie?' verifieerde Kusanagi nog een keer.

'Meneer Mashiba's koffie was een beetje te bitter en hij zei dat ik hem de volgende keer moest zetten. Gisterochtend keek hij de hele tijd toe hoe ik het deed.' Ze verplaatste haar blik naar

Kaoru Utsumi. 'Toen hebben we wel schoteltjes gebruikt. Die stonden dus nog in de gootsteen.'

Kusanagi knikte. Tot nu toe bevatte haar verhaal geen tegenstrijdigheden.

'Ik vraag het voor alle zekerheid, maar gebruikten jullie zaterdagavond en zondagochtend dezelfde koffie die ze normaal bij de Mashiba's thuis gebruiken?'

'Ik neem aan van wel. Ik gebruikte gewoon het poeder dat in de koelkast stond. Wat meneer Mashiba zaterdagavond deed, weet ik niet. Maar ik vermoed dat hij dezelfde koffie gebruikte.'

'Zette u weleens eerder koffie bij meneer Mashiba thuis?'

'Heel af en toe, op verzoek van mevrouw. Zij was het ook die me leerde hoe het moest. Gisterochtend deed ik het eveneens op haar manier.'

'Is u bij het koffiezetten niets opgevallen? Dat het pakje op een andere plek stond, of dat de koffie van een ander merk was dan gewoonlijk of zo?'

Hiromi Wakayama kneep lichtjes haar ogen dicht en schudde van nee.

'Er is me niets opgevallen. Alles was zoals altijd, denk ik.' Toen ze dat gezegd had, deed ze haar ogen weer open en boog verwonderd haar hoofd opzij. 'Wat toen gebeurde, is toch eigenlijk niet van belang?'

'Hoe bedoelt u?'

'Nou ja ...' Ze week wat terug en keek op. 'Omdat er op dat moment nog geen gif in zat. Als iemand het erdoor deed, was dat toch daarna?'

'Dat is wel zo, maar mogelijk haalde de dader het een of andere handigheidje uit.'

'Handigheidje ...?' Ze trok een niet-begrijpend gezicht en zei nogmaals: 'Er is me niets opgevallen.'

'U dronk dus koffie, en toen?'

'Ik ben meteen vertrokken. 's Zondags geef ik lessen patchwork in een cultureel centrum in Ikebukuro.'

'Van hoe laat tot hoe laat zijn die lessen?'

''s Ochtends van negen tot twaalf, en 's middags van drie tot zes.'

'En wat doet u in de tussentijd?'

'De kamer opruimen, lunchen, voorbereiden voor 's middags.'

'Gaat u ergens heen om te lunchen?'

'Ja. Gisteren at ik in een *soba**-tent, in de galerij met restaurants van een warenhuis.' Hierop fronste ze haar wenkbrauwen. 'Ik denk dat ik zo ongeveer een uur weg was. Heen en weer gaan naar het huis van meneer Mashiba was in principe onmogelijk.'

Kusanagi grijnsde en maakte een sussend handgebaar.

'Maakt u zich geen zorgen, we zitten hier niet om uw alibi na te trekken. Volgens wat u ons gisteren vertelde, belde u meneer Mashiba op toen de lessen afgelopen waren. Wilt u iets wijzigen aan die verklaring?'

Hiromi Wakayama wendde gegeneerd haar blik van Kusanagi af.

'Dat ik belde, klopt. Maar ik deed het niet echt om de reden die ik gisteren aangaf.'

'U legde uit dat u bezorgd was dat hij zich zonder zijn vrouw niet kon redden, nietwaar?'

'Eigenlijk had meneer Mashiba me 's ochtends, toen ik bij hem thuis vertrok, gevraagd te bellen zodra ik klaar was met mijn werk in het centrum.'

Terwijl hij zag hoe Hiromi Wakayama haar ogen neersloeg, knikte Kusanagi een paar keer.

'Hij stelde voor in een restaurant te gaan dineren, of heb ik het mis?'

'Dat leek zijn bedoeling, ja.'

'Nu is een en ander me duidelijk. Hij was dan wel de echtgenoot van de lerares die u zo bewondert, ik had toch mijn twijfels over uw verregaande toewijding. En moet ze dan echt naar zijn huis gaan, gewoon omdat hij niet opneemt, vroeg ik me ook af.'

Hiromi Wakayama haalde haar schouders op en trok een verveeld gezicht.

'Ik dacht zelf ook wel dat het verdacht zou klinken. Maar ik kon geen ander excuus bedenken ...'

'Meneer Mashiba nam niet op, u werd ongerust en ging naar het huis – hoe zit het met het verloop van die gebeurtenissen? Moet u daar misschien ook iets rechtzetten?'

'Nee. Daarna verliep alles zoals ik gisteren vertelde. Het spijt me dat ik gelogen heb.' Ze liet haar hoofd en haar schouders hangen.

Naast Kusanagi maakte Kaoru Utsumi nog steeds notities. Nadat hij dat uit een ooghoek had vastgesteld, observeerde hij opnieuw Hiromi Wakayama's gedrag.

In haar uitleg zaten tot dusver geen onduidelijkheden. Sterker nog, de twijfels die gisteravond bij hem waren gerezen, had ze bijna allemaal weggenomen. Maar dat was nog geen grond om haar over de hele linie te geloven.

'Zoals ik net al zei, is er inmiddels een sterk vermoeden dat het in deze zaak om moord gaat. Daarom stelde ik u gisteravond de vraag of u enig idee hebt wie het in dat geval gedaan kan hebben. U antwoordde van niet. U zei ook dat u van meneer Mashiba niets anders afwist dan dat hij de echtgenoot van uw lerares was. Maar nu u uw verhouding met hem toegegeven hebt, kunt u ons misschien wel iets meer vertellen?'

Hiromi Wakayama liet ontdaan de uiteinden van haar wenkbrauwen zakken.

'Nee. Ik kan echt niet geloven dat Yoshitaka door iemand vermoord is.'

Tot nu toe had ze hem de hele tijd 'meneer Mashiba' genoemd, maar het viel Kusanagi op dat hij nu 'Yoshitaka' was geworden.

'Probeert u zich alstublieft goed uw recente gesprekken met meneer Mashiba te herinneren. Als dit een moord is, gebeurde die duidelijk met voorbedachten rade. Er bestond met andere woorden een concreet motief. Gewoonlijk is ook het slachtoffer zelf zich daar in zo'n geval terdege van bewust. Al wil hij het zelf geheimhouden, vaak laat hij er ongewild toch iets over los.'

Hiromi Wakayama drukte met haar handen tegen haar slapen en schudde haar hoofd.

'Ik weet het niet. Op het werk leek alles goed te gaan, hij had niet bepaald grote zorgen en hij sprak over niemand een kwaad woord.'

'Kunt u er nog even goed over nadenken?'

Met droeve ogen keek ze Kusanagi aan. 'Ik heb er al heel goed over nagedacht', wierp ze tegen. 'De hele nacht lag ik huilend te denken: hoe heeft dit kunnen gebeuren? Heeft hij zelfmoord gepleegd? Is hij door iemand vermoord? Ik stelde me van alles voor. Maar ik weet het niet. Ook onze gesprekken heb ik eindeloos opnieuw afgespeeld in mijn hoofd. Maar toch snap ik er niets van. Meneer, ik wil niets liever weten dan waarom hij vermoord is.'

Kusanagi merkte hoe haar ogen bloeddoorlopen raakten. Ook rond haar ogen kleurde het zichtbaar meer roze.

Het was dan wel overspel, ze hield echt van Yoshitaka Mashiba, bedacht hij. Anderzijds was hij ook op zijn hoede: als dit komedie was, was het een puike prestatie.

'Sinds wanneer had u een verhouding met meneer Mashiba?'

Bij die vraag sperde Hiromi Wakayama haar rode ogen wijd open.

'Dat heeft volgens mij niets met de zaak te maken.'

'Of het ermee te maken heeft, hoeft u niet te beoordelen, dat zullen wij wel doen. Zoals we u net al zeiden, delen we hierover niets mee aan buitenstaanders, en zodra we weten dat het niet relevant is voor de zaak, zullen we dit soort vragen ook niet meer stellen.'

Ze kneep haar lippen tot een rechte lijn en haalde een keer diep adem. Toen strekte ze een hand uit naar haar kopje en nam een slok van de thee, die hoogstwaarschijnlijk al koud was.

'Sinds een maand of drie geleden.'

'Oké.' Kusanagi drukte zijn kin tegen zijn borst. Hij wilde vragen hoe hun verhouding tot stand gekomen was, maar zag ervan af. 'Was iemand op de hoogte van wat er gaande was tussen jullie?'

'Nee, dat zou me verwonderen.'

'Maar jullie gingen soms toch samen uit eten en zo? Het is dus mogelijk dat iemand daar getuige van was.'

'Daar letten we heel goed mee op. We gingen nooit twee keer naar hetzelfde restaurant. Bovendien at hij vaak in het gezelschap van hostesses of vrouwen die hij via zijn werk had leren kennen, dus zelfs als iemand ons samen zag, denk ik niet dat dat vragen zou oproepen.'

Blijkbaar was Yoshitaka Mashiba een behoorlijke flierefluiter. Misschien had hij buiten Hiromi Wakayama nog andere minnaressen. De vrouw die voor hem zat had in dat geval ook een motief om hem om te brengen, bedacht Kusanagi.

Kaoru Utsumi stopte met schrijven en keek op.

'Als jullie elkaar in het geheim zagen, maakten jullie dan gebruik van *love hotels**?' vroeg de vrouwelijke rechercheur op uiterst zakelijke toon.

Onwillekeurig gluurde Kusanagi naar haar profiel. Zelf had hij een soortgelijke vraag willen stellen, maar zo'n directe manier van zeggen zou nooit in zijn hoofd zijn opgekomen.

Het ongenoegen van Hiromi Wakayama was op haar gezicht te lezen.

'Is dat nodig voor het onderzoek?' Haar stem klonk ietwat stekelig.

Kaoru Utsumi van haar kant veranderde haar gelaatsuitdrukking niet.

'Natuurlijk is dat nodig. Om de zaak op te lossen, moeten we inzicht krijgen in alle aspecten van meneer Mashiba's leven. We moeten een zo groot mogelijke duidelijkheid scheppen over wat hij waar deed. Door allerlei mensen hun verhaal te laten doen, kunnen we veel te weten komen. Maar als het doorgaat zoals nu, blijven we onvermijdelijk met leemtes in zijn handel en wandel zitten. We gaan niet zo ver u te vragen wat hij met u deed, maar u moet ons ten minste vertellen waar hij met u was.'

Waarom vraag je haar ook maar niet meteen wat ze deden, wilde Kusanagi ertussen gooien, maar hij hield zich in.

Hiromi Wakayama vertrok pruilerig haar mondhoeken.

'We gebruikten meestal een gewoon hotel.'

'En was dat dan altijd één bepaald hotel?'

'We hadden een drietal vaste stekken. Maar ik denk niet dat het na te trekken valt. Hij gebruikte altijd een valse naam.'

'Zegt u ons voor de zekerheid toch maar om welke hotels het ging.' Kaoru Utsumi zat klaar om het te noteren.

Met een blik van berusting noemde Hiromi Wakayama de naam van drie hotels. Het waren stuk voor stuk eersteklas hotels in het centrum, en behoorlijk grote bovendien. Tenzij gasten er een aantal keren kort na elkaar kwamen, leek de kans klein dat het personeel hun gezicht zou onthouden.

'Zagen jullie elkaar op vaste dagen?' vroeg Kaoru Utsumi door.

'Nee, we mailden elkaar welke dag het paste en zo beslisten we.'

'Met welke regelmaat?'

Hiromi Wakayama hield haar hoofd schuin.

'Eenmaal per week of zo moet het geweest zijn.'

Kaoru Utsumi schreef het allemaal op, keek naar Kusanagi en gaf een knikje.

'Dankuwel. Dat is genoeg voor vandaag', zei hij.

'Ik denk niet dat ik u nog meer kan vertellen', zei Hiromi Wakayama nors.

Kusanagi lachte naar haar zonder iets te zeggen en pakte de rekening.

Ze liepen het restaurant uit, maar onderweg naar de parkeerplaats bleef Hiromi Wakayama plotseling staan.

'Eh ...'

'Wat is er?'

'Is het goed als ik naar huis ga?'

Kusanagi keek haar verrast aan.

'Moet u niet terug naar het huis van mevrouw Mashiba? Ze had u toch gevraagd te komen?'

'Ja, maar ik ben een beetje moe en ik voel me ook niet zo lekker. Zou u dat tegen haar kunnen zeggen?'

'Als u dat wilt.'

Het verhoor was afgelopen en dus zag Kusanagi er geen probleem in.

'Zullen we u dan naar huis brengen?' zei Kaoru Utsumi.

'Nee, dat hoeft niet. Ik neem wel een taxi. Tot ziens.'

Hiromi Wakayama keerde hun de rug toe en liep weg. Er reed net een vrije taxi voorbij, en dus stak ze haar hand op om hem aan te houden. Kusanagi keek hoe ze instapte en de taxi uit het zicht verdween.

'Dacht ze misschien dat we mevrouw Mashiba over het overspel zouden vertellen?'

'Geen idee, maar ze wilde waarschijnlijk niet dat we zagen hoe ze met een onschuldig gezicht de echtgenote onder ogen kwam na al wat ze net zei.'

'Je hebt gelijk, dat zou best kunnen.'

'Maar hoe zou het met haar zitten?'

'Met haar?'

'Met mevrouw Mashiba. Zou ze echt geen erg gehad hebben in die affaire?'

'Allicht niet, nee.'

'Waarom denkt u dat?'

'Nou, dat zag je toch zo aan haar houding daarstraks. Ze omhelsde Hiromi Wakayama, en ze huilde.'

'O, op die manier.' Kaoru Utsumi sloeg haar ogen neer.

'Wat is er? Als je iets te zeggen hebt, zeg het dan.'

Ze hief haar gezicht op en staarde Kusanagi aan.

'Toen ik dat tafereel zag, viel me iets in: misschien wilde ze demonstreren hoe zij in het openbaar ongegeneerd kon huilen. Aan iemand die niet ongegeneerd kan huilen in het openbaar.'

'Hoe bedoel je?'

'Sorry. Ik zeg maar wat. Ik haal de auto.'

Kaoru Utsumi haastte zich weg en Kusanagi keek haar stomverbaasd na.

6

In de villa van de Mashiba's was Mamiya eveneens klaar met zijn verhoor van Ayane. Kusanagi deelde haar mee dat Hiromi Wakayama terug naar huis was omdat ze zich niet lekker voelde.

'O? Nou ja, ze zal ook wel helemaal in shock zijn.' Ayane omklemde met beide handen haar theekopje en staarde voor zich uit. Ze keek nog even mistroostig als daarvoor. Maar haar houding, zoals ze daar met kaarsrechte rug op de bank zat, had iets dwingends en getuigde van innerlijke kracht.

Er ging een mobiele telefoon. Het geluid kwam uit de tas naast Ayane. Toen ze het toestel eruit pakte, keek ze in Mamiya's richting, als om toestemming te vragen.

Mamiya knikte, ten teken dat ze haar gang mocht gaan.

Ayane keek op het scherm van wie de oproep was en kwam toen aan de lijn.

'Hallo ... Ja, het gaat wel ... Nu zijn er mensen van de politie ... Dat is nog niet echt duidelijk. Alleen dat hij in de woonkamer op de grond lag ... Oké, als ik iets meer verneem, laat ik het weten ... Ja, zeg tegen pa dat hij zich geen zorgen hoeft te maken ... Ja, tot later.' Nadat ze de verbinding had verbroken, keek Ayane weer naar Mamiya. 'Het was mijn moeder', zei ze.

'Vertelde u haar al over de precieze omstandigheden?' vroeg Kusanagi.

'Alleen dat hij plotseling overleden is. Ze vroeg me wel wat er dan in feite gebeurd was, maar ik wist niet wat ik moest antwoorden ...' Ayane hield een hand tegen haar voorhoofd.

'Hebt u het bedrijf van uw man op de hoogte gebracht?'

'Vanochtend, voor ik uit Sapporo vertrok, liet ik het weten aan de juridisch adviseur. Meneer Ikai, over wie ik het daarnet al had.'

'De man die bij het etentje hier bij u thuis was?'

'Inderdaad. Door het onverwachte wegvallen van de algemeen directeur zou er wel chaos heersen binnen het bedrijf, dacht ik, maar zelf kan ik niets doen ...'

Met een peinzende blik staarde Ayane naar een punt in de verte. Ze deed haar best om zich kranig voor te doen, maar ze leek het elk moment te kunnen begeven onder de druk. Kusanagi voelde een impulsieve neiging haar steun te bieden.

'Waarom vraagt u niet iemand van de familie of een vriendin of zo om u wat gezelschap te komen houden, in elk geval tot mevrouw Wakayama zich beter voelt? Ik kan me voorstellen dat u het persoonlijk ook erg moeilijk hebt.'

'Het lukt me wel. Trouwens, ik neem aan dat ik vandaag nog maar liever niemand binnenlaat hier in huis?' zei Ayane tegen Mamiya, alsof ze zijn bevestiging zocht.

Mamiya keek ongemakkelijk naar Kusanagi.

'Vanmiddag laat ik het forensisch team nog een keer komen. We hebben daarvoor de toestemming van mevrouw gekregen.'

Blijkbaar gunden ze haar niet eens de tijd zich over te geven aan haar verdriet. Kusanagi boog zwijgend zijn hoofd naar Ayane.

Mamiya stond op en richtte zich tot de weduwe.

'Sorry dat dit zo lang duurde. Ik laat Kishitani hier, dus als er iets is, aarzel niet het hem te zeggen. U mag hem gerust ook allerlei klusjes laten opknappen.'

'Dankuwel', antwoordde Ayane zachtjes.

Zodra ze het huis uit waren, vroeg Mamiya hoe het geweest was, terwijl hij zijn blik gelijk verdeelde over Kusanagi en Kaoru Utsumi.

'Hiromi Wakayama heeft haar verhouding met Yoshitaka Mashiba toegegeven. Die was naar ze zei al zo'n drie maanden aan de gang. Zelf gaat ze ervan uit dat niemand anders er iets van wist.'

Toen hij Kusanagi dat hoorde zeggen, sperde Mamiya zijn neusgaten open.

'Dus het kopje dat nog in de gootsteen stond ...'

'Was van toen de twee zondagochtend koffiedronken. Hiromi

Wakayama beweert dat zij hem toen zette. En volgens haar was er niets mee aan de hand.'

'Dus als de koffie vergiftigd is, moet dat daarna gebeurd zijn.' Mamiya bracht een hand naar zijn stoppelbaard.

'Bent u van mevrouw Mashiba iets te weten gekomen?' vroeg Kusanagi op zijn beurt.

Mamiya trok een sip gezicht en schudde zijn hoofd.

'Veel bijzonders heb ik niet vernomen. Ik durf ook niet goed te zeggen of ze weet had van Mashiba's ontrouw. Ik vroeg haar vrij direct of haar man iets had met een andere vrouw, maar daar keek ze vreemd van op en ze ontkende het gewoon. Ze zag er ook niet verontrust uit. Het leek geen komedie, maar als ze het toch speelde, is ze een prima actrice.'

Kusanagi gluurde opzij naar Kaoru Utsumi. Zij had gesuggereerd dat Ayanes huilbui en haar omhelzing van Hiromi Wakayama een soort komedie was. Hij was benieuwd naar haar reactie op de mening van hun chef. Maar de gelaatsuitdrukking van de jonge politievrouw vertoonde geen merkbare verandering; ze hield gewoon haar balpen en haar notitieboekje klaar.

'Moeten we mevrouw Mashiba niet vertellen dat haar man haar bedroog?' vroeg Kusanagi.

Mamiya schudde prompt zijn hoofd.

'Het is niet aan ons haar dat te zeggen. Zoiets helpt ook het onderzoek niet vooruit. Ik neem aan dat jullie vanaf nu wel vaker te maken krijgen met de echtgenote, dus let op jullie woorden.'

'We houden het dus voor ons?'

'We hoeven het niet zo nodig te vertellen, dat bedoel ik. En als haar zelf iets begint te dagen, dan is dat maar zo. In de veronderstelling dat ze er momenteel echt niets van afweet, welteverstaan.' Hierop haalde Mamiya uit zijn borstzak een papiertje tevoorschijn. 'Ga nu hiernaartoe.'

Op het papiertje stond de naam 'Tatsuhiko Ikai' genoteerd, samen met een telefoonnummer en een adres.

'Vraag hoe Mashiba zich de laatste tijd gedroeg, en ook over vrijdag en zo.'

'Volgens wat ik daarnet hoorde, is meneer Ikai nu druk bezig de situatie op het bedrijf onder controle te brengen.'

'Zijn vrouw is er toch? Bel haar op en zeg dat je haar een bezoekje brengt. Mevrouw Mashiba zegt dat ze twee maanden geleden beviel en dat ze wel moe zal zijn van het zorgen voor de baby. Ze drong er dus op aan het kort te houden.'

Blijkbaar besefte Ayane dus ook dat ze inlichtingen zouden inwinnen bij mevrouw Ikai. Dat ze in haar huidige toestand nog het fatsoen kon opbrengen aan het welzijn van haar vriendin te denken, gaf Kusanagi een warm gevoel van binnen.

In Kaoru Utsumi's auto begaven ze zich naar het huis van de Ikai's. Onderweg toetste Kusanagi hun nummer in. Bij het horen van het woord 'politie' reageerde Yukiko Ikai meteen sceptisch. Kusanagi benadrukte dat ze alleen een paar informele vragen moest beantwoorden en uiteindelijk stemde ze in met hun bezoek. Maar ze vroeg hun wel een uurtje te wachten. Noodgedwongen zochten de twee een koffiehuis waar ze ook de auto kwijt konden en gingen daar naar binnen.

'Even terug naar wat je eerder zei: denk je echt dat mevrouw Mashiba doorhad dat haar man haar bedroog?' vroeg Kusanagi terwijl hij zijn kop chocolademelk naar zijn mond bracht. Koffie had hij pas nog gedronken toen ze met Hiromi Wakayama spraken.

'Die indruk had ik gewoon.'

'Maar je denkt ook dat het werkelijk zo is?'

Kaoru Utsumi staarde zonder te antwoorden in haar koffiekopje.

'Stel dat ze er weet van had, waarom confronteert ze haar man en Hiromi Wakayama daar dan niet mee? In het weekend geeft ze thuis een feestje en daar nodigt ze Wakayama nog voor uit ook. Normaal doe je zoiets toch niet?'

'Een normale vrouw zou wel degelijk razend zijn zodra ze erachter komt.'

'Zeg je nu dat zij geen normale vrouw is?'

'Ik kan nog niets met zekerheid zeggen, maar volgens mij is

ze een heel schrandere vrouw. En niet alleen schrander, ook geduldig.'

'En omdat ze geduldig is, verdroeg ze ook de ontrouw van haar man, bedoel je?'

'Ze snapte dat ze geen enkele baat had bij een razende uitval naar haar partner. Want daardoor zou ze twee belangrijke dingen verliezen: ten eerste haar stabiele, comfortabele huwelijksleven, en ten tweede haar beste leerlinge.'

'Maar ze kon de minnares van haar man toch niet eeuwig in haar buurt blijven dulden. Of denk je dat een huwelijksleven de moeite waard kan zijn als het louter voor de schone schijn is?'

'Ieder mens heeft een ander waardeoordeel. Als ze leed onder huiselijk geweld, zou het een ander verhaal zijn, maar de echtelijke relatie was harmonieus genoeg om thuis een feestje te geven. Tenminste aan de buitenkant. Financieel kwam ze niets tekort en ze kon zich volop wijden aan het patchwork waar ze zo van hield ... Ik denk niet dat ze zo dwaas en onbezonnen zou zijn dat leven ineens op te geven. Zou ze niet gedacht hebben dat ze beter kon wachten tot de relatie tussen haar man en haar leerlinge vanzelf overwaaide, zodat ze uiteindelijk niets zou verliezen?' Na dit ongebruikelijk lange betoog leek Kaoru Utsumi zich af te vragen of ze niet iets te assertief was geweest, want ze voegde er nog aan toe: 'Het is maar giswerk van mijn kant. Misschien zit ik er helemaal naast.'

Kusanagi dronk van zijn chocomelk en trok een grimas, omdat die zoeter was dan hij had verwacht. Hij spoelde vlug de smaak door met wat water.

'Zo'n berekenend type lijkt ze me niet.'

'Het is geen kwestie van berekening. Het is haar verdedigingsinstinct. Eigen aan schrandere vrouwen.'

Kusanagi veegde met de rug van zijn hand zijn mond af en keek de jongere rechercheur aan.

'Heb jij dat instinct ook?'

Ze grijnsde en schudde haar hoofd.

'Nee, ik niet. Als mijn partner me bedroog, zou ik uit mijn

dak gaan, ben ik bang, zonder aan de gevolgen te denken.'

'Als ik bedenk wat die partner te wachten staat, benijd ik hem niet. In ieder geval, ik kan er niet bij: rustig je getrouwde leventje voortzetten terwijl je weet dat je bedrogen wordt.'

Kusanagi keek op zijn horloge. Er was een half uur verstreken sinds het telefoontje naar Yukiko Ikai.

De Ikai's woonden in een luxueuze villa, die beslist niet onderdeed voor die van de Mashiba's. Vlak naast de toegangspoort, die was bekleed met tegels in baksteenmotief, was een carport voor bezoekers voorzien. Daardoor hoefde Kaoru Utsumi geen parkeerplaats te zoeken.

In het huis wachtte niet alleen Yukiko Ikai maar ook haar echtgenoot Tatsuhiko hen op. Toen zijn vrouw hem liet weten dat er rechercheurs op komst waren, had hij zich naar huis gehaast, zei hij.

'Lukt het op het bedrijf?' vroeg Kusanagi.

'We beschikken over uitstekend personeel, dus dat komt wel goed. Maar de situatie uitleggen aan onze cliënten wordt een hele opgave. In die zin willen we zo snel mogelijk opheldering in deze zaak.' Ikai keek de twee rechercheurs doordringend aan. 'Wat is hier nu eigenlijk aan de hand? Wat is er gebeurd?'

'Yoshitaka Mashiba is in zijn huis overleden.'

'Dat weet ik wel. Maar dat er rechercheurs van de hoofdstedelijke politie op de zaak zitten, betekent toch dat het niet kan worden afgedaan als een ongeval of zelfmoord?'

Kusanagi zuchtte even. De man was advocaat. Hij zou geen genoegen nemen met een halfbakken verklaring, en desgewenst kon hij de details langs een andere weg aan de weet komen.

Nadat hij Ikai op het hart had gedrukt het niet door te vertellen, legde hij uit dat het om vergiftiging met arsenigzuur ging, en dat dat was gedetecteerd in de koffie die Mashiba dronk.

Yukiko, die naast haar man op de met leer beklede bank zat, sloeg haar handen tegen haar wangen, zodat die haar bolle gezicht helemaal omsloten. Haar opengesperde ogen kleurden rood. Ze was mollig, maar omdat Kusanagi haar voor vandaag niet kende, wist hij niet of dat kwam doordat ze onlangs een kind had gekregen.

Ikai streek zijn haar naar achteren. Het leek licht gepermanent.

'Dus toch. Ik vond het al vreemd dat de politie belde en dat het lichaam overgedragen was voor een autopsie. Bij een natuurlijke dood doen ze dat niet. Het is trouwens volkomen ondenkbaar dat hij zelfmoord pleegde.'

'En moord acht u wel denkbaar?'

'Ik weet ook niet wat andere mensen zich in het hoofd halen natuurlijk. Maar vergiftiging ...' Ikai fronste zijn wenkbrauwen en schudde zijn hoofd.

'Is er niemand die wrok koesterde tegen meneer Mashiba?'

'Als u me vraagt of hij op het werk nooit met iemand in aanvaring kwam of zo, kan ik dat niet ontkennen. Maar dat ging telkens om puur zakelijke meningsverschillen, niet om persoonlijke wrok. Als er moeilijkheden de kop opstaken, kwam doorgaans niet hij maar ik in de vuurlinie te staan', zei Ikai en hij klopte zich daarbij op de borst.

'En hoe zat het privé? Had meneer Mashiba geen vijanden?' vroeg Kusanagi.

Daarop leunde Ikai achterover op de bank en hij sloeg zijn benen over elkaar.

'Dat weet ik niet. Mashiba en ik werkten goed samen, maar we bemoeiden ons niet met elkaars privéleven; daar hielden we ons aan.'

'Maar u werd toch uitgenodigd voor etentjes bij hem thuis?'

Ikai schudde zijn hoofd, als om te zeggen: je snapt het niet.

'Die etentjes doen we nu juist omdat we ons gewoonlijk niet met elkaar bemoeien. Mensen met een drukke agenda als hij en ik hebben zo nu en dan ook een verzetje nodig.'

Blijkbaar wilde hij te kennen geven dat hij het zich niet kon veroorloven zomaar zijn tijd te verbeuzelen aan omgang met vrienden.

'Is u bij dat etentje bij hem thuis niets opgevallen?'

'Had ik een voorgevoel dat dit te gebeuren stond, bedoelt u? Dan is mijn antwoord: nee. Het was erg leuk en we hadden het uitstekend naar onze zin.' Ikai trok zijn wenkbrauwen samen. 'En nu zijn we amper drie dagen verder. Wie had gedacht dat hem zoiets zou overkomen?'

'Zei meneer Mashiba dat hij zaterdag of zondag iemand zou ontmoeten?'

'In ieder geval niet tegen mij.' Ikai keerde zich naar zijn vrouw.

'Ik heb hem evenmin iets horen zeggen. Alleen dat Ayane haar ouders zou gaan bezoeken ...'

Kusanagi knikte en hij krabde met het uiteinde van zijn balpen tegen zijn slaap. Hij was stilaan van oordeel dat hij van deze twee geen nuttige informatie ging krijgen.

'Hielden jullie vaak van die feestjes thuis?' vroeg Kaoru Utsumi.

'Zo een keer om de twee, drie maanden, schat ik.'

'En was het altijd bij de Mashiba's?'

'Kort nadat ze trouwden, hebben wij hen hier uitgenodigd. Daarna was het altijd daar. Omdat mijn vrouw zwanger was, ziet u.'

'Kenden jullie Ayane al voor ze met meneer Mashiba trouwde?'

'Ja hoor. Ik was er namelijk bij toen Mashiba haar leerde kennen.'

'En hoe gebeurde dat?'

'Ik ging met hem naar een soort party, en zij was daar ook. Zo begonnen ze met elkaar om te gaan.'

'Wanneer was dat ongeveer?'

'Dat was ...' Ikai draaide zijn hoofd opzij. 'Zowat anderhalf jaar geleden, denk ik. Of nee, nog iets later misschien.'

Toen hij dat hoorde, kwam Kusanagi ertussen.

'En ze trouwden een jaar geleden? Dat ging behoorlijk vlug, lijkt me.'

'Goh, nou ja.'

'Meneer Mashiba wilde snel kinderen', nam Yukiko het over. 'Mogelijk was hij een beetje ongedurig, omdat hij al zo lang tevergeefs een goede partner zocht?'

'Dat hoef je toch allemaal niet te vertellen', vermaande Ikai zijn vrouw. Toen keek hij naar Kusanagi en zijn collega. 'Houdt hun ontmoeting en hun huwelijk enig verband met deze zaak?'

'Nee hoor.' Kusanagi wuifde met zijn hand. 'Momenteel hebben we nog geen specifiek spoor en dus willen we gewoon wat meer weten over meneer Mashiba's huiselijke situatie.'

'Ach zo. Ik begrijp dat u voor het onderzoek informatie wilt verzamelen over het slachtoffer, maar als u daarin te ver gaat, ben ik bang dat we een probleem hebben.' Ikai zette zijn advocatengezicht op en wierp hun een ietwat dreigende blik toe.

'Dat besef ik.' Kusanagi boog zijn hoofd. Daarop keek hij de advocaat opnieuw in de ogen. 'Maar nu ik toch bezig ben, wilde ik u nog iets vragen. Het is maar een formaliteit, dus zoekt u er verder alstublieft niets achter. Ik zou u erg dankbaar zijn als u me allebei kon vertellen hoe u de afgelopen zaterdag en zondag doorgebracht hebt.'

Ikai vertrok zijn mond en bewoog langzaam zijn hoofd op en neer.

'Gaat het om ons alibi? Nou ja, ik neem aan dat het onvermijdelijk is dat dat nagetrokken wordt.' Hij haalde uit zijn binnenzak een agenda tevoorschijn.

Ikai antwoordde dat hij zaterdag een paar dingen had afgehandeld op kantoor, waarna hij 's avonds met een cliënt iets was gaan drinken. 's Zondag was hij met een andere cliënt gaan golfen en even over tienen thuisgekomen. Yukiko was de hele tijd thuisgebleven en had 's zondags bezoek gekregen van haar moeder en jongere zus.

Die avond werd op het bureau van Meguro een briefing gehouden over het onderzoek. De commissaris van rechercheafdeling 1 van de hoofdstedelijke politie begon met de melding dat het in deze zaak hoogstwaarschijnlijk om boos opzet ging. De voornaamste grond daarvoor was de detectie van het dodelijke gif arsenigzuur in gebruikt koffiepoeder. In geval van zelfmoord zou men het gif bij inname namelijk niet in koffie doen, en zelfs dan zou men het in koffie doen die al was gezet.

Hoe was het gif dan aangebracht? Om dat toe te lichten deed de verantwoordelijke van de forensische dienst verslag van de voorlopige testresultaten, maar het enige wat daaruit af te leiden viel, was dat ze het nog steeds niet goed wisten.

Die middag was het forensisch team nogmaals het huis van de Mashiba's gaan doorzoeken. Hun doel was alles wat Yoshitaka Mashiba mogelijk in zijn mond had gestopt, met name voedingswaren, kruiden, dranken en medicijnen, te testen op de aanwezigheid van toxische stoffen. Het eetgerei werd aan een soortgelijk onderzoek onderworpen. Op het moment van de briefing was dat onderzoek al voor tachtig procent voltooid, maar nergens was gif aangetroffen. Zoals het er nu voor stond, zo oordeelde de verantwoordelijke, leek de kans gering dat ze in de resterende twintig procent iets vonden.

Dat betekende, kortom, dat de dader specifiek Mashiba's kopje koffie had beoogd. Er waren daartoe twee methodes: van tevoren het gif aanbrengen in koffiepoeder, filterzakje of kopje, ofwel het erin doen bij het zetten van de koffie. Maar momenteel viel nog niet uit te maken om welke van de twee het ging. Het arsenigzuur was nog nergens anders ontdekt en er was geen grond om aan te nemen dat Mashiba gezelschap had toen hij de koffie zette.

Er volgde ook een verslag van de informatie die werd vergaard bij de buren van de Mashiba's. Daaruit bleek dat, voorafgaand aan het overlijden, niemand bij hen thuis een bezoeker had opgemerkt. Het ging hier echter om een rustige woonwijk waar weinig mensen op straat liepen en de meeste bewoners zich niet interesseerden voor hun buren zolang hun eigen leven niet werd verstoord, zodat je bij een gebrek aan getuigen nog niet zomaar kon uitsluiten dat iemand op bezoek was geweest.

Kusanagi rapporteerde wat zijn verhoor van Ayane Mashiba en het echtpaar Ikai had opgeleverd. Hij maakte geen gewag van de relatie tussen Hiromi Wakayama en Yoshitaka Mashiba. Dat was hem voor de briefing opgedragen door Mamiya. Uiteraard had Mamiya het wel gemeld aan de commissaris. Omdat het een delicate kwestie was, waren hun chefs kennelijk van mening dat ze deze informatie slechts met een beperkt aantal onderzoekers mochten delen, tot het verband met de zaak werd bewezen. Ze wilden wellicht ook niet dat de pers er lucht van kreeg.

Na afloop van de briefing werd Kusanagi samen met Kaoru Utsumi bij Mamiya geroepen.

'Vlieg morgen naar Sapporo', zei Mamiya, hen beurtelings aankijkend.

Toen hij die bestemming hoorde, raadde Kusanagi meteen de bedoeling.

'Controle van het alibi van mevrouw Mashiba?'

'Inderdaad. Een overspelige man is vermoord. Dan zijn de minnares en de echtgenote toch de logische verdachten? En de minnares heeft geen alibi. We moeten dus met bekwame spoed uitsluitsel geven over hoe het met de echtgenote zit. Dat zijn de orders van hogerhand. En ik zeg het alvast: jullie keren nog dezelfde dag terug. Ik zorg ervoor dat jullie de medewerking krijgen van de lokale politie.'

'Mevrouw Mashiba zegt dat ze in een onsen was toen de politie contact met haar opnam. Ik denk dat we dus eigenlijk ook naar die onsen moeten.'

'Jozankei Onsen bedoel je? Dat is vanaf het station van Sapporo iets meer dan een uur met de auto. Het ouderlijk huis van mevrouw Mashiba ligt in het westelijk stadsdeel. Als jullie de taken verdelen, is die klus in een halve dag geklaard.'

Nou ja, dat zal dan wel, berustte Kusanagi, terwijl hij aan zijn hoofd krabde. Mamiya leek niet van zins zijn ondergeschikten als surprise een overnachting in een onsen te gunnen.

'Wat is er, Utsumi? Je lijkt iets op je lever te hebben', zei Mamiya.

Toen Kusanagi opzij keek, zag hij hoe Kaoru Utsumi inderdaad met een onvoldane blik haar lippen op elkaar kneep. Toen zei ze: 'Volstaat haar alibi voor die periode alleen?'

'Hè? Hoe bedoel je?' vroeg Mamiya.

'Mevrouw Mashiba verliet Tokio op zaterdagochtend en ze kwam maandagochtend terug. Ik vraag dus of het volstaat dat we alleen haar alibi voor die periode natrekken.'

'Is dat dan onvoldoende?'

'Dat zou ik niet durven zeggen. Alleen weten we niet hoe en wanneer het gif toegevoegd is, en dus vraag ik me af of het niet voorbarig is haar van de verdachtenlijst te schrappen, louter omdat ze een alibi heeft voor die tijdspanne.'

'"Hoe" is nog onduidelijk, dat klopt, maar "wanneer" weten we wel, hoor', zei Kusanagi. 'Zondagochtend drinkt Hiromi Wakayama koffie met Yoshitaka Mashiba. Op dat moment is er niets mis met de koffie. Het gif moet er dus later in terechtgekomen zijn.'

'Mogen we die conclusie wel trekken?'

'Hoezo dan niet? Op welk tijdstip kan het anders zijn toegevoegd?'

'Dat ... weet ik ook niet.'

'Beweer je nu dat Hiromi Wakayama liegt?' zei Mamiya op zijn beurt. 'Dan zouden de minnares en de wettige echtgenote samenspannen. Dat kan ik toch moeilijk aannemen.'

'Ik denk inderdaad niet dat dat het geval is.'

'Welnu, wat zit je dan dwars?' Kusanagi verhief zijn stem. 'Als ze een alibi heeft voor zaterdag en zondag is dat toch afdoend? Of nee, zelfs als ze er alleen voor zondag een heeft, bewijst dat haar onschuld. Of klopt er iets niet aan die stelling?'

Kaoru Utsumi schudde haar hoofd.

'Nee, ik vind dat een plausibele stelling. Maar was er echt geen manier om ons te slim af te zijn? Het zo beramen dat meneer Mashiba het gif er zelf in deed of zo ...'

Kusanagi trok zijn wenkbrauwen samen.

'Bedoel je dat ze hem ertoe bracht zelfmoord te plegen?'

'Nee, dat niet. Maar wat als ze hem niet zegt dat het gif is? In plaats daarvan zegt ze bijvoorbeeld dat het een geheim ingrediënt is dat de koffie lekkerder maakt.'

'Een geheim ingrediënt?'

'Voor curry heb je toch die garam masala? Als je voor het eten een beetje van dat kruid over je bord strooit, verbetert dat de smaak en het aroma. Ze zegt dat dit daarvan het koffie-equivalent is of zo en geeft het aan meneer Mashiba. Die gebruikt het niet wanneer hij samen is met mevrouw Wakayama, maar als hij in zijn eentje koffiedrinkt, moet hij er weer aan denken en probeert het een keer ... Misschien is het te vergezocht.'

'Te vergezocht? Zeg dat wel. Het slaat nergens op', slingerde Kusanagi haar naar het hoofd.

'O nee?'

'Van een poeder dat de smaak verbetert als je het in je koffie doet, heb ik nog nooit gehoord. Ik kan me niet voorstellen dat Yoshitaka Mashiba zo'n smoes zou geloven. En als hij het al geloofde, dan had hij er Hiromi Wakayama toch ook van verteld? Mashiba had het met haar over hoe je lekkere koffie zet, weet je nog wel? Bovendien: als hij het gif er zelf in had gedaan, zouden daar sporen van moeten zijn. Arsenigzuur is poeder. Als je het niet in een zakje stopt of in papier wikkelt of zo, kun je het niet met je meedragen. Maar op de plaats delict is geen zakje of papier gevonden. Hoe verklaar je dat dan?'

Bij dit spervuur van tegenwerpingen knikte Kaoru Utsumi even.

'Jammer genoeg heb ik daar geen enkel antwoord op. Ik vind uw opmerkingen terecht. Maar ik kan me niet van de gedachte ontdoen dat er misschien toch een methode was.'

Kusanagi keek de andere kant op en zuchtte.

'Zeg je me op je vrouwelijke intuïtie te vertrouwen?'

'Dat zeg ik niet. Maar een vrouw heeft zo haar vrouwelijke manier van denken ...'

'Nou nou, rustig even', kwam Mamiya met een verveeld gezicht tussenbeide. 'Discussiëren mag, maar hou het gesprek wel een beetje op niveau. Utsumi, jij vindt de echtgenote dus verdacht?'

'Helemaal overtuigd ben ik niet, maar ja dus.'

Zie je wel, intuïtie, wilde Kusanagi zeggen, maar hij hield zich in.

'En de reden?' vroeg Mamiya.

Nadat ze een keer diep had ademgehaald, zei Kaoru Utsumi: 'De champagneglazen.'

'De champagneglazen? Wat is daarmee?'

'Toen we op de plaats delict aankwamen, stonden er afgewassen champagneglazen in de keuken. Vijf stuks.' Ze keerde zich naar Kusanagi. 'Weet u nog?'

'Dat weet ik nog. Dat was van toen ze het feestje hielden op vrijdag.'

'Die champagneglazen staan normaal in een kast in de woonkamer. Daarom was er die lege plaats op het schap toen we daar waren.'

'Nou en?' vroeg Mamiya. 'Ben ik dom of zo? Ik snap niet goed wat het probleem is.'

Kusanagi dacht hetzelfde. Hij keek naar het profiel van Kaoru Utsumi. Het straalde wilskracht uit.

'Waarom ruimde mevrouw Mashiba ze niet op voor ze vertrok?'

'Hè?' ontsnapte Kusanagi een uitroep. Met een beetje vertraging zei ook Mamiya: 'Huh?'

'Dat maakt toch niets uit? Wat dan nog als ze ze niet opruimde?' zei Kusanagi.

'Wel, ik denk dat ze ze normaal wel opruimt. U hebt die kast toch gezien? Hij was zo ordelijk dat je in één oogopslag wist waar de champagneglazen moesten staan. Volgens mij is mevrouw Mashiba niet tevreden voor haar dierbare vaatwerk netjes weggeborgen is op de plek waar het hoort. Dat is haar aard. Daarom snap ik niet dat ze de glazen niet terugzette voor ze wegging.'

'Ze zal het toevallig vergeten zijn, zeker?' zei Kusanagi.

Daarop schudde Kaoru Utsumi krachtig haar hoofd. 'Onmogelijk.'

'Hoezo?'

'Op een gewone dag zou dat nog kunnen. Maar ze was van plan een tijdje weg te blijven. Het is moeilijk in te denken dat ze de glazen zou laten staan.'

Kusanagi keek naar Mamiya. Die keek vol verbazing naar hem terug. Kusanagi vermoedde dat die verbazing ook op zijn eigen gezicht te lezen stond. De vragen die Kaoru Utsumi opwierp, waren tot nu toe niet eens bij hem opgekomen.

'Ik kan maar één reden bedenken waarom mevrouw Mashiba de champagneglazen niet terugzette.' De jonge politievrouw ging door. 'Ze wist al dat ze niet zo lang weg zou blijven. Omdat ze toch meteen terug zou zijn, vond ze het dus niet nodig ze nog snel op te bergen.'

Mamiya leunde achterover op zijn stoel en vouwde zijn armen voor zijn borst. In die houding keek hij omhoog naar Kusanagi.

'Zullen we eens luisteren naar de tegenargumenten van de oudere speurder?'

Kusanagi krabde boven zijn wenkbrauwen. Hij kon geen tegenargumenten verzinnen. In plaats daarvan vroeg hij aan Kaoru Utsumi: 'Waarom zei je dat niet eerder? Je hebt die twijfels toch al vanaf het moment dat we op de plaats delict waren?'

Ze hield haar hoofd schuin en glimlachte ongewoon verlegen.

'Ik was bang dat ik te horen zou krijgen dat ik me niet moest bezighouden met elk klein detail. Als mevrouw Mashiba de dader is, zal ze zichzelf vroeg of laat wel op een andere manier verraden, dacht ik. Het spijt me.'

Mamiya slaakte een diepe zucht. Hij richtte zijn blik weer op Kusanagi.

'Blijkbaar moeten we onze houding herzien. We schieten er niets mee op speciaal een vrouwelijke rechercheur in dienst te nemen om dan een sfeer te creëren waarin ze nauwelijks voor haar mening durft uit te komen.'

'Nee, dat is zeker niet het ...'

Kaoru Utsumi wilde zich nader verklaren, maar met een handgebaar hield Mamiya haar tegen.

'Als je iets te zeggen hebt, moet je dat gewoon zeggen, zonder gêne. Man of vrouw, oud of jong, maakt niet uit. Je mening van zonet zal ik ook doorgeven aan mijn superieuren. Maar! Hoe goed gezien het ook is, je moet het hoofd koel houden. Dat de echtgenote de champagneglazen niet opborg, is wel degelijk ongewoon. Maar iets bewijzen kun je daar niet mee. Wat van ons gevraagd wordt, is bewijsmateriaal te zoeken. Dus, wat ik jullie nu opdraag is: ga iets vinden wat aantoont dat het alibi van de echtgenote vals of echt is. Over wat we daar verder mee aanvangen, hoeven jullie niet na te denken. Begrepen?'

Kaoru Utsumi sloeg haar ogen neer en knipperde een paar keer, waarna ze haar chef aankeek en knikte. 'Begrepen.'

7

Bij het geluid van haar mobiele telefoon deed Hiromi haar ogen open.

Niet dat ze uit haar slaap ontwaakte. Ze lag gewoon op bed met haar ogen dicht. Ze had er zich al op ingesteld dat ze ook deze nacht, net als de vorige, wakker zou liggen tot de ochtend. Van Yoshitaka had ze ooit slaappillen gekregen, maar ze was bang die in te nemen.

Terwijl ze een lichte hoofdpijn voelde opkomen, kwam ze overeind, haar lichaam zwaar. Een hand uitstrekken naar de telefoon was al een opgave. Wie kon het zijn, op dit uur ...? Ze zag op de klok dat het even voor tien was.

Bij het zien van de naam op het LCD-scherm was Hiromi echter klaarwakker, alsof ze een koude douche over zich heen kreeg. Het was Ayane. Nerveus drukte ze op de toets.

'Hallo, met Hiromi.' Haar stem was schor.

'O ... sorry. Het is Ayane. Sliep je?'

'Nee, ik lag gewoon op bed. Eh ... Het spijt me van vanochtend. Dat ik niet meer naar u toe kon komen.'

'Ach, dat geeft niet. Voel je je al wat beter?'

'Ja, het gaat. Maar u, sensei, bent u niet te moe?' Terwijl ze het vroeg, dacht Hiromi ergens anders aan. Zouden de rechercheurs Ayane verteld hebben over haar affaire met Yoshitaka?

'Ja, een beetje wel. Ik kan er nog steeds niet bij ... Ik heb niet het gevoel dat het allemaal echt gebeurd is.'

Dat was voor Hiromi net zo. Het was als een voortdurende nachtmerrie. 'Dat begrijp ik', antwoordde ze kort.

'Hiromi, voel je je echt weer beter? Ben je niet misselijk?'

'Nee, ik voel me prima. Ik denk dat ik vanaf morgen ook weer aan het werk kan.'

'Maak je over dat werk maar geen zorgen. Maar zou ik je nu even kunnen zien?'

'Nu ...?' In haar gemoed verspreidde zich eensklaps de ongerustheid. 'Is er iets?'

'Ik wil een en ander met je bespreken, persoonlijk. Lang zal het niet duren, denk ik. Als je te moe bent, kan ik wel naar je toe komen.'

Met de telefoon nog tegen haar oor schudde Hiromi haar hoofd.

'Nee, ik kom wel bij u thuis. Maar het kan een uurtje duren, want ik moet me nog klaarmaken.'

'Eh, weet je, ik zit in een hotel.'

'O ... is dat zo?'

'De mensen van de politie zeiden dat ze het huis nog een keer wilden doorzoeken en dus besloot ik voorlopig maar hier te logeren. In de koffer waarmee ik uit Sapporo terugkwam heb ik gewoon wat andere spullen gestopt.'

Ayane bleek in een hotel naast het station van Shinagawa te verblijven. Hiromi zei dat ze er dadelijk naartoe ging en verbrak de verbinding.

Terwijl ze zich klaarmaakte, kon ze het niet helpen zich af te vragen wat Ayane wilde. Ze drukte dan wel haar bezorgdheid uit over Hiromi's gezondheid, anderzijds liet ze ook weten dat ze haar desnoods meteen zou komen opzoeken. Het moest dus wel gaan om iets waar flink wat haast mee gemoeid was, of dat zo belangrijk was dat het niet uitgesteld kon worden tot later.

Ook de hele treinrit naar Shinagawa probeerde Hiromi zich voor te stellen wat Ayane te bespreken had. Zou ze toch van de rechercheurs gehoord hebben over haar affaire met Yoshitaka? Daarnet aan de telefoon had Hiromi geen boosheid bespeurd in haar toon, maar wie weet had Ayane uit alle macht haar emoties onderdrukt.

Hiromi tastte in het duister over Ayanes reactie als ze zou vernemen dat haar man haar had bedrogen met haar pupil. Ze had haar tot nu toe niet één keer echt boos gezien. Maar ook Ayane kon het gevoel van woede niet onbekend zijn.

Ayane toonde naar buiten toe nooit hevige emoties. Hiromi

kon dus helemaal niet voorzien hoe die altijd zo kalme Ayane zich zou gedragen tegenover de vrouw die haar man had afgepakt, en dat op zich vond ze al akelig en angstaanjagend. Maar, zo had ze besloten, als ze erover aan de tand gevoeld werd, zou ze het niet onhandig proberen te verhullen. Dan kon ze zich alleen verontschuldigen. Vergeving mocht ze niet verwachten en Ayane zou haar niet meer in haar nabijheid dulden, maar daar was niets aan te doen. In haar huidige situatie voelde ze voor zichzelf de noodzaak hiermee een punt te zetten achter de hele kwestie.

Aangekomen bij het hotel belde ze Ayane. Die vroeg haar naar haar kamer te komen.

Ze zat Hiromi op te wachten in een beige kamerjas.

'Sorry, hè, dat ik je laat komen terwijl je zo moe bent.'

'Dat geeft niet, hoor. Maar waarover wilde u het hebben ...?'

'Nou, ga maar even zitten.' Ayane wees naar een van de twee armstoelen.

Hiromi nam plaats en keek de kamer rond. Het was er een met een tweepersoonsbed. Naast het bed lag Ayanes koffer open. Zo te zien zat hij behoorlijk volgepropt met kleren. Misschien had ze zich erop voorbereid dat het een verblijf van langere duur kon worden.

'Wil je iets drinken?'

'Nee, dank u.'

'Nou, ik geef je toch wat, dus drink maar als je zin hebt.' Ayane pakte een fles woeloengthee* uit de koelkast en schonk er twee glazen van.

Hiromi boog even haar hoofd als dank en stak toen vlug haar hand uit naar het glas. In feite had ze dorst.

'Wat vroegen de rechercheurs je zoal?' stak Ayane van wal, haar toon even mild als altijd.

Hiromi zette haar glas neer en likte haar lippen.

'In welke toestand ik meneer Mashiba aantrof. En ook of ik enig idee had wat er gebeurd kon zijn.'

'En wat gaf je als antwoord op dat laatste?'

Hiromi wuifde met haar hand voor haar borst.

'Natuurlijk heb ik geen enkel idee. Dat zei ik ook tegen de rechercheurs.'

'Juist. En wat vroegen ze nog meer?'

'Wat nog meer ... Eh, dat was eigenlijk alles.' Hiromi liet haar hoofd hangen. Dat ze haar ook uithoorden over de koffie die ze met Yoshitaka dronk, kon ze onmogelijk vertellen.

Ayane knikte en pakte haar glas. Nadat ze een slok woeloengthee had genomen, hield ze het glas tegen haar wang, alsof ze het warm had gekregen en haar gezicht wilde afkoelen.

'Hiromi,' sprak Ayane, 'ik wil je iets vertellen.'

Hiromi keek verrast op. Haar blik trof die van Ayane. Ze meende er eerst nijd in te lezen, maar het volgende ogenblik veranderde die indruk. In Ayanes ogen was geen teken van haat of boosheid te bespeuren. In plaats daarvan leek er een mengeling van droefheid en verslagenheid in rond te zweven. Om haar mond speelde een vage glimlach, maar die versterkte dat gevoel alleen nog maar.

'Weet je, hij had gezegd dat hij bij me wegging', zei Ayane toonloos.

Hiromi sloeg haar ogen weer neer. Misschien moest ze verbazing spelen, maar dat kon ze niet opbrengen. Ze slaagde er niet eens in Ayane recht aan te kijken.

'Het gebeurde vrijdag. Voor de komst van de Ikai's sprak hij in onze slaapkamer het verdict uit. Hij zei dat het zinloos was getrouwd te blijven met een vrouw die geen kinderen kan krijgen.'

Meer dan het met hangend hoofd aanhoren kon Hiromi niet. Ze wist dat Yoshitaka het met Ayane over hun echtscheiding had gehad, maar ze had niet gedacht dat hij het op die manier verwoordde.

'En bovendien, zo zei hij, had hij al een nieuwe vrouw gevonden. De naam wilde hij me weliswaar niet zeggen. Hij beweerde dat het iemand was die ik niet kende.'

Hiromi schrok. Ze kon zich niet voorstellen dat Ayane dit vertelde zonder meer te weten. Door er zo bedaard over te praten wilde ze haar in het nauw drijven, had ze het gevoel.

'Maar dat was waarschijnlijk gelogen, hè. Die ander is wel een vrouw die ik ken. Iemand die ik heel goed ken zelfs. Vandaar ook dat hij me haar naam niet kon noemen.'

Luisterend naar wat Ayane zei, kreeg Hiromi het steeds moeilijker. Ze kon het niet langer verdragen en hief haar gezicht op. Tranen schoten haar in de ogen.

Ook dat lokte bij Ayane geen verbazing uit. Ze behield dezelfde wezenloze glimlach van daarnet. En met die uitdrukking, zoals je minzaam een kind aan de tand voelt dat iets heeft uitgespookt, zei ze: 'Hiromi, jij bent het, hè?'

Hiromi wist niet wat ze moest zeggen en ze hield haar lippen stijf op elkaar om haar snikken te onderdrukken. De tranen stroomden nu langs haar wangen.

'Jij bent het ... Ja toch?'

Hiromi was niet meer in staat het te ontkennen. Ze bewoog lichtjes haar hals op en neer.

Ayane slaakte een lange zucht. 'Dus toch.'

'Sensei, ik ...'

'Ja, ik weet het. Je hoeft niets te zeggen. Toen hij zei dat hij bij me wegging, ging er een belletje rinkelen. Of misschien moet ik zeggen dat ik er al een poosje erg in had. Ik wilde het gewoon zelf niet toegeven ... Als iemand de hele tijd bij je is, is het alleen maar logisch dat je zoiets merkt. Trouwens, om van jou nog maar te zwijgen, Hiromi, hij was niet zo goed in liegen en komedie spelen als hij zelf dacht.'

'Sensei, ik weet dat u boos op me bent.'

Ayane boog haar hoofd opzij.

'Ik vraag het me af. Ben ik eigenlijk wel boos? Goed, hij was degene die avances maakte, neem ik aan, maar dan nog had je hem kunnen afwijzen. En toch, ik zie het niet alsof je me mijn man afpakte. Echt niet. Hij was me in feite niet ontrouw. Volgens mij bekoelden eerst zijn gevoelens voor mij en liet hij daarna pas zijn oog op jou vallen. Ik voel me zelf ook schuldig dat ik die gevoelens niet kon vasthouden.'

'Het spijt me. Ik besefte wel dat het fout was wat we deden, maar hij bleef me maar uitnodigen en ...'

'Zeg maar niets meer', zei Ayane. Anders dan daarvoor klonk haar stem scherp en kil. 'Als ik daarnaar luister, ga ik je toch nog haten. Denk je nu echt dat ik wil horen hoe jij voor hem viel?'

Ze had gelijk. Hiromi liet haar hoofd hangen en schudde van nee.

'Luister, toen we trouwden, spraken we iets af.' Ayanes timbre had zijn zachtheid teruggekregen. 'Als ik na een jaar nog niet zwanger was, zouden we ons erover beraden. We waren geen van beiden nog erg jong, hè? Dus tijdrovende dingen als een vruchtbaarheidsbehandeling hadden we uit ons hoofd gezet. Dat jij zijn nieuwe partner bleek, was eerlijk gezegd een schok, maar zelf dacht hij mogelijk dat hij gewoon de afspraak van voor ons huwelijk uitvoerde.'

'Dat hoorde ik hem een paar keer zeggen', zei Hiromi, haar blik nog steeds neergeslagen.

Ze had het Yoshitaka ook zaterdag horen zeggen. Hij had het woord 'regels' gebruikt. Dat waren de regels en dus zou Ayane het wel aanvaarden ... Zo had hij het wel degelijk uitgedrukt. Hiromi vond dat toen zelf onbegrijpelijk, maar nu ze Ayane hoorde, leek het alsof die er zich daadwerkelijk mee had verzoend.

'Ik ging terug naar Sapporo om mijn gevoelens op een rijtje te zetten. Nadat ik te horen kreeg dat hij bij me wegging, voelde ik me te ellendig om zomaar in dat huis te blijven. Dat ik je de sleutel toevertrouwde, was ook om mijn emotionele band met hem door te knippen. Ik wist zeker dat jullie elkaar tijdens mijn afwezigheid zouden zien. En dan kon ik je maar beter meteen de sleutel geven, dacht ik. Dat zou me opluchten.'

Hiromi herinnerde zich het moment waarop ze de sleutel kreeg. Het was toen helemaal niet in haar opgekomen dat er achter dat gebaar zo'n vastberadenheid schuilging. Ze was er integendeel prat op gegaan zo veel vertrouwen te krijgen. Zonder enige argwaan had ze de sleutel in ontvangst genomen. Als ze bedacht hoe ze er toen in Ayanes ogen moest hebben uitgezien, kon ze wel door de grond zakken.

'Heb je de rechercheurs over jullie verteld?'

Hiromi gaf een knikje.

'Ze leken het al door te hebben en dus moest ik het wel vertellen.'

'Ach zo? Nou ja, dat zal ook wel. Hoe je het ook wendt of keert, dat je uit bezorgdheid op eigen houtje het huis binnenging, klinkt ongeloofwaardig. Dus, de politie is op de hoogte van jullie verhouding, begrijp ik. Toch hebben ze daar tegen mij niets over gezegd.'

'O nee?'

'Waarschijnlijk deden ze alsof ze van niets wisten en hielden ze mijn gedrag in de gaten. Ze zullen me wel verdenken, zie je.'

'Hè?' Hiromi keek Ayane aan. 'U, sensei ...?'

'Normaal gesproken heb ik toch een motief? Ik werd door mijn man bedrogen.'

Dat was inderdaad zo. Maar Hiromi koesterde niet de minste twijfel jegens Ayane. Uiteraard was er het feit dat ze in Sapporo was toen Yoshitaka werd vermoord, en bovendien geloofde ze Yoshitaka als die zei dat hun gesprek over de scheiding vlot was verlopen.

'Maar het doet er niet toe dat ik door de politie verdacht word. Het is me om het even.' Ayane trok haar handtas naar zich toe en pakte er een zakdoek uit. Daar wreef ze mee onder haar ogen. 'Maar wat is er in godsnaam gebeurd? Waarom is hij op die manier ... Hiromi, heb je echt geen idee? Wanneer zag je hem voor het laatst?'

Ze wilde liever niet antwoorden, maar ze mocht nu niet meer liegen.

'Gisterochtend. We dronken toen samen koffie en dus stelden de rechercheurs daar allerlei vragen over, maar er schoot me niets te binnen. Meneer Mashiba gedroeg zich ook niet vreemd of zo.'

‘O?’ Ayane hield peinzend haar hoofd schuin, waarna ze Hiromi opnieuw aanstaarde. ‘Je houdt niets verborgen voor de rechercheurs, hè? Je vertelde hun toch alles wat je weet?’

‘Ik geloof van wel, ja.’

‘Dan is het goed. Als je toch iets vergat te zeggen, kun je het hun maar beter meteen vertellen, hoor. Wie weet gaan ze je anders ook verdenken.’

‘Wie weet doen ze dat al. Voorlopig ben ik voor hen immers de enige die meneer Mashiba zaterdag en zondag nog zag.’

‘Tja, bij zulke dingen gaat de politie zich vragen stellen, hè.’

‘Eh ... Kan ik de politie ook het beste maar vertellen dat ik u hier vandaag ontmoet heb?’

Toen Hiromi dat vroeg, legde Ayane een hand tegen haar wang.

‘Hm, het is niet meteen nodig het te verzwijgen, denk ik. Mij stoort het niet. Als je het onhandig probeert te verdoezelen, zullen ze er integendeel iets achter zoeken.’

‘Goed.’

Ayane ontspande plotseling haar lippen.

‘Best merkwaardig, vind je niet? De vrouw die van haar man de bons kreeg en zijn minnares praten samen in één kamer. En ze maken daarbij geen ruzie, maar zijn allebei gewoon ten einde raad. Dat we elkaar niet naar de keel vliegen, komt misschien ook doordat hij toch al dood is.’

Hiromi gaf geen antwoord, maar ze dacht er hetzelfde over. Wat haar betrof wilde ze echter gerust de volle laag krijgen, als dat Yoshitaka maar weer tot leven bracht. Ze was er ook vast van overtuigd dat ze een veel groter verlies voelde dan Ayane. Maar zeker nu kon ze over de reden daarvoor met geen woord reppen.

8

Ayane Mashiba's ouderlijk huis lag in een woonwijk die mooi was verkaveld. Het was een robuust rechthoekig gebouw en de voordeur bevond zich boven aan een trap. Het gedeelte op de begane grond diende als parkeerplaats, maar werd, zo luidde de uitleg, beschouwd als 'kelderverdieping'. Met andere woorden: uiterlijk leek het te bestaan uit een benedenverdieping met twee etages erboven, maar op papier waren het twee bovengrondse bouwlagen en één ondergrondse.

'Hier in de streek zijn er veel van deze huizen', zei Kazunori Mita, terwijl hij rijstcrackers aanbood. 'In de winter hoopt de sneeuw zich op, ziet u, en dus mogen we de voordeur niet te dicht bij de grond plaatsen.'

Kusanagi knikte begrijpend en stak een hand uit naar zijn kopje thee. Die had Ayanes moeder Tokiko gebracht. Ze zat naast Kazunori. Het dienblad had ze nog op haar schoot liggen.

'Het is wel schrikken, moet ik zeggen. Dat meneer Mashiba zoiets kon overkomen. Ik vond het al vreemd dat het geen ongeval of een ziekte was, en nu stelt de politie dus daadwerkelijk een onderzoek in, zegt u?' Kazunori trok zijn grijs gespikkelde wenkbrauwen op tot omgekeerde v's.

'Het staat nog niet vast dat het om moord gaat', zei Kusanagi toch maar even.

Kazunori fronste. De rimpels in zijn magere gezicht werden nog dieper.

'De man had naar het schijnt nogal wat vijanden, weet u. Zo gaat dat meestal bij zakenlui die van aanpakken weten. Maar om daarom ... Wie doet nu in godsnaam zoiets vreselijks?'

Kazunori had al verteld dat hij tot vijf jaar geleden bij een lokale kredietbank werkte. Misschien had hij zijn portie zakenlui wel gehad.

'Eh ...' Tokiko keek op. 'Hoe gaat het met Ayane? Aan de telefoon zei ze wel dat alles in orde was, maar ...'

Blijkbaar maakte ze zich als moeder toch vooral zorgen om haar dochter.

'Ze houdt zich sterk. Uiteraard was het een schok voor haar, maar ze werkt goed mee aan ons onderzoek.'

'O ja? Dat is dan een hele geruststelling.' In tegenspraak met die woorden was de ongerustheid niet van haar gezicht verdwenen.

'Ayane kwam dus zaterdag hiernaartoe. En ze deed dat, naar ze zegt, omdat haar vader het niet goed maakte', kwam Kusanagi ter zake. Ondertussen keek hij naar Kazunori. Hij was mager en zag er wat bleekjes uit, maar hij leek niet te lijden aan de een of andere kwaal.

'Het is mijn alvleesklier. Drie jaar geleden was die ontstoken en sindsdien is het nooit meer helemaal goed gekomen. Ik heb af en toe koorts, en soms kan ik me niet meer verroeren van de pijn in mijn buik en mijn rug. Maar goed, ik sla me er doorheen.'

'Het was dus eigenlijk niet nodig dat Ayane uitgerekend nu een handje kwam helpen?'

'Eh, niet echt, nee ... Toch?' Kazunori zocht Tokiko's instemming.

'Vrijdag belde ze ons in de vooravond, om te zeggen dat ze de volgende dag zou komen. Ze maakte zich zorgen om haar vaders toestand en sinds haar huwelijk was ze hoe dan ook nog niet één keer op bezoek geweest, zei ze.'

'Een andere reden gaf ze niet?'

'Nee, niet bepaald.'

'Hoelang zou ze hier blijven?'

'Daarover had ze het niet meteen ... Hoewel, toen ik vroeg wanneer ze terug naar Tokio ging, zei ze dat ze dat nog niet beslist had.'

Voor zover viel af te leiden uit wat die twee zeiden, had Ayane geen dringende reden om haar ouders op te zoeken. Waarom had ze de reis dan gemaakt?

Als een getrouwde vrouw zo'n actie ondernam, was de meest

voor de hand liggende oorzaak: echtelijke strubbelingen.

'Eh, meneer', nam Kazunori enigszins aarzelend het woord. 'Dat Ayane ons opzocht, lijkt u wel erg bezig te houden. Is daar een probleem mee?'

Hij was dan wel gepensioneerd, maar in het verleden had hij vast met genoeg mensen zakengedaan en contracten afgesloten om de intenties te kunnen raden van rechercheurs die speciaal uit Tokio kwamen.

'Als het in deze zaak om boos opzet gaat, zou het kunnen dat de dader bewust de periode koos waarin Ayane bij u op bezoek was', begon Kusanagi rustig uit te leggen. 'In dat geval rijst de vraag: hoe wist de dader af van Ayanes doen en laten? Vandaar dat we zulke details vragen, ook al zijn we ons bewust dat het indiscreet overkomt. Het maakt deel uit van het onderzoek, dus ik vraag uw begrip.'

'O, vandaar dus?' Of hij er echt begrip voor had, was niet duidelijk, maar Kazunori knikte.

'Hoe bracht Ayane haar tijd hier door?' vroeg Kusanagi terwijl hij het echtpaar beurtelings aankeek.

'De dag van haar komst bleef ze de hele tijd thuis', antwoordde Tokiko. 'Tot we 's avonds met z'n drieën naar een sushitent in de buurt gingen. Daar kwam ze als kind al graag.'

'Hoe heet die zaak?'

Toen Kusanagi dat vroeg, verried Tokiko's gezicht duidelijk achterdocht. Bij Kazunori was dat niet anders.

'Sorry, maar we weten ook niet wat achteraf nog belangrijk zal blijken en dus willen we graag alles nauwkeurig natrekken. We kunnen ons niet keer op keer hiernaartoe verplaatsen, ziet u.'

Aan haar blik te zien was Tokiko niet overtuigd, maar ze noemde de naam van het restaurant: Fukuzushi.

'En op zondag ging ze dus met een vriendin naar een onsen?'

'Een vriendin van de lager middelbare school. Saki heet ze, en haar ouders wonen zo'n vijf minuten lopen hiervandaan. Nu ze getrouwd is, is ze verhuisd naar het zuidelijk stadsdeel, maar

Ayane belde haar zaterdagavond op en ze besloten samen naar Jozankei te gaan.'

Kusanagi keek naar zijn notitieboekje en knikte. Mamiya had van Ayane vernomen dat de naam van die vriendin Sakiko Motooka was. Kaoru Utsumi zou op de terugweg van Jozankei Onsen bij haar langsgaan.

'Het was dus de eerste keer dat Ayane jullie bezocht sinds haar huwelijk. Zei ze iets over meneer Mashiba?'

Tokiko hield haar hoofd schuin.

'Dat hij het zoals steeds druk leek te hebben met z'n werk, maar dat hij toch de hele tijd ging golfen. Dat soort dingen, u weet wel.'

'Ze zei niet dat er thuis iets speciaals gebeurd was of zo?'

'Nee. Ze stelde eigenlijk meer vragen aan ons. Hoe het met vader gesteld was, en met haar broer en zo. O ja, ze heeft dus één jongere broer, en die woont nu voor zijn werk in Amerika.'

'Dat Ayane niet eerder op bezoek kwam, betekent ook dat jullie meneer Mashiba niet vaak zagen?'

'Ja, dat klopt. Kort voor ze trouwden, waren we bij hem thuis, maar dat was de laatste keer dat we rustig een praatje maakten. Meneer Mashiba zei dat we altijd welkom waren, maar door de slechte gezondheid van mijn man kwam het er daarna uiteindelijk nooit meer van.'

'Ik geloof dat we hem hooguit een keer of vier ontmoet hebben', zei Kazunori nadenkend.

'Ze zijn erg snel getrouwd, hè?'

'Zeg dat wel. Ayane was al dertig en ik vroeg me bezorgd af of ze nog wel een goeie man zou vinden, maar toen belde ze me plotseling op met het nieuws dat ze binnenkort ging trouwen.' Tokiko tuitte haar lippen.

Volgens haar ouders verhuisde Ayane acht jaar geleden naar Tokio. Maar daarvoor woonde ze niet de hele tijd in Sapporo. Na het behalen van haar diploma aan de hogeschool studeerde ze in Engeland. Patchwork was al haar hobby in het hoger middelbaar en sedertdien had ze in een aantal wedstrijden hoge ogen gegooid. Het boek dat ze uitgaf na haar terugkeer uit Engeland was populair bij de liefhebbers en zorgde er zo voor dat haar naamsbekendheid in één klap de hoogte in schoot.

'Ze ging helemaal op in haar werk. Als we vroegen wanneer ze van plan was te trouwen, zei ze dat ze geen tijd had om iemands huisvrouw te zijn en dat ze zelf ook wel een huisvrouw zou willen om voor haar te zorgen.'

'Is dat zo?' Tokiko's uitspraak verraste Kusanagi enigszins. 'Ze leek me anders vrij goed voor het huishouden te zorgen.'

Kazunori stak zijn onderlip uit en wuifde met zijn hand.

'Dat ze goed is in handwerken, wil nog niet zeggen dat ze ook goed is in huishoudelijk werk. Toen ze hier woonde, deed ze helemaal niets in huis. Ook toen ze in haar eentje in Tokio woonde, maakte ze amper zelf eten klaar.'

'Hè, echt waar?'

'Ja hoor', zei Tokiko. 'Ik bezocht een paar keer haar flat en het zag er daar niet naar uit dat ze zelf kookte. Ik vermoed dat ze altijd buitenshuis at, of *bento** uit de gemakswinkel en zo.'

'Maar volgens vrienden van meneer Mashiba gaf ze regelmatig feestjes bij hen thuis. Ayane maakte daarvoor het eten klaar ...'

'Dat is waar, dat vertelde Ayane ons ook. Voor ze trouwde, begon ze kooklessen te volgen en dat wierp kennelijk zijn vruchten af. "Zo zie je maar," zeiden we nog tegen elkaar, "als het is om haar geliefde te eten te geven, kan ook zij haar best doen."'

'En dan komt die dierbare man van haar zo aan zijn einde. Ze is er vast kapot van.' Kazunori sloeg zijn ogen neer, alsof hij het moeilijk kreeg. Waarschijnlijk dacht hij aan wat zijn dochter nu moest doorstaan.

'Eh, is het goed als we haar bezoeken? We zouden graag helpen bij de begrafenis en zo.'

'Uiteraard, dat is geen enkel probleem. Alleen kunnen we nog niet zeggen wanneer het stoffelijk overschot zal worden vrijgegeven.'

'O?'

‘Probeer straks Ayane te bellen’, zei Kazunori tegen zijn vrouw.

Omdat hij min of meer wist wat hij moest weten, besloot Kusanagi afscheid te nemen. Toen hij in de hal zijn schoenen aantrok, viel zijn oog op een jas van patchwork, die aan een staande kapstok hing. Hij was vrij lang en kwam bij een gemiddelde volwassene wellicht tot over de knieën.

‘Die maakte ze een paar jaar geleden’, zei Tokiko. ‘Zodat haar vader hem in de winter kon dragen wanneer hij buiten de krant of de post ging halen, zei ze.’

‘Zo bontgekleurd hoefde hij nu ook niet te zijn’, zei Kazunori, die niettemin in zijn nopjes leek.

‘Zijn moeder kwam een keer ten val toen ze ’s winters buiten uitgleed. Ze brak daarbij haar heup. Ayane moet dat onthouden hebben, want ter hoogte van het middel verwerkte ze er een kussen in’, zei Tokiko terwijl ze de binnenkant van de jas liet zien.

Net iets voor haar om zo attent te zijn, dacht Kusanagi.

Nadat hij het huis van de Mita’s had verlaten, ging hij langs bij Fukuzushi. Er hing een bordje met GESLOTEN, maar binnen was de chef druk bezig met zijn voorbereidselen. Hij had stekelhaar en zag er tegen de vijftig uit. Hij herinnerde zich de komst van Ayane en haar ouders.

‘Het was langgeleden dat ik Ayane gezien had en dus maakte ik er iets speciaals van. Ik denk dat ze rond tien uur naar huis gingen. En, vanwaar uw vragen? Is er iets gebeurd?’

Omdat hij geen bijzonderheden kon geven, maakte Kusanagi zich er met een smoes van af en hij vervolgde zijn weg.

Met Kaoru Utsumi had hij afgesproken in de lounge van een hotel bij het station van Sapporo. Toen Kusanagi daar aankwam, zat ze het een en ander op te schrijven.

‘Iets te weten gekomen?’ vroeg Kusanagi, terwijl hij op de stoel tegenover haar plaatsnam.

‘Mevrouw Mashiba overnachtte inderdaad in een *ryokan** in Jozankei. Ik praatte ook met een dienstmeisje, en zij en haar vriendin leken het best naar hun zin te hebben.'

'En die vriendin, Sakiko Motooka ...?'

'Heb ik ontmoet.'

'Zei ze iets wat niet overeenstemde met Ayanes verklaring?'

Kaoru Utsumi sloeg even haar ogen neer en schudde toen haar hoofd.

'Nee. Ze verklaarde nagenoeg hetzelfde.'

'Dacht ik al. Bij mij was het ook zo. Ze had niet de tijd om heen en terug naar Tokio te gaan.'

'Mevrouw Motooka zegt dat ze zondag al voor de middag samen waren. Dat mevrouw Mashiba pas 's avonds laat de boodschap op het antwoordapparaat van haar mobiel opmerkte, blijkt ook te kloppen.'

'Tja, dat is dan waterdicht.' Kusanagi leunde achterover op zijn stoel en keek zijn vrouwelijke collega aan. 'Ayane Mashiba kan het onmogelijk gedaan hebben. Jij zult daar wel niet gelukkig mee zijn, maar je moet naar de objectieve feiten kijken.'

Kaoru Utsumi wendde haar blik af, als om zichzelf een adempauze te gunnen, en richtte toen opnieuw haar grote ogen op Kusanagi.

'Een aantal dingen in het verhaal van mevrouw Motooka zitten me dwars.'

'Zoals?'

'Blijkbaar hadden de twee elkaar al een hele tijd niet meer gezien. Het laatste contact dateerde van voor mevrouw Mashiba trouwde.'

'Dat zeiden de ouders ook al, ja.'

'Ze beweerde dat mevrouw Mashiba een heel andere indruk maakte. Vroeger was ze uitbundiger, terwijl ze zich nu opvallend mak gedroeg. Ze leek ook geen fut te hebben.'

'Nou en?' zei Kusanagi. 'Hoogstwaarschijnlijk was mevrouw Mashiba achter de ontrouw van haar man gekomen. Misschien diende dit reisje naar haar geboortestreek ter heling van haar gebroken hart. Maar wat doet dat ertoe? De chef zei het toch al? We zijn hier om de echtheid van haar alibi na te gaan. En dat is waterdicht. Dat volstaat toch, of niet?'

'Er is nog iets', zei Kaoru Utsumi zonder haar gelaatsuitdrukking te veranderen. 'Ze zag mevrouw Mashiba een paar keer haar mobieltje aanzetten. Dat deed ze om haar mail of haar boodschappen te checken. En vervolgens zette ze hem meteen weer af.'

'Om haar batterij te sparen, zeker. Dat doen mensen toch vaak?'

'Ik vraag het me af.'

'Waarom denk je dat het anders was?'

'Wat als ze wist dat iemand zou proberen haar te bereiken maar ze die beller liever niet rechtstreeks aan de lijn kreeg? Ze wilde dus eerst de boodschap beluisteren om vat te krijgen op de situatie en dan zelf bellen ... Daarom zette ze haar telefoon af.'

Kusanagi schudde zijn hoofd. Zijn jonge collega was scherp van geest maar een tikje te koppig, bedacht hij.

Hij keek op zijn horloge en stond op.

'We gaan. Anders komen we nog te laat voor het vliegtuig.'

9

Zodra ze het gebouw in liep, voelde ze de kilte opstijgen van de vloer. Hoewel ze sneakers droeg, klonken haar voetstappen opvallend hard. In geen van de kamers leken mensen aanwezig.

Halverwege de trap kwam ze eindelijk iemand tegen. Het was een jongeman met een bril. Bij het zien van Kaoru toonde hij zich enigszins verbaasd. Misschien kwamen zelden onbekende vrouwen dit gebouw binnen.

Een paar maanden geleden was ze hier ook al een keer. Niet lang nadat ze was toegewezen aan rechercheafdeling 1. Bij het onderzoek in een zaak moesten ze dringend een natuurkundig raadsel oplossen en was ze advies komen vragen. Ze riep in haar geheugen de weg op die ze toen volgde naar de kamer waar ze ook nu moest zijn.

Kaoru vond Lab 13 waar ze het zich herinnerde. Net zoals de vorige keer hing er op de deur een bord, waarop was aangeduid waar de respectieve gebruikers van dit lab zich momenteel bevonden. Naast de naam 'Yukawa' plakte een rode magneet bij het vakje AANWEZIG. Toen ze dat zag, was ze opgelucht. Hij probeerde dus niet onder hun afspraak uit te komen. De assistenten en studenten bleken allemaal naar een college. Ook dat stelde haar gerust. Ze wilde liever niet dat iemand anders hun gesprek hoorde.

Toen ze aanklopte, riep een stem 'ja' terug. Ze wachtte, maar ook na een hele poos werd niet opengedaan.

'Helaas is het geen automatische deur', klonk de stem van binnen.

Toen Kaoru zelf opendeed, keek ze op de rug van een persoon in een zwart hemd met korte mouwen. Hij zat voor een groot pc-scherm. Er was een soort combinatie van kleine en grote bolvormige lichamen op afgebeeld.

'Sorry, maar zou je het koffiezetapparaat naast de gootsteen willen aanklikken? Het water en de koffie zitten er al in', zei de eigenaar van de rug.

De gootsteen bevond zich onmiddellijk rechts naast de deur. Er stond inderdaad een koffiezetapparaat. Het leek nog nieuw. Toen Kaoru het inschakelde, hoorde ze al vlug hoe zich stoom ontwikkelde.

'Ik had gehoord dat u van instantkoffie hield', zei Kaoru.

'Toen ik onlangs een badmintontoernooi won, kreeg ik dat ding als prijs. Nu ik het toch heb, kan ik het net zo goed een keer uitproberen, dacht ik, en het is best handig. Per kopje is het bovendien goedkoper.'

'En nu denkt u dat u al veel eerder zo'n apparaat had moeten gebruiken?'

'Nee, dat niet. Het heeft één groot minpunt.'

'En dat is?'

'Het kan de smaak van instantkoffie niet produceren.' Al pratend had Manabu Yukawa de hele tijd op zijn toetsenbord zitten tokkelen, maar nu draaide de baas van het lab zijn stoel naar Kaoru. 'Ben je al gewend aan het werk bij rechercheafdeling 1?'

'Nog niet helemaal.'

'O? Des te beter zou ik zeggen. Naar mijn persoonlijke mening is wennen aan het werk van rechercheur hetzelfde als stukje bij beetje je menselijkheid verliezen, zie je.'

'Zei u dat ook al tegen meneer Kusanagi?'

'Meer dan eens. Niet dat hij erom maalt.' Yukawa keerde zich opnieuw naar het computerscherm en bracht zijn hand naar de muis.

'Wat is dat?'

'Dit hier? Een modellering van de kristalstructuur van ferriet.'

'Ferriet ... voor magneten?'

Kaoru's antwoord deed de fysicus achter zijn bril grote ogen opzetten.

'Je bent goed op de hoogte. De term "magnetisch materiaal" is correcter, maar toch: ik ben onder de indruk.'

'Ik las er ooit over in een of ander boek. Het wordt gebruikt voor magnetische koppen of zo.'

'Dit had Kusanagi moeten horen.' Yukawa zette de monitor uit en keek opnieuw naar Kaoru. 'Oké, antwoord nu eerst maar op een vraag van mij. Waarom mag Kusanagi niet weten dat je hier bent?'

'Om u dat uit de doeken te doen, moet ik u eerst vertellen over de zaak', antwoordde Kaoru, waarop Yukawa langzaam zijn hoofd schudde.

'Toen ik dat telefoontje van je kreeg, was ik eerst geneigd te weigeren. Ik houd me niet meer bezig met politieonderzoek. Dat ik je toch wilde zien, was omdat je zei dat het voor Kusanagi geheim moest blijven. Dat wekte mijn nieuwsgierigheid en alleen om die reden maakte ik tijd voor je vrij. Dus wil ik eerst horen waarom je dit bezoek voor hem verbergt. En ik waarschuw je: of ik naar je verhaal over de zaak luister, bepaal ik wel daarna.'

Terwijl Yukawa dat allemaal zo kalm zei, staarde Kaoru hem aan. Ze vroeg zich af wat er toch gebeurd kon zijn. Volgens Kusanagi had hij vroeger bereidwillig zijn medewerking verleend aan hun onderzoeken. Maar naar aanleiding van een bepaalde zaak was zijn relatie met Kusanagi verzuurd. Kaoru wist daar echter niet het fijne van.

'Het is heel moeilijk de situatie uit te leggen zonder inhoudelijk over de zaak te praten.'

'Dat durf ik te betwijfelen. Als jullie mensen verhoren, vertellen jullie toch ook niet in detail over een zaak? Is het niet jullie specialiteit uit te vissen wat je zelf wilt weten, terwijl je verdoezelt waar het eigenlijk om gaat? Pas gewoon diezelfde techniek toe. Kom, vertel op, vlug. Als je te lang treuzelt, heb je hier zo de studenten weer.'

Zijn cynische manier van praten deed Kaoru ongewild bijna een zuur gezicht trekken. Ze wilde deze koude kikker van een academicus wat graag een beetje van de wijs brengen.

'Hoe zit het?' Hij liet zijn wenkbrauwen zakken. 'Geen zin om te praten?'

'Toch wel.'

'Nu, schiet dan op. We hebben echt niet zo veel tijd.'

'Oké', zei Kaoru, haar emoties onder controle brengend. 'Meneer Kusanagi ...' Ze keek Yukawa strak in de ogen en vervolgde: '... is verliefd.'

'Hè?'

Het air van onverstoorbaarheid verdween uit Yukawa's ogen. Zijn focus was nu wazig, als bij een verdwaald jongetje. Met die blik keek hij Kaoru aan.

'Wat zeg je?'

'Hij is verliefd', herhaalde ze. 'Meneer Kusanagi is verliefd.'

Yukawa drukte zijn kin tegen zijn borst en zette zijn bril recht. Toen hij zijn ogen weer op Kaoru richtte, straalde er sterke waakzaamheid uit.

'Op wie?' vroeg hij.

'Op een verdachte', antwoordde Kaoru. 'Hij is verliefd op een verdachte in deze zaak. En daarom bekijkt hij alles vanuit een heel ander oogpunt dan ik. Om die reden zou ik niet graag hebben dat hij te weten komt dat ik hier was.'

'Hij verwacht dus niet dat ik je advies geef?'

'Inderdaad.' Kaoru knikte.

Yukawa vouwde zijn armen voor zijn borst en deed zijn ogen dicht. Hij leunde achterover op de stoel en slaakte een langgerekte zucht.

'Ik heb je onderschat. Ik was van plan te luisteren naar wat je te zeggen had en je dan snel af te schepen, maar ik had verdorie niet gedacht dat je met zoiets op de proppen zou komen. Verliefd? En Kusanagi nog wel?'

'Mag ik u nu over de zaak vertellen?' zei Kaoru, de smaak van de overwinning proevend.

'Wacht even. Laten we eerst koffiedrinken. Ik moet wat kalmeren voor ik naar je luister, anders kan ik me niet concentreren.'

Yukawa stond op van zijn stoel en schonk koffie in twee mokken.

'Dat komt goed uit', zei Kaoru, terwijl ze een van de mokken aannam.

'Wat komt goed uit?'

'Het is de perfecte zaak om te bespreken bij een kopje koffie. Alles begint bij koffie.'

'Uit één kopje koffie bloeit soms een droom ... vroeger was er zo'n liedje. Nou goed, laat maar horen.' Yukawa ging weer zitten en slurpte van zijn mok.

Kaoru deed het chronologische relaas van wat tot nu toe aan het licht was gekomen in de zaak van de moord op Yoshitaka Mashiba. De inhoud van een onderzoek verklappen aan buitenstaanders was tegen de regels, maar ze wist van Kusanagi dat Yukawa anders niet wilde meewerken. En belangrijker: Kaoru zelf had vertrouwen in hem.

Toen hij alles had gehoord, dronk Yukawa zijn laatste slok koffie en staarde naar de lege mok.

'Eigenlijk komt het dus hierop neer: jij verdenkt de vrouw van het slachtoffer, maar Kusanagi is op haar verliefd en daarom kan hij geen neutraal oordeel vellen.'

'"Verliefd" is te sterk uitgedrukt. Ik gebruikte gewoon een woord met genoeg impact om uw interesse te wekken. Maar het lijkt me zeker dat meneer Kusanagi bepaalde gevoelens voor haar koestert. Hij is in ieder geval niet in zijn normale doen.'

'Ik zal maar niet vragen waarom je daar zo van overtuigd bent. Bij dat soort dingen geloof ik in principe in de vrouwelijke intuïtie.'

'Dankuwel.'

Yukawa trok rimpels tussen zijn wenkbrauwen en zette zijn mok koffie op het bureau.

'Maar voor zover ik kan afleiden uit je verhaal klinkt Kusanagi's redenering niet zo bevooroordeeld. Het alibi van die vrouw – Ayane Mashiba, of hoe heet ze? – mag je gerust perfect noemen.'

'Voor een directe moord met een wapen als een mes of een pistool misschien wel ja, maar hier gaat het om gif. Ik denk dat het mogelijk van tevoren geregeld was.'

'En je vraagt me dus na te denken over de manier waarop dat gebeurd zou kunnen zijn?'

Kaoru zweeg. Het was de spijker op de kop.

'Had ik het niet gedacht.' De fysicus kreeg een wrange trek om zijn mond. 'Je hebt het verkeerd, ben ik bang; natuurkunde is geen goochelkunst.'

'Maar u hebt vroeger toch al vaak trucs opgehelderd die wel goochelkunst leken?'

'Trucs bij een misdrijf en goocheltrucs zijn iets heel anders. Weet je wat het verschil is?' Toen hij zag dat Kaoru haar hoofd schudde, ging Yukawa door. 'Vanzelfsprekend gaat het bij allebei om bepaalde knepen. Maar met die knepen ga je op een heel andere manier om. Bij goochelen verliest het publiek op het einde van de voorstelling meteen ook zijn kans om de knepen te doorzien. Maar bij een misdrijf kan het rechercheteam de plaats delict onderzoeken tot de truc doorgrond is. Als je iets bekonkelt, zal dat gegarandeerd sporen nalaten. En die perfect uitwissen is het moeilijkste punt van een misdadige truc, mag je wel zeggen.'

'Is het niet denkbaar dat bij dit misdrijf die sporen toch handig uitgewist zijn?'

'Op basis van wat je me zei, acht ik dat weinig waarschijnlijk. Hoe heette ze ook weer, die minnares?'

'Hiromi Wakayama.'

'Die vrouw verklaart dat ze samen met het slachtoffer koffiedronk, ja? Zij is het ook die hem zette. Als van tevoren iets beraamd was, waarom gebeurde er op dat moment dan niets? Dat is het grootste raadsel. Je vertelde daarnet een interessante hypothese: dat ze vooraf het gif aan het slachtoffer gaf en zei dat het poeder was om de smaak van de koffie te verbeteren. Voor een detectiveserie op tv is dat geen slecht gegeven, maar het is geen methode die een echte misdadiger zou kiezen.'

'Denkt u?'

'Stel je in de plaats van de dader en denk eens na. Wat als je je doelwit met die smoes het gif geeft en hij gebruikt het ergens anders dan thuis? Hij is bijvoorbeeld met iemand samen, zegt dat hij iets interessants van zijn vrouw gekregen heeft en doet het in de koffie. Wat dan?'

Kaoru beet op haar lip. Nu hij het zei, kon ze hem alleen gelijk geven. En dan te bedenken dat ze deze hypothese de hele tijd niet van zich af had kunnen zetten.

'Als we aannemen dat de echtgenote de dader is, moest ze zich voorbereiden om minstens drie horden te nemen.' Yukawa stak drie vingers in de lucht. 'Ten eerste mocht niet ontdekt worden dat ze van tevoren gif aangebracht had. Anders was het zinloos een alibi te creëren. Ten tweede moest ze er zeker van zijn dat meneer Mashiba het gif innam. Dat de minnares erin betrokken raakte was nog tot daaraantoe, maar zonder de garantie dat meneer Mashiba zelf omkwam, had dat evenmin zin. En ten derde moest ze haar plan op korte termijn in werking kunnen stellen. De avond voor ze naar Hokkaido ging, hielden ze in dat huis toch een feestje? Als toen al ergens gif in zat, bestond het risico dat iemand anders er het slachtoffer van werd. Ik denk dat het dus daarna gebeurd moet zijn.' Nadat hij dit alles zonder hapering had uiteengezet, spreidde hij zijn armen uiteen. 'Ik pas. Zo'n truc is niet te bedenken. Althans niet door mij.'

'Zijn die horden dan zo moeilijk te nemen?'

'Volgens mij wel. Vooral de eerste is niet makkelijk over te komen. Het is volgens mij logischer ervan uit te gaan dat de echtgenote niet de dader is.'

Kaoru zuchtte. Als zelfs deze man zo zeker van zijn zaak leek, was het misschien toch onmogelijk, begon ze te beseffen.

Op dat moment ging haar mobiele telefoon. Terwijl ze vanuit een ooghoek zag hoe Yukawa zich nog wat koffie ging inschenken, nam ze op.

'Waar zit je?' hoorde ze Kusanagi's stem. Hij klonk nogal ruw.

'Ik vraag inlichtingen in een apotheek. Ik heb opdracht uit te zoeken langs welke weg je arsenigzuur in handen kunt krijgen. Is er iets gebeurd?'

'De forensische dienst heeft het voor elkaar gekregen. Er is ook elders gif gedetecteerd.'

Kaoru omklemde het toestel. 'Waar hebben ze het gevonden?'

'In de ketel. De fluitketel waarin het water gekookt is.'

'Echt?'

'Het gaat om een heel minieme hoeveelheid, maar blijkbaar is er geen vergissing mogelijk. We gaan Hiromi Wakayama nu verzoeken vrijwillig met ons mee te komen voor ondervraging.'

'Waarom haar?'

'Haar vingerafdrukken zaten op de ketel.'

'Dat is toch normaal? Ze zegt dat ze zondagochtend koffiezette.'

'Dat weet ik. En dus had ze de kans het gif erin te doen.'

'Hebben ze alleen haar afdrukken gevonden?'

'Uiteraard zaten ook de afdrukken van het slachtoffer erop.'

'En die van de echtgenote, zijn die niet gevonden?'

Ze kon Kusanagi diep horen zuchten.

'Ze woont daar, dus ja, er zaten een paar van haar vingerafdrukken op. Maar zij raakte hem niet als laatste aan. Dat is duidelijk uit de manier waarop de afdrukken boven elkaar zaten. Er zijn trouwens ook geen sporen van aanraking door iemand met handschoenen aan.'

'Ik heb geleerd dat handschoenen niet altijd sporen nalaten.'

'Dat weet ik ook wel. Maar hoe dan ook, de omstandigheden wijzen uit dat buiten Hiromi Wakayama niemand het gif erin gedaan kan hebben. We gaan haar verhoren in het hoofdbureau. Kom dus maar snel terug.'

Nog voor Kaoru 'oké' kon antwoorden, was de verbinding al verbroken.

'Er is een doorbraak, zo te horen', zei Yukawa en hij nam staande een slok koffie.

Kaoru legde hem uit waarover het telefoontje ging. Nippend van de koffie luisterde hij, zonder ook maar te knikken.

'In de ketel dus? Dat is behoorlijk onverwacht, moet ik zeggen.'

'Misschien zocht ik het dus toch te ver. Zondagochtend gebruikte Hiromi Wakayama diezelfde ketel om koffie te zetten en die dronk ze samen met het slachtoffer. Dat betekent dat er op dat moment geen gif in de ketel zat. Ayane Mashiba kan dus onmogelijk het misdrijf gepleegd hebben, nietwaar?'

'Sterker nog, het gif in de ketel doen had voor de echtgenote geen enkel voordeel. Als truc leverde haar dat niets op.'

Kaoru boog niet-begrijpend haar hoofd opzij.

'Je beweerde zopas dat de echtgenote onmogelijk het misdrijf gepleegd kan hebben, maar dat zeg je omdat iemand de ketel nog gebruikte voor de moord plaatsvond. Wat als dat niet gebeurd was? Zou de politie dan niet denken dat zij ook de kans had het gif erin te doen? Dan had het met andere woorden voor haar geen zin speciaal een alibi te creëren.'

'Hm ... Dat is inderdaad zo.' Kaoru vouwde haar armen over elkaar en keek naar de grond. 'In ieder geval moeten we Ayane Mashiba dus schrappen als verdachte?'

Yukawa staarde Kaoru priemend aan, zonder op haar vraag te antwoorden.

'Welke richting wil je nu uit, ervan uitgaande dat de echtgenote niet de dader is? Ga je net als Kusanagi de minnares verdenken?'

Kaoru schudde haar hoofd.

'Toch niet.'

'Je klinkt zelfverzekerd. Kun je me zeggen op welke grond? Toch niet omdat ze nooit de man van wie ze houdt zou vermoorden, mag ik hopen?' Yukawa ging op zijn stoel zitten en sloeg zijn benen over elkaar.

Inwendig raakte Kaoru in paniek. Precies die woorden had ze op het punt gestaan in de mond te nemen. Een andere aanwijsbare reden had ze niet.

Maar ze had de indruk dat Yukawa Hiromi Wakayama zelf ook niet als de dader zag, en dat híj daar bovendien misschien wel een aanwijsbare reden voor had. Hij wist niet meer over de zaak dan wat hij van haar had gehoord. Welk element overtuigde hem dat niet Hiromi Wakayama het gif in de ketel deed?

'O!' Ze hief haar gezicht op.

'Wat is er?'

'Ze zou de ketel afwassen.'

'Wat zeg je?'

'Als zij het gif in de ketel gedaan had, zou ze hem afwassen voor de politie kwam. Zij ontdekte het lijk. Ze had voldoende tijd.'

Yukawa knikte tevreden.

'Precies. En ik kan er nog aan toevoegen: als die vrouw de dader was, zou ze niet alleen de ketel afwassen maar zich ook ontdoen van het gebruikte koffiepoeder en filterzakje. En ze zou naast het dode lichaam een zakje of zo achterlaten met gif erin. Om het op zelfmoord te doen lijken.'

'Dankuwel.' Kaoru boog haar hoofd. 'Ik ben blij dat ik gekomen ben. Sorry voor het storen.'

Ze begon al in de richting van de deur te lopen, maar Yukawa riep dat ze even moest wachten. 'De plaats delict bekijken zal moeilijk gaan, neem ik aan, dus zou het goed zijn als ik foto's had.'

'Wat voor foto's?'

'Van de keuken waar de vergiftigde koffie gezet is. En foto's van het in beslag genomen servies en de ketel zou ik ook graag zien.'

Kaoru sperde haar ogen open. 'Wilt u dan meewerken?'

Yukawa fronste en krabde aan zijn hoofd.

'Als ik de tijd vind, wil ik er best even over nadenken: is het mogelijk dat iemand die in Hokkaido verblijft iemand in Tokio om het leven brengt?'

Kaoru moest onwillekeurig breed glimlachen. Ze deed haar schoudertas open en haalde een map tevoorschijn.

'Alstublieft.'

'En dit is?'

'Uw bestelling. Ik heb ze vanochtend zelf gemaakt.'

Yukawa sloeg het dossier open en trok verrast zijn hoofd even naar achteren.

'Als ik het raadsel kan oplossen, zou ik graag diezelfde truc toepassen om een aftreksel te maken van het vuil onder je nagels en dat door hem te laten opdrinken', zei hij met pretogen. 'Kusanagi bedoel ik uiteraard. Hij kan nog veel van je leren.'

10

Toen Kusanagi haar belde, zei Hiromi Wakayama dat ze in Daikanyama was. Daar bevond zich de studio voor Ayane Mashiba's cursussen patchwork.

Hij stapte bij Kishitani in de auto en ze begaven zich op weg. In een rij stijlvolle gebouwen stond een wit betegeld flatgebouw. Het had geen automatisch slot, wat tegenwoordig zeldzaam was. Ze namen de lift en stapten uit op de tweede etage. Aan de deur van flat 305 hing een bordje met ANNE'S HOUSE erop.

Toen ze aanbelden, werd prompt opengedaan. Het bezorgde gezicht van Hiromi Wakayama keek hen onderzoekend aan.

'Sorry voor het storen.' Kusanagi zette een stap naar binnen. 'Ziet u ...' begon hij, maar hij deed er meteen weer het zwijgen toe. Achter in de kamer had hij Ayane Mashiba opgemerkt.

'Bent u iets te weten gekomen?' Ayane kwam naderbij.

'U was dus ook hier?'

'We overlegden net over hoe het hier nu verder moet. Maar waar hebt u Hiromi eigenlijk nog voor nodig? Ik denk niet dat ze u nog meer kan vertellen.'

Haar stem was laag en beheerst, maar er klonk duidelijk kritiek in door. De blik in haar droevige ogen deed Kusanagi bijna ineenkrimpen.

'Er zijn een paar nieuwe ontwikkelingen.' Kusanagi richtte zich tot Hiromi Wakayama. 'We zouden u willen verzoeken met ons mee te gaan naar het bureau van de hoofdstedelijke politie.'

Hiromi Wakayama zette grote ogen op. Daarbij knipperde ze herhaaldelijk.

'Wat heeft dit te betekenen?' vroeg Ayane. 'Waarom moet zij naar de politie?'

'Dat kan ik hier nu niet zeggen ... Mevrouw Wakayama, kunt u met ons meekomen? Wees gerust, we zijn niet met een politieauto.'

Hiromi Wakayama keek Ayane even besluiteloos aan, waarna

ze zich naar Kusanagi keerde en knikte.

'Goed. Maar ik mag daarna toch meteen naar huis?'

'Zodra we klaar zijn.'

'Oké, dan maak ik me gereed.'

Hiromi Wakayama verdween in de kamer erachter, maar kwam al vlug terug met haar jas en handtas in de hand. In de tussentijd kon Kusanagi het niet aan naar Ayane te kijken. Hij voelde haar boze blik nog steeds op hem rusten.

Op verzoek van Kishitani liep Hiromi Wakayama met hem naar buiten. Kusanagi wilde ook volgen, maar hij werd door Ayane bij de arm gepakt. 'Wacht even alstublieft.' Haar greep was onverwacht krachtig. 'Staat Hiromi onder verdenking? Dat kan toch niet waar zijn?'

Kusanagi aarzelde. In de gang stond Kishitani te wachten.

'Ga alvast naar de auto', zei hij, waarna hij de deur dichtdeed en zich naar Ayane draaide.

'O ... neem me niet kwalijk.' Ze liet zijn arm los. 'Maar het is absoluut onmogelijk dat zij de dader is. Als u haar verdenkt, begaat u een vreselijke vergissing.'

'We moeten alle mogelijkheden onderzoeken.'

Ayane schudde heftig haar hoofd.

'Die mogelijkheid is onbestaanbaar. Zij kan mijn man niet omgebracht hebben. Dat ziet de politie toch ook in, of niet?'

'Waarom?'

'Nou, u weet het toch zelf? Over haar verhouding met mijn man?'

Verrast zocht Kusanagi even naar woorden.

'Was u dan op de hoogte?'

'Ik heb het onlangs met Hiromi uitgepraat. Ik vroeg haar wat er precies gaande was tussen haar en mijn man. Ze gaf het eerlijk toe.'

Ayane begon in detail hun gesprek uit de doeken te doen. De inhoud deed Kusanagi even slikken, maar wat hem nog meer verbaasde, was dat de twee hier vandaag in deze kamer, ondanks alles, over werk zaten te overleggen. Misschien speelde het feit dat de echtgenoot hoe dan ook overleden was een rol, maar Kusanagi kon niet begrijpen wat er omging in het hoofd van de vrouwen.

'Dat hij wilde scheiden, was dus niet de enige aanleiding voor mijn reis naar Sapporo. Het viel me te zwaar in dat huis te blijven. Het spijt me dat ik loog.' Ayane boog haar hoofd. 'Maar in de gegeven omstandigheden had dat meisje dus geen enkele reden om mijn man te vermoorden. Verdenk haar dus alstublieft niet.'

Toen hij haar zo zag smeken, was Kusanagi in de war gebracht. Hoe kon ze zo fervent de verdediging op zich nemen van de vrouw die haar man had afgepakt?

'Ik heb alle begrip voor wat u zegt, maar wij mogen niet louter emotioneel oordelen. We moeten de zaken objectief aanpakken, op basis van materieel bewijs.'

'Materieel bewijs? Is er dan bewijs dat Hiromi de dader is?' Ayanes blik werd grimmiger.

Kusanagi zuchtte en dacht even na. Uitleggen waarom ze Hiromi Wakayama verdachten, zou het verdere onderzoek niet hinderen, oordeelde hij.

'Het is nu duidelijk langs welke weg het gif in de koffie kwam.' Kusanagi vertelde Ayane dat het gif was aangetroffen in de ketel en dat, voor zover ze konden natrekken, buiten Hiromi Wakayama niemand het huis had betreden op de dag van de moord.

'In de ketel ... Daarom dus?'

'Het is geen hard bewijs. Maar aangezien alleen zij het gif erin gedaan kan hebben, moeten we haar wel verdenken.'

'Maar ...' Ayane leek niet in staat nog iets uit te brengen.

'We hebben eigenlijk haast, dus bij dezen ...' Kusanagi boog zijn hoofd en ging naar buiten.

Zodra ze met Hiromi Wakayama aankwamen op het bureau van de hoofdstedelijke politie, begon Mamiya haar te ondervragen in de verhoorkamer. Normaal gesproken had die ondervraging moeten plaatsvinden in Meguro, waar het hoofdkwartier voor het onderzoek was gevestigd, maar Mamiya had voorgesteld het op hun eigen bureau te doen. Blijkbaar achtte hij de kans groot dat Hiromi Wakayama een bekentenis zou afleggen. En als ze bekende, zou hij een aanhoudingsbevel laten uitvaardigen en haar dan pas meenemen naar het bureau in Meguro. Zo kon hij de media het schouwspel bieden waarbij hij de gearresteerde dader wegleidde.

Terwijl Kusanagi op zijn stoel de resultaten van het verhoor zat af te wachten, kwam Kaoru Utsumi terug van haar veldwerk. Het eerste wat ze zei, was dat Hiromi Wakayama niet de dader was.

Toen hij hoorde waarop ze zich baseerde, was Kusanagi misnoegd. Niet dat haar bewering het beluisteren niet waard was. Integendeel. De theorie dat Hiromi Wakayama na haar ontdekking van het lijk de ketel niet zomaar zou laten staan als zij het gif erin had gedaan, was overtuigend.

'Maar wie anders kan het gedaan hebben? En ik zeg het je maar: dat Ayane Mashiba het gedaan heeft is uitgesloten.'

'Ik weet ook niet wie. Mijn enige verklaring is dat iemand zondagochtend het huis van de Mashiba's binnenging nadat Hiromi Wakayama vertrok.'

Kusanagi schudde zijn hoofd.

'Zo iemand is er niet. Die dag was Yoshitaka Mashiba de hele tijd alleen.'

'Misschien kunnen we die persoon gewoon niet vinden. In elk geval heeft Hiromi Wakayama verhoren geen zin. Niet alleen dat, als we niet oppassen is het een schending van haar rechten.'

Kusanagi deinsde even terug van haar toon, die krachtiger was dan gewoonlijk. Op dat ogenblik ging de telefoon in zijn borstzak.

Oef, gered, dacht Kusanagi, maar toen hij naar het toestel keek, schrok hij. Het was Ayane Mashiba.

'Neem me niet kwalijk dat ik u stoor tijdens het werk. Ik wil u absoluut nog iets zeggen ...'

'Wat is het?' Kusanagi klemde de telefoon steviger vast.

'Het gaat over dat gif dat in de ketel gevonden is. Volgens mij betekent dat niet noodzakelijk dat iemand dat gif rechtstreeks in de ketel deed.'

Kusanagi had er donder op kunnen zeggen dat ze belde om te vragen Hiromi Wakayama snel weer te laten gaan, maar nu was hij uit het lood geslagen.

'Hoezo?'

'Misschien had ik u dit eerder moeten vertellen, maar mijn man was heel sterk met zijn gezondheid bezig en hij vermeed water uit de kraan. Voor het koken gebruikte ik altijd water dat eerst door de zuiveraar was gegaan. En drinken deed hij alleen uit petflessen. Ook om koffie te zetten moest ik van hem flessenwater nemen. Dat zou hij dus zeker ook doen als hij zelf koffiezette.'

Hij begon te snappen wat ze wilde zeggen.

'Het gif zat dus in flessenwater?'

Kaoru Utsumi leek hem te hebben gehoord, want aan het bureau naast hem trok ze een wenkbrauw op.

'Het is in ieder geval ook een mogelijkheid. En daarom zou het vreemd zijn alleen Hiromi te verdenken. Andere mensen hadden namelijk ook de kans gif in een petfles te doen.'

'Dat is wel zo, maar ...'

'Het kan bijvoorbeeld ...' En Ayane Mashiba vervolgde: '... net zo goed zijn dat ik het deed.'

11

Het was even over achten toen Kaoru het bureau van de hoofdstedelijke politie verliet om Hiromi Wakayama naar huis te rijden. Die had zo'n twee uur in de verhoorkamer gezeten. Voor haar ondervrager Mamiya was dat wellicht veel korter dan voorzien.

Ayane Mashiba's telefoontje was van grote invloed op de beslissing om het verhoor vroegtijdig af te breken. Zij beweerde dat haar echtgenoot haar had opgedragen bij het koffiezetten altijd flessenwater te gebruiken. Als dat klopte, was Hiromi Wakayama inderdaad niet de enige die in staat was het gif aan te brengen. De dader moest het gewoon van tevoren in het water doen.

Mamiya had ook geen doeltreffende manier gevonden om Hiromi aan te pakken. Ze benadrukte de hele tijd al huilend dat zij het niet gedaan had, en dus had hij, zij het met tegenzin, ingestemd met Kaoru's voorstel haar voor vandaag maar naar huis te laten gaan.

Op de passagiersstoel hulde Hiromi zich in stilzwijgen. Kaoru kon zich makkelijk voorstellen dat ze geestelijk uitgeput was. Als haar chef met zijn staalharde blik mannen op het rooster legde, raakten die in hun angst en ergernis ook weleens de kluts kwijt. Mogelijk had ze dus nog wat tijd nodig om van de hevige emoties te bekomen. Of nee, Kaoru betwijfelde of ze zelfs dan uit zichzelf zou gaan praten. Hiromi besefte dat de politie haar verdacht, en dus zou ze de agente die haar naar huis bracht beslist ook niet erg gunstig gezind zijn.

Plotseling haalde Hiromi haar mobiele telefoon tevoorschijn. Blijkbaar werd ze door iemand opgebeld.

'Hallo', beantwoordde ze zachtjes de oproep.

'... Ja, het is net afgelopen. Ik ben nu met de auto onderweg naar huis ... Nee, de vrouwelijke rechercheur brengt me ... Nee, niet Meguro, vanaf het bureau van de hoofdstedelijke politie, het kan dus nog even duren ... Ja, dank u', beëindigde ze met een piepstemmetje het gesprek.

Kaoru haalde een keer diep adem en vroeg toen: 'Was dat Ayane Mashiba?'

Hiromi verstijfde merkbaar toen ze werd aangesproken.

'Ja. Waarom vraagt u dat?'

'Daarnet belde ze ook al naar Kusanagi. Ze schijnt zich grote zorgen om u te maken.'

'O ja?'

'En jullie hadden het dus samen over wat er tussen u en meneer Mashiba gaande was?'

'Hoe weet u dat?'

'Kusanagi vernam het van mevrouw Mashiba. Voor hij u naar het bureau bracht.'

Omdat Hiromi niets zei, wierp Kaoru haar vlug een zijdelingse blik toe. Ze had haar ogen neergeslagen, alsof ze radeloos was. Dat dit bekend was geworden, stemde haar vast niet vrolijker.

'Misschien is het onbeleefd als ik me zo uitdruk, maar ik vind het heel vreemd. Normaal gesproken zouden jullie elkaar in de haren moeten vliegen, maar toch blijven jullie net als vroeger met elkaar omgaan.'

'Ik denk ... dat het komt doordat meneer Mashiba overleden is.'

'Maar toch blijft het vreemd; dat is althans mijn eerste indruk.'

Na een korte pauze zei Hiromi: 'Dat kan ik me voorstellen, ja.' Kaoru vatte het op als een teken dat Hiromi ook niet kon uitleggen hoe het momenteel precies zat tussen haar en Ayane.

'Ik zou een paar dingen willen vragen, als u het niet erg vindt.'

Ze kon Hiromi horen zuchten.

'Is er dan nog iets?' zei ze verveeld.

'Ik weet dat u moe bent, sorry daarvoor, maar het zijn eenvoudige vragen. En ik denk niet dat ze u zullen kwetsen.'

'Waarover gaat het?'

'Zondagochtend dronk u dus koffie met meneer Mashiba, ja? En u zette die koffie.'

'Moeten we het daar weer over hebben?' Hiromi's stem begon te beven. 'Ik heb niets gedaan. Ik weet niets af van gif of wat dan ook.'

'Dat suggereer ik ook niet. Ik wil u iets vragen over de wijze waarop u de koffie maakte. Wat voor water gebruikte u toen?'

'Water?'

'Gebruikte u flessenwater of kraanwater, bedoel ik.'

'Goh', liet ze zich krachteloos ontglippen. 'Die keer gebruikte ik kraanwater.'

'Weet u dat zeker?'

'Ja. Maakt dat iets uit?'

'Waarom gebruikte u kraanwater?'

'Waarom? Geen speciale reden. Warm water van de kraan kookt vlugger, meer niet.'

'Was meneer Mashiba op dat moment bij u?'

'Ja. Dat heb ik toch al tal van keren gezegd? Ik leerde hem mijn manier van koffiezetten.' In haar beverige stem klonk nu ook ergernis door.

'Probeer het u nog een keer goed voor de geest te halen. Ik heb het niet over het opgieten van de koffie. Stond hij echt naast u op het moment dat u kraanwater in de ketel deed?'

Hiromi zweeg. Mamiya had haar waarschijnlijk over alles en nog wat aan de tand gevoeld, maar dit soort vragen was er vast niet bij geweest.

'Dat is waar ook ...' mompelde ze. 'U hebt gelijk. Toen ik het water op het vuur zette, was hij er nog niet. Pas daarna kwam hij de keuken in en zei hij me te laten zien hoe het moest.'

'Geen twijfel mogelijk?'

'Nee, nu weet ik het weer.'

Kaoru parkeerde de auto langs de kant van de weg. Nadat ze haar knipperlichten had aangezet, draaide ze zich naar de passagiersstoel en keek Hiromi recht in het gezicht.

'Wat is er?' Hiromi deinsde geschrokken achteruit.

'U zei eerder toch dat u van mevrouw Mashiba leerde hoe u koffie moest zetten?'

'Ja', knikte Hiromi.

'Zij vertelde Kusanagi dat Yoshitaka Mashiba uit bezorgdheid om zijn gezondheid geen kraanwater dronk. Als ze kookte, moest ze de waterzuiveraar gebruiken, en voor het koffiezetten flessenwater ... Wist u dat?'

Hiromi sperde haar ogen open en knipperde toen een paar keer snel na elkaar.

'Nu u het zegt, zoiets heb ik haar ooit wel horen zeggen. Maar ze zei ook dat ik me dat niet hoefde aan te trekken.'

'O?'

'Flessenwater gebruiken is niet goedkoop en het duurt ook lang tot het kookt, zei ze. Als meneer Mashiba ernaar vroeg, moest ik maar zeggen dat ik flessenwater gebruikt had.' Hiromi hield haar handen tegen haar wangen. 'Dat was ik helemaal vergeten ...'

'Kortom, mevrouw Mashiba gebruikte in feite ook kraanwater?'

'Ja. Daarom stelde ik me er ook niet bepaald vragen bij toen ik die ochtend koffiezette voor meneer Mashiba', zei Hiromi. Intussen bleef ze Kaoru in de ogen kijken.

Kaoru knikte en glimlachte.

'Nu snap ik het. Dankuwel.' Ze zette de knipperlichten weer uit en liet de handrem los.

'Eh ... Vanwaar die vraag eigenlijk? Is het een probleem dat ik kraanwater gebruikte?'

'Een probleem is dat niet, nee. Zoals u weet, vermoeden we dat Yoshitaka Mashiba door gif om het leven gebracht is. Daarom moeten we zorgvuldig nagaan wat hij allemaal at of dronk.'

'O, oké ... Mevrouw Utsumi, geloof me alstublieft. Ik heb echt niets gedaan.'

Kaoru bleef voor zich uit kijken en slikte. Ze had onwillekeurig bijna de woorden 'dat geloof ik' in de mond genomen. En voor een rechercheur waren die taboe.

'De politie verdenkt niet alleen u. Zeg maar dat we alle mensen ter wereld verdenken. Een leuke baan is dit niet.'

Hiromi had wellicht een heel ander antwoord verwacht, want ze deed er opnieuw het zwijgen toe.

Kaoru stopte de auto voor het flatgebouw bij het station Gakugei Daigaku. Ze keek hoe Hiromi uitstapte en naar de hoofdingang liep. Toen ze haar blik even verderop richtte, zette ze bliksemsnel de motor uit. Aan de andere kant van de glazen toegangsdeur stond Ayane Mashiba.

Ook Hiromi leek even te schrikken toen ze Ayane zag. Ayane keek haar welwillend aan, maar toen ze merkte dat Kaoru eraan kwam, werden haar ogen strenger. Daardoor draaide Hiromi zich om. Op haar gezicht tekende zich verwarring af.

'Was er nog iets?' vroeg ze.

'Ik zag mevrouw Mashiba en dus wilde ik even dag zeggen', zei Kaoru. 'Mijn excuses dat we mevrouw Wakayama tot zo laat bij ons hielden.' Ze boog haar hoofd.

'Hiromi is nu vrij van verdenking, neem ik aan?'

'Ze wist ons het nodige te vertellen. U gaf Kusanagi naar ik vernam ook belangrijke informatie, mevrouw, waarvoor onze dank.'

'Als het van pas kwam, des te beter. Maar zorg ervoor dat het de laatste keer was dat dit gebeurde. Hiromi is onschuldig. Het heeft geen enkele zin haar nog verder te verhoren.'

'Of dat zin heeft, zullen wij beoordelen. We vragen ook u om uw verdere medewerking.'

'Die krijgt u ook. Maar hou er alstublieft mee op Hiromi mee te nemen.'

Kaoru keek verbaasd naar haar terug. De harde toon strookte niet met haar beeld van Ayane tot nu toe.

Ayane richtte zich tot Hiromi.

'Hiromi, je moet de waarheid zeggen, hoor je. Als je dingen

verzwijgt, zal niemand je nog kunnen beschermen. Snap je wat ik wil zeggen? In jouw toestand al die uren bij de politie doorbrengen is toch slecht voor je?'

Bij die woorden verstarde Hiromi's gezicht op slag. Ze keek alsof er een kostbaar geheim was geraden. Toen ze dat zag, ging er Kaoru een lichtje op.

'Zou het kunnen dat u ...' Ze staarde Hiromi strak aan.

'Is dit niet het moment om het op te biechten? Je hebt het geluk dat deze rechercheur een vrouw is, en zelf weet ik het toch al', zei Ayane.

'Sensei ... Heeft meneer Mashiba het u verteld?'

'Nee. Maar toch weet ik het. Ik ben ook een vrouw, zie je.'

Voor Kaoru was het nu duidelijk waar ze het over hadden. Maar ze moest het zeker weten.

'Mevrouw Wakayama, bent u zwanger?' vroeg ze rechtuit.

Hiromi leek te weifelen, maar toen gaf ze toch een knikje. 'Ik ben twee maanden ver.'

Aan de rand van haar blikveld zag Kaoru een rilling door Ayanes lichaam gaan. Dat overtuigde Kaoru ervan dat Yoshitaka Mashiba het haar inderdaad niet had verteld. Zoals ze zelf aangaf, had haar vrouwelijke intuïtie haar tot het besef gebracht. Maar ook al was ze erop voorbereid, uit de mond van Hiromi horen dat die intuïtie bewaarheid werd, bleef toch een niet te onderschatten slag.

Het volgende ogenblik keerde Ayane zich echter met herwonnen vastberadenheid op haar gezicht naar Kaoru.

'Weet u nu genoeg? Hiromi moet in deze periode goed zorg dragen voor haar lichaam. Dat begrijpt u als vrouw zelf toch ook? Van urenlange ondervragingen door de politie kan geen sprake zijn.'

Kaoru kon alleen maar knikken. Er bestonden ook daadwerkelijk allerlei richtlijnen omtrent het ondervragen van zwangere vrouwen.

'Ik meld het aan mijn superieuren. Ik neem aan dat ze er voortaan rekening mee zullen houden.'

'Dat mag ik hopen.' Ayane keek naar Hiromi. 'Je hebt hier goed aan gedaan. Als je het stilhoudt, kun je toch niet eens naar een dokter gaan?'

Hiromi, die merkbaar in tranen dreigde uit te barsten, keerde zich naar Ayane en bewoog haar lippen. Kaoru kon haar stem niet horen, maar het leek alsof ze 'sorry' zei.

'En er is nog iets wat ik u maar beter kan zeggen', zei Ayane. 'De vader van het kind in haar buik is Yoshitaka Mashiba. Ik veronderstel dat hij precies daarom besliste bij mij weg te gaan en voor haar te kiezen. Dan zou ze hem, de vader van haar kind, toch niet vermoorden?'

Kaoru dacht er ook zo over, maar ze zweeg. Ze wist niet hoe Ayane die reactie precies interpreteerde, maar die vervolgde hoofdschuddend: 'Ik snap echt niet waar die politiemensen met hun gedachten zijn. Ze heeft geen motief of wat dan ook. Als iemand er een heeft, ben ik het wel.'

Toen Kaoru weer aankwam op het bureau, waren Kusanagi en Mamiya er nog. Ze dronken koffie uit de automaat. Allebei keken ze bedrukt.

'Wat had Hiromi Wakayama te zeggen over het water?' vroeg Kusanagi zodra hij Kaoru zag. 'Toen ze koffiezette voor Yoshitaka Mashiba, bedoel ik. Daar heb je toch naar gevraagd?'

'Ja. Ze zegt dat ze kraanwater gebruikte.'

Kaoru vertelde de twee wat ze van Hiromi had gehoord.

Mamiya gromde.

'Dus daarom was er toen niets mis met de koffie? Als het gif in een petfles zat, snijdt dat hout.'

'Het is niet zeker dat Hiromi Wakayama de waarheid zegt', zei Kusanagi.

'Dat geef ik toe, maar ze spreekt zichzelf niet tegen en bovendien kunnen we haar niets ten laste leggen. We kunnen niet anders dan wachten tot de forensische dienst ons meer duidelijkheid verschaft.'

'Hebben jullie hen gevraagd naar de petflessen?' vroeg Kaoru.

Kusanagi pakte een formulier op van het bureaublad.

'Volgens het forensisch team stond er bij de Mashiba's maar één petfles met water in de koelkast, en die was kennelijk al open. Uiteraard hebben ze de inhoud onderzocht. En er is geen arsenigzuur gedetecteerd.'

'O nee? Maar net zei de chef dat de forensische dienst nog geen duidelijk antwoord had?'

'Zo eenvoudig ligt het namelijk niet.' Mamiya trok een mondhoek op.

'Hoe bedoelt u?'

'De petfles in de koelkast was een literfles', zei Kusanagi terwijl hij zijn oog over het formulier liet gaan. 'En er zat nog zo'n negenhonderd milliliter water in. Snap je? Hij was pas geopend. Er was maar honderd milliliter uit. Dat is zelfs te weinig voor één kopje koffie. En het koffiedik in de trechter wees hoe dan ook op een hoeveelheid voor twee kopjes.'

Kaoru snapte inderdaad wat Kusanagi wilde zeggen.

'Hij gebruikte voordien dus een andere fles water. En omdat die leeg was, deed hij een nieuwe open. Dat is de fles die nog in de koelkast stond.'

'Precies.' Kusanagi knikte.

'Misschien zat het gif dus in die andere fles.'

'Logischerwijs', zei Mamiya, 'moet de dader als volgt te werk gegaan zijn: hij of zij deed de koelkast open met de bedoeling het gif in het water te doen. Er stonden twee petflessen. Een daarvan was nog nieuw. Om het gif daarin te doen moest hij de dop opendraaien, met het risico dat het slachtoffer dat zou opmerken. Dus deed hij het in de fles die al open was.'

'Tja, dan moeten ze toch gewoon die lege fles onderzoeken?'

'Uiteraard.' Kusanagi wapperde met het formulier. 'De forensische dienst heeft dan ook een voorlopig onderzoek gedaan. Voorlopig, wel te verstaan.'

'Is er een probleem?'

'Dit was hun antwoord: alle lege petflessen die bij de Mashiba's gevonden zijn, werden getest, maar er is geen arsenigzuur gedetecteerd. Dat bewijst evenwel nog niet dat ze niet gebruikt zijn voor het misdrijf.'

'Hoezo dan niet?'

'Het komt erop neer dat ze het nog niet goed weten', kwam Mamiya ertussen. 'Blijkbaar kon uit de petflessen te weinig residu verzameld worden. Nou ja, dat spreekt ook voor zich. Het zijn nu eenmaal lege flessen. Als we ze overdragen aan een forensisch lab, is een nog iets nauwkeurigere analyse mogelijk, en dus wachten we nu op die resultaten.'

Voor Kaoru was nu eindelijk duidelijk wat er aan de hand was. Ze begreep meteen ook de reden voor het bedrukte gezicht van de twee.

'Ook al detecteren ze gif in een petfles, veel verandert dat volgens mij niet aan de situatie', zei Kusanagi, terwijl hij het formulier teruglegde.

'O nee?' pruttelde Kaoru tegen. 'Het biedt ons toch meer reikwijdte om verdachten te vinden, dacht ik.'

Kusanagi wierp haar een minachtende blik toe.

'Heb je niet gehoord wat de chef zei? Als de dader het gif in een petfles deed, was die al open. En het slachtoffer dronk niet van dat water tot hij koffiezette. Dat betekent dus dat er niet zo veel tijd verstreek tussen het aanbrengen van het gif en het overlijden van het slachtoffer.'

'Ik vind niet dat je kunt uitsluiten dat er enige tijd verstreek, gewoon omdat het slachtoffer geen water dronk. Hij kon toch genoeg andere dingen drinken als hij dorst had?'

Daarop liet Kusanagi triomfantelijk zijn neusgaten lichtjes opbollen.

'Je lijkt even te vergeten dat meneer Mashiba niet alleen zondagavond koffie maakte. Ook zaterdagavond deed hij het zelf. Dat zei Hiromi Wakayama toch? En omdat de koffie toen te bitter smaakte, liet ze hem de volgende ochtend zien hoe zij hem zette. Met andere woorden: op zaterdagavond zat er nog geen gif in de petfles.'

'Toen hij zaterdagavond koffiezette, hoefde meneer Mashiba

niet noodzakelijk flessenwater te gebruiken.'

Toen Kaoru dat zei, leunde Kusanagi ver achterover en spreidde daarbij zijn armen uiteen.

'Wil je nu de hele premisse ter zijde schuiven? We voeren dit gesprek toch omdat mevrouw Mashiba ons vertelde dat haar man gegarandeerd flessenwater gebruikte als hij zelf koffiezette?'

'Blind vasthouden aan het woord "gegarandeerd" is gevaarlijk volgens mij.' Zonder haar stem te verheffen ging Kaoru verder. 'Het is niet duidelijk hoe consequent meneer Mashiba daar zelf in was. Misschien was het niet meer dan een gewoonte. Zijn vrouw hield zich overigens ook niet strikt aan zijn instructies. En vooral: het was al een tijdje geleden dat hij zelf koffiezette. Het zou op zich niet zo vreemd zijn dat hij zonder erbij na te denken kraanwater nam. Er is ook een waterzuiveraar op de leiding aangesloten, dus mogelijk gebruikte hij water daaruit.'

Kusanagi klakte hard met zijn tong.

'Stop toch met dat willekeurig rondstrooien van valse argumenten om toch maar je eigen gelijk te halen.'

'Ik zeg gewoon dat je moet oordelen op basis van objectieve feiten.' Ze verplaatste haar blik van haar oudere collega naar haar chef. 'Zolang niet duidelijk is wie wanneer als laatste flessenwater dronk in het huis van de Mashiba's, kunnen we naar mijn mening het tijdstip waarop het gif erin gedaan is niet bepalen.'

Mamiya wreef grijnzend over zijn kin.

'Discussie is belangrijk, zo zie je maar weer. Ik was het aanvankelijk eens met Kusanagi, maar in de loop van jullie gesprek kreeg ik de neiging over te stappen naar het andere kamp.'

'Maar chef!' Kusanagi zag er enigszins gekrenkt uit.

'Niettemin.' Mamiya keek weer serieus en wendde zich tot Kaoru. 'Het tijdstip kunnen we wel in zekere mate bepalen. Je weet wat er vrijdagavond bij de Mashiba's thuis gebeurde, ja?'

'Ja, een etentje', antwoordde Kaoru. 'En we mogen aannemen dat sommige mensen toen flessenwater dronken.'

Mamiya stak zijn wijsvinger op. 'Als er gif in gedaan is, moet dat dus daarna gebeurd zijn.'

'Dat spreek ik niet tegen. Maar ik denk niet dat de Ikai's de kans hadden het erin te doen. Waarschijnlijk was het voor hen onmogelijk ongemerkt naar de keuken te gaan.'

'Dan blijven er nog twee verdachten over.'

'Wacht eens even', haastte Kusanagi zich om ertussen te komen. 'Hiromi Wakayama als verdachte is nog tot daaraantoe, maar mevrouw Mashiba verdenken is al te gek. Zij is het die ons de informatie gaf dat het slachtoffer bij het koffiezetten flessenwater gebruikte. Waarom zou de dader met opzet iets doen waardoor de verdenking op haar valt?'

'Omdat het hoe dan ook zou uitkomen, zeker?' zei Kaoru. 'Als ze verwachtte dat het een kwestie van tijd was voor het gif in de lege petfles gedetecteerd werd, dacht ze misschien makkelijker aan verdenking te kunnen ontsnappen door het zelf eerst te zeggen.'

Kusanagi vertrok misnoegd zijn mondhoeken.

'Met jou praten is om helemaal tureluurs van te worden. Je lijkt koste wat het kost de schuld in de schoenen van de echtgenote te willen schuiven.'

'Nee, het is best wel logisch', zei Mamiya. 'Mij lijkt het een nuchtere redenering. Als we Hiromi Wakayama als dader zien, stuiten we op allerlei tegenstrijdigheden, zoals de ketel die er nog stond met het gif erin. Ook qua motief is Ayane Mashiba uiteindelijk de eerste verdachte.'

'Ja, maar ...' begon Kusanagi op te werpen, maar Kaoru was hem voor: 'Over motief gesproken, ik kreeg zopas informatie die het motief van de echtgenote nog een stuk versterkt.'

'Van wie?' vroeg Mamiya.

'Van Hiromi Wakayama.'

Kaoru bracht hen op de hoogte van Hiromi's onvoorziene fysieke toestand, iets waar de twee mannen waarschijnlijk in de verste verte niet aan hadden gedacht.

12

Staande klemde Tatsuhiko Ikai een mobiele telefoon in zijn linkerhand. Hoewel hij daarmee in gesprek was, had hij met zijn andere hand de hoorn van een vast toestel beet. Hij praatte tegen de persoon aan de andere kant van die lijn.

'Daarom wil ik u dus vragen dat af te handelen. In paragraaf twee van het contract staat dat toch gespecificeerd? ... Ja, natuurlijk zullen wij op dat punt iets regelen ... Begrepen. Tot uw dienst.' Nadat hij de hoorn had neergelegd, bracht hij de mobiele telefoon in zijn linkerhand naar zijn oor. 'Sorry. Ik heb de tegenpartij dus gemeld waar we het net over hadden ... Ja, goed, doe maar zoals we onlangs afspraken op de meeting ... Ja, prima.'

Toen hij klaar was met telefoneren, boog Ikai zich zonder te gaan zitten over het bureaublad en hij begon iets te noteren. Het was het directeursbureau – het bureau dat tot voor kort aan Yoshitaka Mashiba toebehoorde.

Nadat hij het kattebelletje in zijn zak had gestopt, hief Ikai zijn gezicht op en keek naar Kusanagi.

'Sorry dat ik u liet wachten.'

'U lijkt het druk te hebben.'

'Het houdt niet op, de meest uiteenlopende dingen', klaagde Ikai terwijl hij plaatsnam tegenover Kusanagi. 'Plotseling is de directeur weg en dus loopt al het kaderpersoneel rond als kippen zonder kop. Mashiba's eenmanssysteem baarde me vroeger al zorgen; ik had het veel vlugger moeten stroomlijnen.'

'Voorlopig bent u waarnemend directeur, meneer Ikai?'

Ikai zwaaide met een hand voor zijn gezicht, als om Kusanagi's vraag weg te wuiven.

'Voor manager ben ik niet uit het goede hout gesneden. Ieder mens heeft dingen die hem beter liggen dan andere. En ik ben op mijn best in een rol achter de schermen. Ik ben van plan het een dezer dagen aan iemand anders over te laten. Daarom ...' Ikai keek Kusanagi aan en ging verder: '... gaat de speculatie dat ik

Mashiba vermoordde om zijn bedrijf in te palmen ook niet op.'

Toen hij zag hoe Kusanagi grote ogen opzette, grijnsde hij.

'Sorry, dat was een grapje. En dan nog een flauw grapje ook. Ik heb een vriend verloren, maar ik word zo overstelpt met werk dat ik niet eens de tijd heb me dat te realiseren, en ik weet van mezelf dat ik nogal prikkelbaar ben.'

'Het spijt me dat ik op zo'n moment nog meer van uw tijd in beslag neem.'

'Geen probleem, ik vroeg me toch al af hoe het onderzoek vordert. Zijn er sinds ons vorige gesprek nieuwe ontwikkelingen?'

'Sommige dingen worden geleidelijk duidelijker. De wijze waarop het gif in de koffie terechtkwam bijvoorbeeld.'

'Ik ben heel benieuwd.'

'Wist u dat meneer Mashiba zo'n gezondheidsfreak was dat hij geen kraanwater dronk?'

Ikai boog zijn hoofd opzij bij die vraag.

'Noemen ze je daarom een gezondheidsfreak? Bij mij is dat ook zo, hoor. Ik drink al jaren geen kraanwater meer.'

De achteloosheid waarmee hij het zei, ontmoedigde Kusanagi. Voor rijkelui was zoiets blijkbaar evident.

'Ach zo?'

'Ik vraag me nu zelf ook af hoe dat zo ineens gekomen is. Ik heb nooit speciaal gedacht dat kraanwater slecht was of zo. Het zou kunnen dat ik gewoon naar de pijpen van de fabrikanten dans. Nou ja, het is een kwestie van gewoonte.' Ikai hief zijn kin op en keek alsof hem iets te binnen schoot. 'Zat het gif misschien in het water ...?'

'We hebben het nog niet kunnen verifiëren, maar die kans bestaat. Dronk u tijdens het feestje mineraalwater?'

'Natuurlijk. En best veel ook. Hm, het water dus.'

'Volgens onze informatie gebruikte meneer Mashiba ook bij het koffiezetten flessenwater. Wist u dat?'

'Dat heb ik ooit gehoord, ja', zei Ikai al knikkend. 'Wel wel, daarom is er dus gif in de koffie gedetecteerd.'

'De vraag is dan: wanneer deed de dader het gif erin? Hebt u enig idee of iemand op meneer Mashiba's vrije dagen in het geheim bij hem langskwam?'

Ikai staarde Kusanagi priemend aan. Zijn blik liet weten dat de nuance in die woorden hem niet was ontgaan.

'In het geheim, zegt u?'

'Ja. Tot nu toe hebben we nog niet kunnen achterhalen of iemand bij hem langsging. Maar het kan zijn dat het bezoek aan ieders aandacht ontsnapte. Met medewerking van meneer Mashiba.'

'Met andere woorden: liet hij tijdens de afwezigheid van zijn echtgenote een andere vrouw komen?'

'Dat behoort tot de mogelijkheden, ja.'

Ikai haalde zijn gekruiste benen van elkaar en boog zich een eindje naar voren.

'Waarom spreekt u niet vrijuit? Er is wel zoiets als het geheim van het onderzoek, maar ik ben ook geen leek. Ik praat heus niet onbesuisd mijn mond voorbij. In ruil daarvoor zal ik ook niets achterhouden.'

Toen Kusanagi niet-begrijpend zweeg, leunde Ikai opnieuw achterover op de bank.

'De politie is er dus achter gekomen dat Mashiba een minnares had, of heb ik het mis?'

Kusanagi was even de kluts kwijt. Hij had niet verwacht dat Ikai dit onderwerp zelf zou aansnijden.

'Hoeveel weet u daarover?' polste hij voorzichtig.

'Een maand of wat geleden deed Mashiba me een bekentenis. In de zin dat hij eraan dacht stilaan van partner te wisselen. Ik vermoedde dus al zo'n beetje dat hij een andere vrouw had leren kennen.' Ikai trok zijn pupillen op. 'Dat de politie zoiets niet kan uitvissen kan ik moeilijk geloven. En omdat u het uitgevist hebt, kwam u me opzoeken. Zo is het toch?'

Kusanagi krabde boven zijn wenkbrauwen. Hij had een wrang lachje op zijn gezicht.

'U hebt gelijk. Meneer Mashiba had een andere vrouw.'

'Ik zal u maar niet vragen wie die vrouw is. Al kan ik het wel zo'n beetje raden.'

'U had iets gemerkt, bedoelt u?'

'Een kwestie van eliminatie. Bij hostesses hield Mashiba zijn handen thuis. En dat gold ook voor de vrouwen op kantoor of zakenrelaties. Dan blijft er in zijn omgeving maar één persoon meer over', zei Ikai en hij zuchtte. 'Dus toch? Het is maar beter dat mijn vrouw dat niet te weten komt.'

'De persoon in kwestie verklaarde zelf dat ze afgelopen zaterdag het huis van meneer Mashiba bezocht. Wat we willen weten, is of er behalve haar nog anderen waren met wie hij een soortgelijke relatie had.'

'Of hij terwijl zijn vrouw weg was, twee minnaressen ontving? Dat zou pas sterk zijn.' Ikai wiebelde heen en weer. 'Nee, zoiets is uitgesloten. Mashiba was een kettingroker, maar hij stak nooit twee sigaretten in zijn mond.'

'Hoe bedoelt u?'

'Hij ruilde regelmatig de ene partner in voor de andere, maar hij had nooit een relatie met twee tegelijk, dat bedoel ik. Ik durf wedden dat hij het ook niet meer deed met zijn vrouw sinds hij een minnares had. De nachtelijke activiteiten, weet u wel? Seks puur voor het plezier, dat doe ik wel als ik wat ouder ben, zei hij weleens.'

'Zijn doel was dus een kind verwekken?'

'In zekere zin kun je dat ook eerzaam noemen.' Ikai maakte een grimas.

Kusanagi moest denken aan de zwangere Hiromi Wakayama.

'Als ik u zo hoor, klinkt het alsof een kind ook het belangrijkste doel was van zijn huwelijk.'

Toen Kusanagi dat zei, gooide Ikai zijn hoofd in zijn nek en leunde in die houding achterover tegen de bank.

'Niet het belangrijkste doel; het was het enige doel. Als vrijgezel zei hij al vaak dat hij zo vlug mogelijk vader wilde worden. En daarvoor zocht hij ook koortsachtig naar een partner. Misschien leek hij voor de buitenwereld een playboy omdat hij met allerlei vrouwen omging, maar in feite was hij ernstig op zoek naar de geschikte vrouw. De geschikte vrouw als moeder van zijn kind dus.'

'Maakte het hem dan niet uit of ze geschikt was als echtgenote voor hemzelf?'

Ikai haalde zijn schouders op.

'Mashiba wilde helemaal geen vrouw in huis. Ik zei al dat hij me opbiechtte dat hij eraan dacht stilaan van partner te wisselen, maar hij vertelde me toen ook het volgende: "Ik heb een vrouw nodig die me een kind wil schenken, geen huissloof of een kostbaar pronkstuk."'

Kusanagi zette onwillekeurig grote ogen op.

'Als ze zo'n uitspraak horen, krijg je van alle vrouwen ter wereld de volle laag. Bij huissloof heb ik ook al mijn bedenkingen, maar pronkstuk ...'

'Hij reageerde daarmee op mijn lof voor Ayanes toegewijde gedrag. Als echtgenote was ze volmaakt. Ze gaf al haar werk buitenshuis op en wijdde zich aan het huishouden. Als Mashiba er was, zat ze met haar patchwork op de bank in de living en hield zich ondertussen paraat om haar man ieder moment van dienst te zijn. Maar hij waardeerde dat niet. Blijkbaar vond hij dat een vrouw op de bank mocht zitten zo veel ze wilde, als ze geen kinderen kon baren, was ze niet meer dan een pronkstuk en hem alleen tot last.'

'... Wat een vreselijke manier van uitdrukken. Waarom wilde hij zo graag een kind, denkt u?'

'Tja, zelf wilde ik er ook best een, maar dat gevoel was lang niet zo sterk als bij hem. Als het eenmaal geboren is, kun je weliswaar niet anders dan vertederd zijn.' De kersverse vader liet een lach zien die zijn apenliefde verraadde. Hij veegde die weer weg en vervolgde toen: 'Ik vermoed dat de manier waarop hij opgroeide er onvermijdelijk iets mee te maken had.'

'In welke zin?'

'De politie heeft toch ontdekt dat Mashiba geen familie of verwanten meer had?'

'Daar ben ik van op de hoogte, ja.'

Ikai knikte.

'Naar ik hoorde, scheidden Mashiba's ouders toen hij nog klein was. Bovendien was zijn vader, die het voogdijschap kreeg, een ernstige workaholic die nauwelijks thuis was. Daardoor werd hij opgevoed door zijn grootouders van vaders kant. Maar die overleden kort na elkaar, waarna ook zijn vader plotseling stierf aan een subarachnoïdale bloeding toen hij pas in de twintig was. Zo stond hij er al vlug moederziel alleen voor. Dankzij de erfenis die zijn grootouders en zijn vader nalieten kwam hij financieel niets tekort in het leven en kon hij ook zijn eigen zaak opstarten, maar de liefde van een gezin heeft hij nooit gekend.'

'En dus moest een kind ...'

'Hij wilde een bloedband, dat is wat ik denk. Hoe je ook van elkaar houdt, geliefden en echtgenotes zijn tenslotte wildvreemden, hè.' Ikai's toon was kil. Wie weet was hijzelf een soortgelijke mening toegedaan. En klonk het daardoor ook zo overtuigend in Kusanagi's oren.

'Ik meen me te herinneren dat u de vorige keer zei dat u er ook bij was toen meneer Mashiba en Ayane elkaar leerden kennen. Op de een of andere party was het toch?'

'Dat klopt. In naam was het een gezellig samenzijn voor zakenlui uit allerlei branches, maar in feite ging het om een feestje voor mensen van een zekere standing die een huwelijkspartner van hun niveau zochten. Ik was al getrouwd, maar Mashiba nodigde me uit en dus ging ik maar mee. Zelf zag hij zich genoodzaakt deel te nemen uit verplichting aan een klant, zei hij. Maar kijk, als resultaat trouwde hij met een vrouw die hij daar leerde kennen. Zo zie je maar: in het leven weet je het nooit. Nou ja, de timing zal ook wel goed geweest zijn.'

'De timing zegt u?'

Toen Kusanagi dat vroeg, keek Ikai enigszins gegeneerd. Ik heb al te veel gezegd, leek zijn gelaatsuitdrukking te kennen te geven.

'Voor Ayane ging hij met iemand anders. Die party waarover ik het had, vond plaats vlak nadat hij met die vrouw brak. Omdat de vorige relatie spaak liep, had Mashiba mogelijk het gevoel dat hij haast moest maken. Zo stel ik het me toch voor.' Ikai bracht een wijsvinger naar zijn lippen. 'Zwijg hier alstublieft over tegen Ayane. Van Mashiba moest ik er ook mijn mond over houden.'

'Wat was de oorzaak van de breuk met die vrouw?'

'Tja.' Ikai hield zijn hoofd schuin. 'Het was een ongeschreven regel dat we ons in zulke zaken niet met elkaar bemoeiden. Maar ik vermoed dat ze niet zwanger raakte.'

'Hoewel ze niet getrouwd waren?'

'Ik herhaal het nog eens: voor hem was dat het allerbelangrijkste. Wat ze in de volksmond een "moetje" noemen, was voor hem misschien wel het ideaal.'

Had hij daarom voor Hiromi Wakayama gekozen ...?

In de wereld zijn er mannen van allerlei slag. Dat hoefde je Kusanagi niet te vertellen. Toch kon hij Yoshitaka Mashiba niet begrijpen. Met een vrouw als Ayane aan zijn zij kon hij zonder kinderen toch ook een gelukkig leven leiden?

'De vrouw met wie meneer Mashiba vroeger omging, wat was dat voor iemand?'

Ikai draaide zijn nek een kwartslag.

'Veel weet ik niet over haar. Ik hoorde van Mashiba dat hij iemand had, meer niet. Hij stelde me nooit aan haar voor. Hij was nogal terughoudend op dat vlak en misschien had hij zich dus voorgenomen niet met haar in de openbaarheid te treden tot het vaststond dat ze zouden trouwen.'

'Zijn ze als vrienden uit elkaar gegaan?'

'Dat denk ik wel. Al heb ik het daar met hem nooit uitvoerig over gehad', zei Ikai, waarna hij Kusanagi aankeek alsof iets tot hem doordrong. 'Denkt u dat die vrouw iets met de zaak te maken heeft?'

'Dat niet meteen, maar ik wil zo veel mogelijk te weten komen over het slachtoffer.'

Ikai wuifde grijnzend met zijn hand.

'Als u denkt dat Mashiba die vrouw bij hem thuis uitnodigde, zit u er helemaal naast. Zoiets zou hij niet doen. Absoluut niet. Dat kan ik met zekerheid zeggen.'

'Omdat hij nooit twee sigaretten in zijn mond stopte ... Zo was het toch?'

'Precies.' Ikai knikte.

'Goed, dat zal ik onthouden.' Kusanagi keek op zijn horloge en stond op. 'Bedankt voor uw tijd.'

Toen hij naar buiten wilde lopen, snelde Ikai hem achterna om de deur voor hem open te doen.

'Eh ... dank u.'

'Meneer Kusanagi.' Met een ernstige blik keek Ikai hem aan. 'Ik wil me niet bemoeien met de manier waarop het onderzoek gedaan wordt, maar één ding wil ik u toch vragen.'

'En dat is?'

'Mashiba leidde niet het leven van een heilige. Als u begint te graven, zal er beslist een en ander naar boven komen. Maar ik kan me niet voorstellen dat zijn verleden iets met deze zaak te maken heeft. Ik wil u dan ook verzoeken discreet te blijven en niet meer op te rakelen dan nodig. Voor het bedrijf is dit een cruciale periode.'

Hij was kennelijk bang voor imagoverlies.

'Wees gerust, ook als we bepaalde informatie in handen krijgen, zullen we die niet lekken naar de pers', zei Kusanagi en hij liep de kamer uit.

Hij bleef zitten met een onbehaaglijk gevoel. En dat kwam uiteraard door de figuur van Yoshitaka Mashiba. Dat hij vrouwen louter zag als instrumenten om kinderen te baren, maakte hem oprecht boos. Ongetwijfeld had hij ook over andere dingen een al even verwrongen mensbeeld. Zijn werknemers bijvoorbeeld, die beschouwde hij vast als simpele onderdelen die het bedrijf draaiende hielden, en de consumenten waren niet meer dan objecten die dienden om uit te zuigen.

Hij kon zich makkelijk voorstellen dat die opvattingen in de loop der tijd heel wat mensen hadden gekrenkt. En het mocht dan ook niet verwonderen dat een paar van hen hem zo haatten dat ze hem dood wilden.

Ook Hiromi Wakayama stond nog niet buiten verdenking. Kaoru Utsumi was van mening dat ze nooit de vader van de baby in haar buik zou ombrengen, maar als hij Ikai zo hoorde, kreeg hij de indruk dat dat een voorbarige conclusie was. Yoshitaka Mashiba was dan wel van zins bij Ayane weg te gaan om bij haar te zijn, maar dat was omdat ze zwanger was en niet omdat hij van haar hield. Hij wist niet hoe zelfzuchtig zijn voorstel in haar oren had geklonken, maar Kusanagi kon zich best indenken dat het bij haar in het verkeerde keelgat was geschoten.

Als dit zo was kon Kusanagi ook niets inbrengen tegen Kaoru Utsumi's opmerking dat het eigenaardig was dat ze de sporen van het gif niet uitwiste hoewel ze als eerste bij het lijk was. Het idee dat ze gewoon verstrooid was, was ongeloofwaardig.

Laat ik alvast die vrouw opsporen met wie Yoshitaka Mashiba samen was voor hij Ayane leerde kennen, dacht Kusanagi. En terwijl hij overpeinsde hoe hij dat zou aanpakken, liep hij het kantoorgebouw uit.

Ayane Mashiba sperde verrast haar ogen open. Kusanagi merkte hoe haar pupillen lichtjes trilden. Blijkbaar had hij haar toch van streek gebracht.

'De vroegere vriendin van mijn man, zegt u?'

'Het is geen prettige vraag, dat weet ik.' Hij boog verontschuldigend zijn hoofd.

Ze zaten in de lounge van het hotel waar Ayane logeerde. Kusanagi had haar gebeld om te zeggen dat hij een paar vragen had en haar wilde zien.

'Is dit relevant voor de zaak?' vroeg ze.

Kusanagi schudde zijn hoofd.

'Dat weten we nog niet. Aangezien uw man naar alle waarschijnlijkheid door iemand om het leven gebracht is, moeten we mensen vinden die een motief hebben. Dus willen we teruggaan in zijn verleden en een en ander natrekken, dat is alles.'

Ayane staarde Kusanagi aan en ontspande eventjes haar lippen. Het was een eenzame glimlach.

'Hem kennende zal hij wel niet op een fraaie manier met haar gebroken hebben, dat denkt u toch? Net zoals bij mij.'

'Nee ...' Zo bedoel ik het niet, wilde hij zeggen, maar hij snoerde zichzelf de mond. Haar aankijkend zei hij: 'Uw echtgenoot zocht een vrouw die hem een kind kon schenken, die informatie hebben we. Als een man zo'n gedachte te ver doordrijft, loopt hij het risico zijn partner te kwetsen. En dan kan het ook gebeuren dat die gekwetste partner op haar beurt de man gaat haten.'

'Zoals ik dus?'

'Nee, u ...'

'Laat maar.' Ze knikte. 'Mevrouw Utsumi – zo heette ze toch? – heeft het u al verteld, neem ik aan? Uiteindelijk is Hiromi erin geslaagd zijn wens te vervullen. Daarom koos hij voor haar. En besloot hij mij te laten vallen. Als ik zeg dat ik daarover geen enkele wrok tegen hem koester, zou ik liegen, dat is waar.'

'U kunt het misdrijf niet gepleegd hebben.'

'O nee?'

'Tot nu toe is in de petflessen niets gevonden. Het meest aannemelijke blijft dus dat het gif in de ketel gedaan is. En dat kon uw werk niet zijn.' Nadat Kusanagi dat er in één ruk had uitgegooid, haalde hij een keer adem en ging toen verder. 'Zondag kwam iemand op bezoek en die deed het gif erin. Dat is de enige denkbare verklaring. Omdat het onwaarschijnlijk is dat die persoon zonder toestemming binnenkwam, moet uw man hem of haar binnengelaten hebben. Maar in zijn zakelijke omgeving duikt in dat verband geen enkele naam op. Als we er dus van uitgaan dat het iemand was met wie hij op heel persoonlijke voet stond en die hij tijdens uw afwezigheid stiekem uitnodigde, dan wordt het profiel vanzelf beperkt.'

'U bedoelt, kortom, een minnares of een ex-vriendin?' Ze streek haar voorste lokken naar achteren. 'Tja, jammer genoeg hoorde ik hem daarover nooit iets zeggen.'

'Het mag om het even hoe onbeduidend lijken. Iets wat hij zich tijdens een gesprek een keer liet ontvallen of zo?'

'Hm.' Ze boog haar hoofd opzij. 'Hij praatte bijna nooit over het verleden. In die zin was hij aan de discrete kant, kun je stellen. Hij nam me ook niet mee naar restaurants of bars waar hij eerder met een vriendin was.'

'Ach zo?' Kusanagi was teleurgesteld. Hij had gehoopt zijn licht op te steken op plekken die Mashiba weleens voor afspraakjes gebruikte.

Dat Yoshitaka Mashiba gesteld was op discretie was misschien wel waar. Tussen zijn persoonlijke bezittingen thuis en op kantoor was niets te vinden wat het bestaan liet vermoeden van nog een andere vrouw dan Hiromi Wakayama. Ook in zijn mobiele telefoon stonden, op de zakenrelaties na, alleen nummers van mannen opgeslagen. Overigens zat ook het nummer van Hiromi Wakayama er niet eens in.

'Het spijt me dat ik u niet kan helpen.'

'Nee, u hoeft zich niet te verontschuldigen.'

'Hoewel ...' begon Ayane, maar op dat moment klonk een beltoon uit de tas naast haar. Ze haalde gehaast het toestel tevoorschijn en vroeg of ze mocht opnemen. Kusanagi antwoordde dat dat uiteraard geen probleem was.

'Hallo, met Mashiba.'

Ayane was heel beheerst aan de lijn gekomen, maar het volgende ogenblik trilden haar wimpers. Met een zekere nervositeit keek ze Kusanagi aan.

'Nee, geen probleem. Als er nog iets ...? O, is dat zo? Ja, goed. Tot uw dienst.' Nadat ze de verbinding had verbroken, sloeg ze een hand voor haar mond, als om te zeggen: oeps. 'Had ik moeten vertellen dat u hier was?'

'Wie was het?'

'Mevrouw Utsumi.'

'Zij? Wat had ze te zeggen?'

'Ze wilde een extra inspectie doen van de keuken, en dus

vroeg ze of ik er geen bezwaar tegen had dat ze het huis binnenging. Ze zei dat het maar even zou duren.'

'Een extra inspectie ... Wat is ze dan wel niet van plan?' Kusanagi wreef over het puntje van zijn kin en keek schuin naar de grond.

'Ze wil nog steeds achterhalen hoe het gif precies aangebracht is, neem ik aan.'

'Dat denk ik ook, ja.' Kusanagi keek op zijn horloge en pakte toen de rekening van tafel. 'Ik ga zelf ook een kijkje nemen. Dat vindt u toch niet erg?'

'Natuurlijk niet', stemde Ayane toe, waarna haar iets te binnen leek te schieten. 'Eh ... Ik heb een verzoek.'

'Zegt u het maar.'

'Ik vrees dat het erg onbeleefd is u dit te vragen, maar ...'

'Zit daar maar niet over in. Wat is het?'

'Wel ...' Ze sloeg haar ogen op. 'Ik zou de bloemen water moeten geven. Eerst dacht ik maar een of twee dagen in het hotel te blijven, maar ...'

'O, oké.' Kusanagi knikte begripvol. 'Onze verontschuldigingen voor het ongemak. Maar het zou geen probleem meer mogen zijn weer van uw huis gebruik te maken. Het forensisch team is klaar met zijn taken, dus zodra die extra inspectie of hoe ze het ook noemt achter de rug is, laat ik het u weten.'

'Nee, dat hoeft niet. Ik heb vrijwillig besloten hier nog een poosje te blijven. Als ik mezelf alleen in dat grote huis zie, krijg ik het al moeilijk.'

'Daar kan ik in komen.'

'Ik besef dat ik er niet eeuwig voor weg kan lopen, maar momenteel overweeg ik hier te blijven, in ieder geval tot de datum voor de begrafenis van mijn man vaststaat.'

'Ik denk dat zijn stoffelijk overschot spoedig vrijgegeven kan worden.'

'Ja? Dan moet ik met de voorbereidingen beginnen ...' zei Ayane, waarna ze met haar ogen knipperde. 'Wat dus de bloemen betreft, ik dacht eerst ze morgen water te geven, omdat ik in de loop van de dag toch terug wil gaan om wat spullen te halen. Maar eigenlijk zou ik graag hebben dat het zo vlug mogelijk gebeurt. Het spookt al de hele tijd door mijn hoofd.'

Kusanagi snapte wat ze hem wilde vragen. Hij tikte zich op zijn borst.

'Oké. Als het dat maar is, doen wij het wel. De bloemen in de tuin en op het balkon, niet?'

'Vindt u het niet erg? U hoeft zich echt niet verplicht te voelen.'

'U werkt mee met het onderzoek, dus een kleine wederdienst is niet meer dan normaal. Er is altijd wel iemand die niets omhanden heeft. Laat u het maar aan ons over.'

Toen Kusanagi opstond, volgde Ayane zijn voorbeeld. Ze keek hem strak aan.

'Ik wil de bloemen in dat huis niet laten verwelken.' Haar toon had iets dringends.

'U lijkt er goed voor te zorgen.' Kusanagi herinnerde zich dat ze ook de dag van haar terugkeer uit Sapporo de bloemen water had gegeven.

'De bloemen op het balkon heb ik al van voor ik trouwde. Ze roepen stuk voor stuk weer een andere herinnering op. Die wil ik door deze hele toestand niet ook nog verliezen.'

Ayanes ogen staarden een ogenblik in de verte maar richtten zich vervolgens op Kusanagi. Er ging een aanlokkelijke gloed van uit en hij slaagde er niet langer in haar recht aan te kijken.

'Ik zal ze netjes water geven. Maakt u zich geen zorgen', zei hij en hij liep naar de kassa.

Voor het hotel hield hij een taxi aan en hij begaf zich naar het huis van de Mashiba's. De uitdrukking die Ayane bij het afscheid op haar gezicht had, stond onuitwisbaar op zijn netvlies gebrand.

Kusanagi staarde afwezig door het raam naar buiten en zijn oog viel op het uithangbord van een gebouw. Het was een doe-het-zelfzaak. Dat deed hem plotseling ergens aan denken.

'Sorry. Ik stap hier uit', haastte hij zich tegen de chauffeur te zeggen.

Hij liep vlug de doe-het-zelfzaak in en uit en hield opnieuw een taxi aan. Hij had gevonden wat hij zocht, en dat stemde hem een stuk vrolijker.

Toen hij zijn bestemming naderde, kon hij een politieauto voor het huis van de Mashiba's zien staan. Nogal opzichtig, dacht Kusanagi. Hij kon zich voorstellen dat het huis op deze wijze nog lang nieuwsgierige blikken zou trekken.

Naast de poort stond een agent in uniform. Het was dezelfde die vlak na de moord de wacht had gehouden. Hij leek zich Kusanagi ook te herinneren, want toen hij hem zag, boog hij zwijgend zijn hoofd.

Binnen in de hal zag Kusanagi drie paar schoenen op een rijtje. Kaoru Utsumi's sneakers herkende hij. De overige twee paar waren herenschoenen, maar terwijl het ene versleten en goedkoop was, was het andere nieuw en zowaar voorzien van het Armani-logo.

Kusanagi liep door de gang in de richting van de living. De deur stond open en dus ging hij naar binnen, maar er was niemand te zien. Toen hoorde hij een mannenstem in de keuken.

'Er zijn inderdaad geen aanwijzingen dat iemand hier iets aanraakte.'

'Ziet u wel? Het forensisch team was ook van oordeel dat het al minstens een jaar onaangeroerd was.' Die reactie kwam van Kaoru Utsumi.

Kusanagi gluurde de keuken in. Kaoru Utsumi en een man zaten gehurkt voor het aanrecht. Omdat onderaan de deurtjes openstonden, kon hij het gezicht van de man niet zien. Naast de twee stond Kishitani.

Kishitani merkte zijn aanwezigheid op. 'O, meneer Kusanagi.'

Kaoru Utsumi keek om. Ze leek even in paniek.

'Wat doen jullie?' vroeg Kusanagi.

Ze knipperde met haar ogen. 'Waarom bent u hier ...'

'Antwoord op mijn vraag. Ik vroeg je wat jullie daar zitten te doen?'

'Is dat nu een manier om tegen een ijverige jongere collega te praten?' hoorde hij een stem. De man die onder de gootsteen zat te gluren, stak zijn hoofd boven het deurtje uit.

Kusanagi schrok en deinsde even achteruit. Het was een goede bekende.

'Yukawa, wat doe jij ...?' begon hij, maar toen draaide hij zich naar Kaoru Utsumi. 'Heb jij hem achter mijn rug om advies gevraagd?'

Ze beet zwijgend op haar lip.

'Vreemd dat je zoiets zegt. Moet juffrouw Utsumi dan telkens als ze iemand ontmoet eerst jouw goedkeuring krijgen?' Yukawa stond op en keek met een brede grijns naar Kusanagi. 'Dat is langgeleden. Maar je ziet er goed uit, moet ik zeggen.'

'Jij werkte toch niet meer mee aan politieonderzoeken?'

'In wezen is dat nog steeds mijn principe, ja. Maar af en toe heb je nu eenmaal zoiets als een uitzondering. Bijvoorbeeld wanneer me een raadsel voorgeschoteld wordt dat mijn interesse als wetenschapper wekt. Nou ja, deze keer is er ook wel een andere reden, maar die hoef ik jou niet aan de neus te hangen, is het niet?' Yukawa wierp Kaoru Utsumi een betekenisvolle blik toe.

Kusanagi keek ook naar haar.

'Was dit wat je bedoelde met extra inspectie?'

Verbaasd liet Kaoru Utsumi haar mond half openvallen. 'Weet u dat van mevrouw Mashiba?'

'Ik zat net met haar te praten toen ze een telefoontje kreeg van jou. O ja, ik was bijna iets belangrijks vergeten ... Kishitani, jij lijkt niet meteen iets omhanden te hebben.'

Toen hij zo ineens zijn naam hoorde noemen, rechtte de jongere rechercheur zijn rug.

'Er is me opgedragen bij de inspectie van professor Yukawa aanwezig te zijn. Als Utsumi alleen is, zou ze bepaalde dingen kunnen missen.'

'Die hoor ik dan wel in jouw plaats. Ga jij de bloemen in de tuin maar water geven.'

Kishitani knipperde herhaaldelijk met zijn ogen. 'Water geven, zegt u?'

'Om het onderzoek te vergemakkelijken is mevrouw Mashiba zo goed geweest het huis te verlaten. Dan is het toch niet te veel gevraagd die kleine moeite voor haar te doen? Alleen die in de tuin is goed. Ik doe het balkon boven wel.'

Kishitani fronste even misnoegd zijn wenkbrauwen, maar gehoorzaamde toen toch en liep de keuken uit.

'Ziezo, en vertel me nu maar waar deze extra inspectie precies over gaat.' Kusanagi zette de papieren tas die hij bij zich droeg op de grond.

'Wat is dat?' vroeg Kaoru Utsumi.

'Het heeft niets met deze zaak te maken, dus trek het je niet aan. Geef liever uitleg.' Starend naar Yukawa vouwde Kusanagi zijn armen voor zijn borst.

Yukawa haakte zijn duimen in de zakken van zijn broek, die vermoedelijk ook van Armani was, en leunde tegen het aanrecht. Hij had handschoenen aan.

'Deze jongedame schotelde me het volgende probleem voor: kun je vanaf een afstand gif doen in de drank die een specifiek persoon tot zich neemt? Bovendien mogen eventuele voorbereidselen geen sporen nalaten.' Hij haalde zijn schouders op. 'Nou, zo'n uitdagend vraagstuk zul je ook in de wereld der natuurwetenschappen zelden vinden.'

'Vanaf een afstand ...?' Kusanagi keek verwijtend naar Kaoru Utsumi. 'Verdenk je nu nog altijd mevrouw Mashiba? Je beschouwt haar als de dader en dus vroeg je Yukawa welke toverkunsten ze moest gebruiken om het voor elkaar te krijgen?'

'Mevrouw Mashiba is niet de enige die ik verdenk. Ik wilde gewoon controleren of het echt onmogelijk was dat iemand met een alibi voor zaterdag en zondag toch het misdrijf pleegde.'

'Dat komt toch op hetzelfde neer? Je hebt het op haar gemunt, of niet soms?' Kusanagi keek weer naar Yukawa. 'En jij, waarom zat je daar onder de gootsteen te gluren?'

'Volgens juffrouw Utsumi is het gif in kwestie op drie plekken aangetroffen.' Yukawa stak drie gehandschoende vingers op. 'Ten eerste in de koffie die het slachtoffer dronk. Vervolgens in het koffiepoeder en het filterzakje die gebruikt werden om die koffie te zetten. En tot slot in de ketel die diende om water te koken. Maar meer weten we niet. Er zijn twee mogelijkheden: het gif is rechtstreeks in de ketel gedaan, of het zat al in het water. Als het in het water zat, welk water was dat dan? Ook hier hebben we twee mogelijkheden: flessenwater of kraanwater.'

'Kraanwater? Hoe krijg je het gif dan in de leiding?' Kusanagi snoof minachtend.

Zonder een spier te vertrekken vervolgde Yukawa zijn uitleg.

'In geval van meerdere mogelijkheden is eliminatie de meest rationele methode. Jullie forensisch team stelde blijkbaar vast dat er niets aan de hand was met de waterleiding of de waterzuiveraar, maar van nature kan ik niets aanvaarden voor ik het met eigen ogen gezien heb. Daarom zat ik de onderkant van de gootsteen te bestuderen. Als je knoeit met de waterleiding, kan het namelijk alleen daar gebeuren.'

'En, iets gevonden?'

Yukawa schudde langzaam zijn hoofd.

'De buis van de waterleiding, de aftakking naar de zuiveraar, de filter ... nergens zijn er sporen dat ermee geknoeid is. Misschien is het goed alles voor de zekerheid een keer los te koppelen en te onderzoeken, maar waarschijnlijk zal dat niets opleveren. Als het gif in het water zat, kunnen we bijgevolg stellen dat het om water uit een petfles ging.'

'In de petflessen is geen gif aangetroffen.'

'Het rapport van het forensisch lab is nog niet binnen', zei Kaoru Utsumi.

'Maakt niet uit. Onze eigen forensische dienst levert geen knoeiwerk.' Kusanagi haalde zijn gevouwen armen weer van elkaar, plantte zijn handen in zijn zij en keek naar Yukawa. 'Tot zover dus jouw conclusie? Nogal povertjes gezien het feit dat je er speciaal voor gekomen bent, of niet?'

'Wat het water betreft, zijn we klaar. Maar nu moeten we de

ketel nog controleren. Ik zei het toch al? Het gif kan ook rechtstreeks in de ketel gedaan zijn.'

'Dat is nu net wat ik staande houd. Maar ik kan je zeggen: op zondagochtend zat er nog niets in. Als je tenminste Hiromi Wakayama op haar woord gelooft.'

Zonder daarop te reageren, pakte Yukawa een ketel die naast de gootsteen stond.

'Waar komt die vandaan?' vroeg Kusanagi.

'Het is hetzelfde model als de ketel die in deze zaak gebruikt is. Juffrouw Utsumi heeft ervoor gezorgd.' Yukawa draaide de kraan open en vulde de ketel met warm water. Vervolgens begon hij hem leeg te gieten in de gootsteen. 'Het is een gewone ketel, zonder speciale trucjes of snufjes.'

Daarop vulde hij de ketel weer met water en zette hem op het gasfornuis ernaast.

'En wat gaat er nu in godsnaam gebeuren?'

'Nou, kijk maar en je zult het wel snappen.' Yukawa leunde opnieuw tegen het aanrecht. 'Denk jij dat de dader op zondag dit huis binnenkwam en het gif in de ketel deed?'

'Een andere verklaring is toch niet denkbaar?'

'Als dat zo is, koos die dader een bijzonder riskante methode. Zou het niet in hem opgekomen zijn dat meneer Mashiba weleens tegen iemand had kunnen laten vallen dat hij bezoek kreeg? Of ga je ervan uit dat hij naar binnen sloop terwijl meneer Mashiba even weg was?'

'Dat hij naar binnen sloop, lijkt me moeilijk aan te nemen. Mijn redenering is dat de dader iemand is over wiens bezoek meneer Mashiba met geen woord kon reppen.'

'Oké, een persoon van wie niemand het mocht weten dus?'

Yukawa knikte instemmend en keerde zich naar Kaoru Utsumi. 'Je collega hier gebruikt nog steeds zijn verstand. Een hele opluchting.'

'Wat bedoel je daar nu mee?' Kusanagi keek beurtelings naar Yukawa en naar Kaoru Utsumi.

'Niets bijzonders. Als beide kanten verstandig zijn, hoeven tegengestelde meningen zeker geen slechte zaak te zijn, meer wil ik daar niet mee zeggen.'

Yukawa praatte op zijn vertrouwde misprijzende toontje. Kusanagi staarde hem nijdig aan. Maar Yukawa trok zich van die blik niets aan en grijnsde.

Even later begon het water in de ketel te koken. Yukawa zette het vuur uit, verwijderde het deksel en gluurde naar binnen.

'Zo te zien een heel mooi resultaat.' Hij kantelde de ketel boven de gootsteen.

Toen hij de vloeistof uit de ketel zag stromen, ging er een schok door Kusanagi heen. Het gewone water van daarnet was nu bloedrood gekleurd.

'Wat heeft dat te betekenen?'

Yukawa zette de ketel op het aanrecht en draaide zich met een lach op zijn gezicht naar Kusanagi.

'Dat er geen trucjes of snufjes aan te pas kwamen, was gelogen. In feite heb ik rood poeder bedekt met gelatine en dat aan de binnenkant van de ketel geplakt. Als je het water aan de kook brengt, gaat de gelatine geleidelijk smelten totdat het poeder zich met het water mengt.' Hij keek weer serieus en knikte naar Kaoru Utsumi. 'In deze zaak is de ketel minstens twee keer gebruikt voor het slachtoffer stierf, zo zei je toch?'

'Ja. Op zaterdagavond en op zondagochtend', antwoordde Kaoru Utsumi.

'Afhankelijk van de kwaliteit en de kwantiteit van de gelatine, zou het kunnen dat het gif de eerste twee keer nog niet oplost en dat pas bij de derde keer doet. Waarom laat je dat niet uitproberen door jullie forensische dienst? Ze moeten zich ook afvragen waar in de ketel het bevestigd kon zijn. En eventueel dienen ze ook met ander materiaal dan gelatine de proef te doen.'

'Begrepen', zei ze en ze begon Yukawa's instructies te noteren in haar boekje.

'Wat is er, Kusanagi? Waarom kijk je zo bedrukt?' zei Yukawa spottend.

'Ik ben niet bedrukt of wat dan ook. Ik vraag me alleen af of een normaal mens zo'n speciale manier van vergiftigen zou bedenken.'

'Speciale manier? Helemaal niet. Voor iemand die het gewend is gelatine te gebruiken is het niet zo moeilijk. Voor een huisvrouw die prat gaat op haar kookkunst bijvoorbeeld.'

Bij die uitspraak van Yukawa klemde Kusanagi onwillekeurig zijn kiezen op elkaar. De fysicus beschouwde Ayane Mashiba duidelijk als de dader. Waarschijnlijk was hem een en ander ingefluisterd door Kaoru Utsumi.

De mobiele telefoon van zijn vrouwelijke collega ging. Ze nam op, en na een paar woorden te hebben gewisseld, keek ze Kusanagi aan.

'Blijkbaar is het rapport van het forensisch lab binnen. Er is uiteindelijk toch niets gedetecteerd in de petflessen.'

13

'Laat ons in stilte bidden.'

Hiromi Wakayama gaf gevolg aan de oproep van de ceremoniemeester en deed haar ogen dicht. Meteen daarop begon er muziek te spelen in de kamer. Hiromi schrok toen ze hoorde welk liedje het was: 'The Long and Winding Road' van The Beatles. Betekende dat vertaald niet zoiets als 'de lange en kronkelende weg'? Yoshitaka Mashiba hield van The Beatles; in de auto draaide hij vaak hun cd's. En van al hun liedjes was dit zijn favoriete. Het had een rustig ritme en een melodie die ergens aangrijpend klonk. Ayane zou het wel gekozen hebben, en Hiromi wilde dat ze dat niet gedaan had. De sfeer van het lied paste al te goed bij de gelegenheid. Het dwong haar terug te denken aan Yoshitaka. Ze kreeg het warm van binnen en achter haar gesloten oogleden welden opnieuw de tranen, waarvan ze dacht dat die allang waren opgedroogd.

Natuurlijk wist Hiromi ook dat ze op deze plek niet mocht huilen. Een vrouw zonder directe band met de overledene die openlijk treurde, dat zouden andere mensen vreemd vinden. Maar haar overheersende gedachte was dat Ayane haar tranen niet mocht zien.

Na het stille gebed begon een bloemenritueel. Een voor een gingen de aanwezigen een bloem op het altaar leggen. Aangezien Yoshitaka areligieus was, had Ayane voor deze vorm geopteerd. Ze stond schuin links van het altaar en boog naar de mensen die hun bloem hadden neergelegd.

Yoshitaka's stoffelijk overschot was de dag ervoor door de politie naar het uitvaartcentrum gebracht. Aansluitend daarop had Tatsuhiko Ikai de plechtigheid van vandaag geregeld. Die gold als wake, en de volgende dag was namens het bedrijf een uitvaart met wat meer luister gepland.

Het was Hiromi's beurt. Ze nam een bloem aan van de ceremonieassistente en legde die naast de andere op het altaar. Ze keek op naar de foto van de overledene en vouwde haar handen samen. Het was een foto van een gebruinde, lachende Yoshitaka.

Bedwing je tranen, dacht ze en toen gebeurde het. Ze moest kokhalzen. Zwangerschapsmisselijkheid. Ze haalde onwillekeurig haar gevouwen handen van elkaar en sloeg die voor haar mond.

Haar onpasselijkheid onderdrukkend, wilde ze maken dat ze daar wegkwam. Maar op het moment dat ze opkeek, verstijfde ze. Vlak voor haar stond Ayane te wachten. Ze staarde Hiromi strak aan, met een gezicht dat geen emoties verried.

Hiromi knikte haar toe en wilde haar voorbijlopen.

'Hiromi', sprak Ayane haar aan. 'Gaat het?'

'Ja, het gaat.'

'Oké dan.' Ayane knikte en keerde zich weer naar het altaar.

Hiromi verliet de kamer. Ze moest zo vlug mogelijk weg van deze plek.

Toen ze naar de uitgang toe liep, werd ze van achteren op de schouder getikt. Ze draaide zich om en zag Yukiko Ikai staan.

'O ... dag', groette ze verward.

'Voor jou was het ook zwaar, hè. De politie wilde vast van alles en nog wat van je weten?' Ondanks haar meelevende gelaatsuitdrukking blonken haar ogen van nieuwsgierigheid.

'Ja, dat wel.'

'Je vraagt je af waar die agenten mee bezig zijn. Een mogelijke dader hebben ze nog helemaal niet op het oog, hoor ik.'

'Daar lijkt het op, ja.'

'Als ze het niet vlug oplossen, zal het bedrijf er ook onder lijden, zegt mijn man. Ayane keert trouwens niet terug naar huis tot de ware toedracht duidelijk is, en dat kan ik haar niet kwalijk nemen. Wat een nare toestand toch, hè?'

'Ja.' Hiromi kon alleen vaag knikken.

'Hé', klonk een stem. Tatsuhiko Ikai kwam naar hen toe. 'Wat doen jullie? Ze zeggen dat in de kamer hiernaast eten en drank klaarstaan.'

'O, is dat zo? Nou, ga je mee, Hiromi?'

'Sorry, maar liever niet.'

'Hoezo? Je wacht toch op Ayane? Met zo veel mensen hier is ze nog lang niet klaar, hoor.'

'Nee, ik mocht voor vandaag naar huis van haar.'

'Ja? Maar eventjes kun je toch wel blijven? Kom, hou me wat gezelschap.'

'Zeg, dring niet zo aan, dat is vervelend.' Ikai fronste zijn wenkbrauwen. 'Mensen hebben zo hun redenen, weet je.'

Die uitspraak deed Hiromi opschrikken. Toen ze Ikai aankeek, zag ze de kilte in zijn blik, voor hij vlug zijn ogen afwendde.

'Het spijt me. We zien elkaar nog wel ... Tot ziens.' Hiromi boog naar het echtpaar en liep weg, haar ogen nog steeds naar beneden gericht.

Tatsuhiko Ikai was ongetwijfeld op de hoogte van haar verhouding met Yoshitaka. Ze kon zich niet voorstellen dat Ayane hem iets gezegd had, dus had hij het misschien van iemand bij de politie gehoord. Aan Yukiko had hij het kennelijk niet doorverteld, maar een hoge dunk zou hij wel niet van haar hebben, bedacht Hiromi.

Wat moest er in godsnaam van haar worden? Andermaal werd ze door onrust bevangen. Het was te verwachten dat het nieuws van haar affaire met Yoshitaka spoedig ook de ronde zou doen bij andere mensen in haar omgeving. En dan kon ze niet zomaar in Ayanes buurt blijven vertoeven.

Bij haarzelf groeide overigens al het besef dat ze voortaan beter weg kon blijven van het huis van de Mashiba's. Ze kon niet geloven dat Ayane haar uit de grond van haar hart had vergeven.

Ayanes blik van daarnet stond haar nog levendig voor de geest. Hiromi betreurde het dat ze bij het neerleggen van de bloem haar hand voor haar mond had gehouden. Zo had Ayane doorzien dat de zwangerschap haar misselijk maakte. Juist daarom was ze ook komen vragen of het ging.

Als ze alleen de partner in het overspel van haar overleden man was geweest, had iemand als Ayane nog kunnen zeggen 'zand erover'. Maar als die vrouw een kind verwachtte?

Blijkbaar had Ayane al een vermoeden gehad dat Hiromi zwanger was. Maar een vermoeden hebben van iets en dat vermoeden als feit accepteren, zijn twee volstrekt verschillende zaken.

Het was nu een paar dagen geleden dat ze die vrouwelijke rechercheur Utsumi opbiechtte dat ze in verwachting was. Sindsdien had Ayane niet één keer naar haar zwangerschap geïnformeerd. Zelf kon Hiromi er natuurlijk ook niet over beginnen. Ze had dus geen idee hoe Ayane er zich momenteel bij voelde.

Wat moest ze doen? Als ze over die vraag nadacht, werd het haar zwart voor de ogen.

Ze besefte dat ze de zwangerschap eigenlijk moest afbreken. Het ontbrak haar aan het nodige zelfvertrouwen om in deze omstandigheden een kind op de wereld te zetten. Ze zou het nooit gelukkig kunnen laten opgroeien. De vader was al dood. En zelf liep ze het risico haar baan te verliezen. Nee, als ze het kind hield, kon ze onmogelijk verlangen dat Ayane haar nog werk gaf.

Hoe ze er ook over nadacht, ze had geen andere keus. En toch kon Hiromi de knoop niet doorhakken. Kwam dat door de liefde die ze nog voelde voor Yoshitaka en de tegenzin om afstand te doen van het enige wat hij haar had nagelaten? Of was het haar instinctieve vrouwelijke kinderwens? Ze wist het zelf ook niet.

Hoe dan ook, veel tijd had ze niet meer. Hooguit over twee weken moet ik een beslissing nemen, dacht ze.

Ze liep het uitvaartcentrum uit en wilde net een taxi aanhouden, toen iemand haar naam riep.

Toen ze zag wie het was, voelde Hiromi zich nog moedelozer. Rechercheur Kusanagi kwam op haar toe gelopen.

'Ik was op zoek naar u. Gaat u al naar huis?'

'Ja, ik ben een beetje moe.'

Deze rechercheur wist ongetwijfeld dat ze zwanger was. Ze kon hem dus maar beter te kennen geven dat ze haar lichaam niet wilde belasten, redeneerde ze.

'Sorry dat ik u op een moment als dit lastig val, maar zou ik u toch even kunnen spreken? Het hoeft echt niet lang te duren.'

Hiromi deed geen poging haar ongenoegen te verbergen.

'Nu meteen?'

'Het spijt me. Als u wilt.'

'Moeten we naar het politiebureau?'

'Nee, laten we een rustig plekje opzoeken', zei hij, en zonder Hiromi's antwoord af te wachten stak hij zijn hand op om een taxi aan te houden.

De bestemming die Kusanagi de chauffeur opgaf, lag in de buurt van Hiromi's flatgebouw. Daaruit leidde ze opgelucht af dat hij het daadwerkelijk kort leek te willen houden.

Voor een familierestaurant stapten ze uit de taxi. Er zat weinig volk. Ze namen plaats tegenover elkaar aan de verste tafel.

Hiromi bestelde melk. Voor thee en koffie was je hier aangewezen op selfservice. Ze nam aan dat Kusanagi om diezelfde reden chocolademelk bestelde.

'Dit soort zaken heeft tegenwoordig bijna uitsluitend tafels voor niet-rokers, hè. Dat creëert voor mensen als u een aangenamere omgeving, zou je kunnen zeggen.' Kusanagi lachte haar vriendelijk toe.

Misschien wilde hij zo aangeven dat hij wist van haar zwangerschap, maar in al haar besluiteloosheid over de abortus kon Hiromi zijn uitspraak alleen als ondoordacht aanvoelen.

'Eh ... waarover wilde u het hebben?' vroeg ze met neergeslagen blik.

'Sorry, u bent moe, ik weet het. Ik zal stoppen met kletsen.' Kusanagi leunde voorover. 'Ik wilde het maar over één ding hebben. En dat is Yoshitaka Mashiba's relaties met vrouwen.'

Hiromi hief onwillekeurig haar hoofd op.

'Wat bedoelt u daarmee?'

'U mag dat gewoon letterlijk nemen. Zag meneer Mashiba nog andere vrouwen dan u, dat bedoel ik.'

Hiromi strekte haar rug en knipperde met haar ogen. Ze was lichtelijk in de war. Die vraag kwam wel heel onverwacht.

'Waarom vraagt u zoiets?'

'Hoezo?'

'Wordt er dan gezegd dat er andere vrouwen waren?' Haar stem was ongewild bits.

Kusanagi grijnsde en wuifde even met zijn hand.

'Een concrete grond hebben we er niet voor. We overwogen gewoon die mogelijkheid, vandaar mijn vraag.'

'Ik begrijp het niet. Hoe komt u daarbij?'

Kusanagi keek weer serieus en hij vouwde zijn handen in elkaar op tafel.

'Zoals u ook weet, kwam meneer Mashiba door vergiftiging om het leven. De omstandigheden wijzen uit dat het gif alleen aangebracht kan zijn door iemand die op de dag zelf in het huis van de Mashiba's was. Daarom was u de eerste verdachte.'

'Maar ik zei u toch dat ik niets ...'

'Ik ken uw versie van de feiten. Maar als u de dader niet bent, wie kan er dan nog meer in het huis geweest zijn? Tot nu toe hebben we nog niemand gevonden, noch zakelijk, noch privé. En dus rijst de vraag: was er misschien sprake van een relatie die meneer Mashiba geheimhield?'

Eindelijk snapte Hiromi waar de rechercheur naartoe wilde. Maar aanvaarden kon ze dat idee niet. Het was te absurd voor woorden.

'Meneer, u vergist zich in hem. Toegegeven, hij had veel praatjes en kon nogal druk doen, en aangezien hij zich inliet met iemand als ik, kan ik u niet kwalijk nemen dat u er zo over denkt, maar hij was zeker geen vrouwengek. Ook ik was niet zomaar een pleziertje voor hem.'

Ze had gehoopt dat het de nodige impact zou hebben, maar Kusanagi vertrok geen spier.

'U had dus nooit de indruk dat er nog een andere vrouw in het spel was?'

'Nee.'

'En hoe zit het met vrouwen uit zijn verleden? Weet u daar iets over?'

'Zijn verleden? Bedoelt u vrouwen met wie hij vroeger een relatie had? Er waren er wel een paar, ja, maar details heb ik daar nooit over gehoord.'

'Het geeft niet hoe triviaal het mag lijken. Herinnert u zich niets? Hun beroep, waar hij ze leerde kennen of zo?'

Aangespoord door Kusanagi tastte Hiromi haar geheugen af. Yoshitaka had inderdaad weleens iets laten vallen over vrouwen met wie hij voordien samen was geweest. Een paar van die uitspraken waren haar bijgebleven.

'Dat hij omging met iemand in het uitgeversbedrijf, heb ik wel een keer opgevangen, ja.'

'Het uitgeversbedrijf? Een redactrice of zo, bedoelt u?'

'Nee, iemand die zelf schreef, geloof ik.'

'Zoals een romanschrijfster?'

Hiromi hield haar hoofd schuin.

'Ik weet het niet. Op een keer zei hij dat het lastig was uit te gaan met iemand die boeken uitbrengt, want dan moet je daar telkens je mening over geven. Ik vroeg hem wat voor boeken, maar hij gaf een ontwijkend antwoord. Ik wilde hem ook niet te veel uithoren over zijn exen en dus stelde ik verder maar geen vragen.'

'Anders nog iets?'

'Voor vrouwen die in het nachtleven of in de showbizz werken had hij geen belangstelling, zei hij. Daarom ging hij naar die dating party's en zo. Maar ook daar werd zijn plezier bedorven doordat de organisatoren zo veel modellen inhuurden, vertelde hij erbij.'

'Maar hij leerde toch zijn vrouw kennen op zo'n party?'

'Naar het schijnt, ja.' Hiromi sloeg haar ogen neer.

'Had meneer Mashiba nog contact met zijn voormalige partners?'

'Ik denk het niet. Voor zover ik weet tenminste.' Hiromi keek even op naar de rechercheur. 'Denkt u dat een van die vrouwen hem vermoordde?'

'Dat zou volgens mij best kunnen. Daarom wil ik dat u het

zich zo goed mogelijk probeert te herinneren. Als het over de liefde gaat, zijn mannen veel loslippiger dan vrouwen. Ze laten zich dus soms per ongeluk iets ontglippen over hun vroegere partners.'

'Dat kan wel zo zijn, maar ...'

Hiromi trok de kop melk naar zich toe. Nadat ze een slok had gedronken, kreeg ze spijt dat ze toch geen thee had genomen. Nu moest ze oppassen voor een witte rand om haar mond.

Plotseling schoot haar iets te binnen. Ze hief haar gezicht op. Kusanagi vroeg wat er was.

'Hij was een koffiedrinker, maar hij wist ook veel over thee. Toen ik hem vroeg hoe dat kwam, zei hij dat het de invloed was van een vroegere vriendin. Zij dronk graag thee en kocht die in een vaste winkel. Het was een theespeciaalzaak in Nihombashi, als ik me niet vergis.'

Kusanagi hield zijn pen klaar. 'Hoe heet die zaak?'

'Het spijt me, dat weet ik niet meer. Misschien heeft hij de naam zelfs nooit genoemd.'

'Een theespeciaalzaak dus.' Kusanagi klapte zijn notitieboekje dicht en trok een mondhoek op.

'Dat is zowat alles wat ik me herinner. Het spijt me dat ik u niet beter van dienst kan zijn.'

'Nee, wat u vertelde levert me al heel wat op. Ik stelde zijn vrouw trouwens een soortgelijke vraag, maar zij beweerde dat meneer Mashiba nooit over zulke zaken repte. Wie weet was hij bij u openhartiger dan bij zijn echtgenote.'

Hiromi voelde lichte ergernis bij die woorden van de rechercheur. Het was onduidelijk of hij ze bedoeld had als troost of om zijn geweten te sussen, maar als hij dacht dat ze zich hierdoor ook maar een greintje beter zou voelen, had hij het bij het verkeerde eind.

'Eh, is dit voldoende? Ik wil zo langzamerhand wel naar huis.'

'Heel erg bedankt voor uw tijd, vooral op een dag als vandaag. Als u zich toch nog iets herinnert, neem dan alstublieft contact met me op.'

‘Goed. Dan zal ik u bellen.’

‘Ik breng u naar huis.’

‘Dat hoeft niet. Dat eindje kan ik wel lopen.’

Hiromi liet de rekening op tafel liggen en stond op. Ze kon het niet opbrengen hem te bedanken voor de melk.

14

Er blies stoom uit de ketel. Yukawa tilde hem stilzwijgend op en goot het hete water in de gootsteen. Vervolgens nam hij het deksel weg en gluurde naar binnen, na eerst zijn bril te hebben afgezet. Waarschijnlijk omdat zijn glazen besloegen als hij hem ophield.

'En?' vroeg Kaoru.

Yukawa zette de ketel op de kookplaat en schudde langzaam zijn hoofd.

'Noppes. Hetzelfde als daarnet.'

'Dus de gelatine ...'

'Die zit er nog in, ja.'

Yukawa trok een metalen klapstoel naar zich toe en ging zitten. Hij vouwde zijn handen achter zijn hoofd en keek omhoog naar het plafond. Zijn witte labjas had hij niet aan en dus zat hij daar in zijn zwarte Cut&Sewn-shirt met korte mouwen. Ondanks zijn magere gestalte waren zijn armen toch behoorlijk gespierd.

Kaoru was naar Yukawa's lab gekomen omdat hij had aangekondigd dat hij de truc die hem de vorige dag was ingevallen, om het gif in de ketel te doen, in de praktijk ging uittesten.

Maar het resultaat leek niet gunstig. Om de truc te doen slagen, moest hij ervoor zorgen dat bij het tweede gebruik van de ketel de gelatine nog steeds niet smolt, zodat het ingekapselde gif zich ook nog niet met het water kon mengen. Dat vereiste, met andere woorden, dat de gelatine dik genoeg was. Maar bij die dikte bleef er onopgeloste gelatine achter in de ketel. En volgens het forensisch rapport was in de ketel, zoals te verwachten viel, niets van dien aard aangetroffen.

'Met gelatine gaat het dus toch niet.' Yukawa krabde met beide handen aan zijn hoofd.

'Onze collega's van de forensische dienst zijn dezelfde mening toegedaan', zei Kaoru. 'Ook als de gelatine helemaal smolt, zouden er volgens hen toch restjes aan de binnenkant van de ketel blijven plakken. En zoals ik al zei, is in het koffiedik evenmin gelatine gevonden. Omdat het wel een interessant idee was, hebben ze trouwens ook ijverig andere materialen uitgeprobeerd.'

'Ze probeerden het ook met ouwel, hè?'

'Ja. In dat geval bleef er zetmeel achter in het koffiepoeder.'

'Ik had het dus mis.' Yukawa sloeg zich op zijn knie en stond op. 'Jammer, maar het ziet ernaar uit dat we dit idee beter kunnen laten varen.'

'Ik vond het anders knap bedacht.'

'We hebben alleen Kusanagi even van kleur doen verschieten.' Yukawa pakte zijn labjas van de rugleuning en trok hem aan. 'Waar is onze rechercheur overigens nu mee bezig?'

'Blijkbaar spit hij meneer Mashiba's vroegere liefdesleven uit.'

'Kijk eens aan, zo kennen we hem. Hij blijft bij zijn overtuiging. Nu de truc met de ketel onuitvoerbaar blijkt, zouden we ons misschien beter kunnen aansluiten bij zijn theorie.'

'Dat een ex-vriendin meneer Mashiba vermoordde?'

'Of het een vriendin was, weet ik niet, maar de meest logische verklaring is dat de dader nadat Hiromi Wakayama zondagochtend wegging, op de een of andere manier het huis van de Mashiba's binnendrong om het gif in de ketel te strooien.'

'Geeft u het op?'

'Zoiets noem ik niet opgeven. Ik pas de wet van de eliminatie toe. Kusanagi mag dan wel bepaalde gevoelens lijken te koesteren voor mevrouw Mashiba, daarom heeft hij nog geen foute kijk op de zaak. In feite denk ik zelfs dat hij op gepaste wijze zijn onderzoek doet.' Yukawa nam weer plaats op de stoel en sloeg zijn benen over elkaar. 'Het gif was toch arsenigzuur? Kunnen jullie de dader niet traceren via de distributiekanalen?'

'Dat is moeilijker dan we dachten. De productie en de verkoop van pesticiden die gebruikmaakten van arsenigzuur is al vijftig jaar geleden stopgezet, maar het kent nog verrassende andere toepassingen.'

'Bijvoorbeeld?'

Kaoru deed haar notitieboekje open.

'Houtconserveringsmiddelen, ongediertebestrijding, tandheelkundige geneesmiddelen, materiaal voor halfgeleiders ... dat soort dingen.'

'De meest uiteenlopende zaken zowaar. Tandartsen gebruiken het dus ook?'

'Om de tandzenuw te doden naar het schijnt. Maar zo'n middel is in de vorm van een pasta en moeilijk oplosbaar in water. En bovendien maakt het arsenigzuur in kwestie als bestanddeel er slechts veertig procent van uit. Ze achten de kans dus klein dat het bij dit misdrijf gebruikt is.'

'Wat ligt dan het meest voor de hand?'

'Al met al een handel in ongediertebestrijding. Ze zouden het voornamelijk gebruiken voor het uitroeien van termieten. Bij aankoop moet je je naam en adres opgeven, dus dat trekken we nu na. Maar de bewaarplicht van die gegevens geldt slechts voor vijf jaar, dus als het langer geleden aangekocht is, staan we machteloos. Ook als het via niet-reguliere weg verkregen is, valt het niet te achterhalen.'

'Het lijkt me onwaarschijnlijk dat deze dader zich op die manier zou blootgeven.' Yukawa schudde zijn hoofd. 'Misschien kan de politie zijn hoop toch maar beter op de resultaten van rechercheur Kusanagi stellen.'

'Persoonlijk kan ik moeilijk geloven dat de dader het gif rechtstreeks in de ketel deed.'

'Waarom niet? Omdat de echtgenote het dan niet gedaan kan hebben? Je mag haar gerust verdenken, maar je redenering op die vooronderstelling bouwen, kun je niet rationeel noemen.'

'Ik vooronderstel helemaal niets. Volgens mij is het gewoon ondenkbaar dat een derde partij die dag het huis van de Mashiba's bezocht. Daar is geen enkel spoor van teruggevonden. Stel bijvoorbeeld dat er een ex-vriendin kwam, zoals meneer Kusanagi denkt, dan zou je toch juist verwachten dat meneer Mashiba haar minstens een kopje koffie aanbood?'

'Niet noodzakelijk. Zeker bij een ongenode gast.'

'En hoe krijgt zo iemand dan gif in de ketel? Meneer Mashiba heeft toch ogen in zijn hoofd!'

'Hij moet toch ook wel een keer naar het toilet of zo? Het is niet zo moeilijk om dan van de gelegenheid gebruik te maken.'

'Dat was dan wel een erg vaag plan. Wat zou de dader gedaan hebben als meneer Mashiba toch niet naar het toilet ging?'

'Misschien had hij een reserveplan, of misschien dacht hij het af te blazen als de juiste kans zich niet voordeed. Op die manier liep de dader immers ook geen risico.'

'Professor.' Vorsend keek Kaoru de fysicus in het gezicht. 'Aan wiens kant staat u?'

'Wat een rare vraag. Ik kies geen kant. Ik analyseer gewoon gegevens, doe op zijn tijd een experiment en probeer het meest rationele antwoord te vinden. En momenteel ben jij licht in het nadeel.'

Kaoru beet op haar lip.

'Ik corrigeer mijn uitspraak van daarnet. Eerlijk gezegd verdenk ik mevrouw Mashiba. Ik ben ervan overtuigd dat ze op zijn minst betrokken is bij de dood van haar man. Ook al vinden andere mensen me daarom koppig.'

'Een uitdagende houding zo ineens? Dat verbaast me van je.' Yukawa haalde geamuseerd zijn schouders op. 'Je reden om haar te verdenken waren toch de champagneglazen? Je vond het eigenaardig dat ze die niet terug op hun plaats in de kast gezet had, zo was het toch?'

'Er is meer dan dat. Mevrouw Mashiba kwam die dag 's avonds laat te weten wat er gebeurd was. Naar ze zei vond ze toen een boodschap van de politie op haar antwoordapparaat. Ik vroeg de agent die haar belde wat hij ingesproken had. Hij zei haar contact met hem op te nemen omdat hij haar dringend iets wilde meedelen over haar echtgenoot. Rond middernacht kreeg hij een telefoontje van haar en legde hij haar dus in grote lijnen de situatie uit. Uiteraard vertelde hij er op dat moment niet bij dat het mogelijk om moord ging.'

'Oké, en daarna?'

'De volgende ochtend nam ze de eerste vlucht terug naar Tokio. Meneer Kusanagi en ik haalden haar op en in de auto belde ze Hiromi Wakayama. Ze zei toen: "Voor jou moet het verschrikkelijk geweest zijn, Hiromi."' Terwijl Kaoru zich dat moment weer voor de geest haalde, ging ze verder: 'Dat vond ik meteen al vreemd.'

'Voor jou moet het verschrikkelijk geweest zijn?' Yukawa trommelde met zijn vingertoppen op zijn knieschijf. 'Uit die woorden zou je afleiden dat ze nog niet met Hiromi Wakayama gepraat had sinds ze de avond daarvoor door de politie op de hoogte gebracht was.'

'Precies. Dat is nu net wat ik wil zeggen.' In de overtuiging dat Yukawa dezelfde bedenking had als zijzelf ontspande Kaoru onbewust haar kaken. 'Mevrouw Mashiba gaf Hiromi Wakayama de huissleutel in bewaring, kort nadat ze erg gekregen had in haar affaire met haar man. Toen ze te horen kreeg dat hij onder onduidelijke omstandigheden overleden was, zou het toch normaal geweest zijn dat ze meteen naar Hiromi Wakayama belde? En dat is niet het enige. De Mashiba's waren bevriend met de Ikai's, maar ook met hen nam ze geen contact op. Dat is echt onbegrijpelijk.'

'En wat is de hypothese van rechercheur Utsumi daaromtrent?'

'Dat het voor haar onnodig was Hiromi Wakayama of de Ikai's te bellen. Ze kende namelijk al de ware toedracht over de dood van haar man en dus hoefde ze ook niemand om details te vragen.'

Yukawa grijnsde en wreef onder zijn neus.

'Heb je die theorie aan iemand voorgelegd?'

'Aan mijn chef, meneer Mamiya.'

'Maar niet aan Kusanagi?'

'Meneer Kusanagi zou het toch maar verwerpen als intuïtief geklets.'

Met een bedenkelijk gezicht stond Yukawa op en hij liep naar de gootsteen.

'Die vooringenomenheid is nergens voor nodig. Het kan vreemd klinken uit mijn mond, maar als rechercheur levert hij best puik werk. Wat hij ook mag voelen voor de verdachte, hij zal zijn redelijkheid niet verliezen. Oké, als hij hoort wat je me nu zei, zal hij wellicht niet op slag van standpunt veranderen. Ik veronderstel dat hij eerst tegenargumenten zal opwerpen. Maar hij negeert andermans mening niet. Hij zal op zijn manier over de kwestie nadenken. En ook als hij daaruit een voor hem ongewenste conclusie moet trekken, zal hij daar niet blind voor blijven.'

'U vertrouwt hem, merk ik.'

'Anders had ik niet al die keren aan zijn onderzoek meegewerkt.' Yukawa lachte zijn witte tanden bloot en begon poeder in het koffiezetapparaat te lepelen.

'En u, professor? Vindt u het gek dat ik er zo over denk?'

'Nee, ik vind het een erg logische overweging. Als je hoort dat je man overleden is, is het normaal dat je zo veel mogelijk informatie probeert te verzamelen. Als mevrouw Mashiba dus met niemand contact opnam, is haar gedrag eigenaardig.'

'Oef.'

'Maar ik ben dus wel een wetenschapper, hè. Als je me vraagt te kiezen tussen een psychologisch eigenaardige en een fysisch onmogelijke theorie, kan ik, zij het met enige tegenzin, niet anders dan de eerste kiezen. Natuurlijk, als er buiten hetgeen ik bedacht een ander middel is om het gif met vertraging in de ketel te doen terechtkomen, verandert dat de zaak.' Yukawa vulde de ketel met kraanwater. 'Het slachtoffer zou alleen mineraalwater gebruikt hebben om koffie te zetten, maar ik vraag me af hoe anders het smaakt.'

'Blijkbaar was het hem niet om de smaak maar om zijn gezondheid te doen. Mevrouw Mashiba gebruikte trouwens kraanwater als haar man het niet zag. En misschien vertelde ik dit al, maar Hiromi Wakayama verklaarde dat ook zij op zondagochtend de koffie met kraanwater zette.'

'Kortom, in feite was het slachtoffer de enige die daadwerkelijk mineraalwater gebruikte.'

'Precies daarom waren we geneigd aan te nemen dat het gif in een petfles zat.'

'Als ze ook in het forensisch lab niets konden detecteren, moet je die theorie wel laten varen.'

'Alhoewel. Dat het niet gedetecteerd is, sluit daarom nog niet helemaal uit dat het niet in een petfles zat. Sommige mensen spoelen hun petflessen netjes om voor ze ze weggooien. Het forensisch lab verklaarde dat het in dat geval mogelijk niet gedetecteerd wordt.'

'Dat je flessen van woeloengthee of frisdrank omspoelt, oké. Maar flessen water?'

'Mensen hebben zo hun gewoontes.'

'Nou ja, dat zal wel. Maar dan had onze dader vreselijk veel geluk. Want dankzij de gewoontes van het slachtoffer werd dus onduidelijk langs welke weg het gif in de koffie belandde.'

'Dit gaat dan ook alleen op in de veronderstelling dat mevrouw Mashiba de dader is', zei Kaoru, waarna ze Yukawa's gezichtsuitdrukking bestudeerde. 'Staat deze manier van redeneren u niet aan?'

Yukawa liet een grijns zien.

'Het stoort me niet, hoor. Wij stellen ook de hele tijd hypotheses op. Al worden die bijna altijd meteen met de grond gelijkgemaakt. Levert de veronderstelling dat mevrouw Mashiba de dader is je verder nog iets op?'

'Zij was het die ermee kwam aanzetten dat haar man alleen flessenwater gebruikte. Meneer Kusanagi zei dat ze zoiets niet uit eigen beweging zou zeggen als zij het gif in het water deed, maar ik denk precies het tegendeel. Ik vraag me af of het niet haar bedoeling was de verdenking toch een beetje van zich af te leiden door er alvast zelf over te beginnen, omdat het gif in de petfles vroeg of laat hoe dan ook gedetecteerd zou worden. Maar het werd dus niet gedetecteerd. En dat bracht me eerlijk gezegd in de war. Als ze de dader is en op de een of andere manier het gif in de ketel kreeg, had ze geen reden om speciaal aan de politie te vertellen dat haar man uitsluitend water uit petflessen gebruikte. Dus stelde ik mezelf de vraag: was het voor haar ook onverwacht dat in de petflessen geen gif gedetecteerd werd?'

Terwijl Kaoru praatte, kreeg Yukawa's blik iets grimmigs. Hij staarde naar de stoom die uit het koffiezetapparaat ontsnapte.

'Ze had niet gedacht dat meneer Mashiba de petfles zou omspoelen, bedoel je?'

'In haar plaats zou ik dat ook niet denken. Haar verwachting dat op de plaats delict een petfles zou gevonden worden waar nog gif in zat, was toch niet meer dan normaal? Maar haar man had het giftige water opgebruikt om koffie te zetten. En terwijl hij wachtte tot dat water kookte, spoelde hij de fles om. Omdat mevrouw Mashiba dat niet wist, wilde ze erop anticiperen door aan de politie te suggereren dat de dader het gif weleens in een petfles gedaan kon hebben ... Als je het zo bekijkt, snijdt alles hout.'

Yukawa knikte en duwde met een vingertop het midden van zijn bril omhoog.

'Theoretisch zit het mooi in mekaar.'

'Ik besef zelf dat het op vele punten ongeloofwaardig lijkt. Maar het is een mogelijkheid.'

'Jazeker. Maar heb je ook een manier om die hypothese te bewijzen?'

'Nee, die heb ik niet. Jammer genoeg.' Kaoru beet op haar lip.

Yukawa pakte de kan van het koffiezetapparaat. Hij verdeelde de doorgelopen koffie over twee mokken en stak een ervan uit naar Kaoru.

Ze bedankte hem en nam de mok aan.

'Jullie spelen toch niet onder één hoedje, hoop ik?' zei Yukawa.

'Hè?'

'Ik vraag je of je niet met Kusanagi samenspant om me in de val te lokken.'

'U in de val lokken, professor? Waarom dan?'

'Omdat ik besloten had niet meer mee te werken met de politie en jullie nu toch maar mooi mijn intellectuele nieuwsgierigheid weten te prikkelen. Je waagt het zelfs te strooien met een gevaarlijk geurig kruid: hoe loopt het af met Kusanagi's mogelijke romance?' Yukawa glimlachte met één wang en slurpte smakelijk van zijn koffie.

15

Theespeciaalzaak Kuuze lag in de wijk Nihombashi Odenmacho. Hij zat op de begane grond van een kantoorgebouw, niet ver van de Suitenguboulevard met zijn talrijke bankinstellingen, zodat je je kon voorstellen dat het er tijdens de lunchpauze wemelde van de kantoormeisjes.

Toen Kusanagi door de glazen deur liep, kwam hij eerst bij de plek waar ze theeblaadjes verkochten. Hij had bij zijn voorbereidend onderzoek gelezen dat ze meer dan vijftig soorten thee in voorraad hadden. Achterin was de tearoom. Het was vier uur, tussen de middag- en avonddrukte in, maar toch zaten her en der vrouwen, onder wie een paar die ondanks hun bedrijfsuniform rustig een tijdschrift lazen. Mannelijke klanten waren er niet te zien.

Een tengere serveerster in witte kleren kwam naar hem toe.

'Welkom. Eén persoon?' Ze had een lach op haar gezicht maar leek toch wat achterdochtig. Misschien zag hij er niet uit als het type dat in z'n eentje een theespeciaalzaak bezocht.

Kusanagi antwoordde dat hij inderdaad alleen was, waarop de serveerster, haar lach intact, hem naar een tafeltje tegen de muur leidde.

Op het menu stond een hele reeks namen van thee waar Kusanagi tot gisteren niet mee vertrouwd was. Maar nu wist hij toch een en ander over een aantal ervan, en hij had er zelfs een paar gedronken. Dit was de vierde theespeciaalzaak waar hij zijn geluk beproefde.

Hij wenkte de serveerster van zo-even en bestelde *chai**. In de vorige zaak had hij zich laten vertellen dat ze daarvoor *assamthee** samen met melk laten intrekken. Dat was hem goed bevallen en dus lustte hij daar best nog een kopje van.

'En eh, o ja, ik ben van de ...' Hij liet haar zijn visitekaartje zien. 'Zou u de baas even kunnen laten komen? Ik wil graag een paar vragen stellen.'

Zodra de serveerster zag wat op het kaartje stond, verdween de lach van haar gezicht. Kusanagi wuifde vlug met zijn hand.

'Niets aan de hand, hoor, maakt u zich geen zorgen. Ik wil gewoon iets weten over een van uw klanten.'

'Goed, dan zal ik haar even roepen.'

'Als u wilt', zei Kusanagi. Hij wilde haar en passant nog vragen of hij mocht roken, maar hield zich in. Zijn oog viel net op een bordje aan de muur: GEHEEL ROOKVRIJ.

Hij keek nog een keer rond in de zaak. De sfeer was rustig en ontspannen. De zitjes waren gezellig geschikt, zodat ook een stelletje zich niet hoefde te bekommeren om de mensen aan het tafeltje ernaast. Het zou niet verwonderlijk zijn dat Yoshitaka Mashiba hier weleens kwam.

Maar Kusanagi besloot toch geen al te hoge verwachtingen te koesteren. Bij de drie zaken die hij eerder probeerde, had hij namelijk een soortgelijke indruk gekregen.

Even later verscheen een vrouw in een witte overhemdbloes en zwart vest. Met een doodernstige blik bleef ze voor Kusanagi staan. Ze had weinig make-up op en haar haar was aan de achterkant samengebonden. Hij schatte haar midden dertig.

'Wat kan ik voor u doen?'

'Bent u de uitbaatster?'

'Ja. Hamada is mijn naam.'

'Sorry dat ik u stoor tijdens het werk. Gaat u zitten alstublieft.' Kusanagi wees haar de stoel tegenover hem aan, waarna hij een foto uit zijn binnenzak tevoorschijn haalde. Daar stond Yoshitaka Mashiba op afgebeeld. 'In het kader van een onderzoek wil ik graag weten of deze persoon hier ooit kwam. Ik denk dat het zo'n twee jaar geleden moet zijn geweest.'

Mevrouw Hamada pakte de foto aan, tuurde er een poosje naar en boog ten slotte haar hoofd opzij.

'Ik heb de indruk dat ik hem wel een keer gezien heb, maar met zekerheid kan ik het niet zeggen. Er komen elke dag zo veel klanten en naar hun gezicht staren is ook niet zo beleefd.'

Haar antwoord was nagenoeg hetzelfde als wat hij te horen kreeg in de andere drie zaken.

'Ach zo? Ik vermoed dat hij hier met een vrouw kwam, als stel', voegde hij er voor de zekerheid aan toe, maar ze hield glimlachend haar hoofd schuin.

'In onze zaak komen ook erg veel stelletjes.' Ze legde de foto op tafel.

Kusanagi knikte en glimlachte flauw naar haar terug. Hij had zich al voorbereid op die reactie en dus was hij ook niet echt teleurgesteld. Maar hij kreeg toch meer en meer het gevoel dat dit allemaal verspilde moeite was.

'Is dat alles wat u wilde vragen?'

'Ja, dit volstaat', zei Kusanagi.

Net toen mevrouw Hamada opstond, bracht de serveerster zijn thee.

Ze wilde het kopje op tafel zetten, maar toen ze de foto daar zag liggen, hield ze zich in.

'O, pardon.' Kusanagi pakte de foto weg.

Ze keek hem echter aan zonder het kopje neer te zetten en knipperde herhaaldelijk met haar ogen.

'Is er iets?' vroeg hij.

'Is er wat gebeurd met die klant?' vroeg ze aarzelend.

Kusanagi zette grote ogen op en hield haar opnieuw de foto voor.

'Kent u die man?'

'Kennen, nou ja ... als klant welteverstaan.'

Blijkbaar had mevrouw Hamada dat opgevangen, want ze kwam weer terug.

'Weet je dat zeker?'

'Ja, vrij zeker. Ik heb hem hier een aantal keren gezien.'

Ze klonk niet helemaal overtuigd, maar ze leek toch vertrouwen te hebben in haar geheugen.

'Mag ik haar even van u lenen?' vroeg Kusanagi aan mevrouw Hamada.

'O, eh ja, ga uw gang.'

Er kwamen juist nieuwe klanten binnen. Mevrouw Hamada liep hun tegemoet.

Kusanagi liet de serveerster op de stoel tegenover hem plaatsnemen.

'Wanneer zag u hem?' begon hij de ondervraging.

'De eerste keer was drie jaar geleden, denk ik. Toen werkte ik hier nog maar pas en ik kende de namen van de thee nog niet zo goed, zodat ik hem de verkeerde bracht. Daardoor herken ik hem.'

'Was hij alleen?'

'Nee, hij was altijd samen met zijn vrouw.'

'Zijn vrouw? Hoe zag die eruit?'

'Lang haar, knap. Van gezicht leek ze wel een halfbloed.'

Dat klinkt niet als Ayane Mashiba, dacht Kusanagi. Ayane was onmiskenbaar een traditionele Japanse schoonheid.

'Hoe oud?'

'Voor in de dertig, of iets ouder ...'

'Zeiden ze dat ze getrouwd waren?'

'Dat eh ...' De serveerster boog haar hoofd opzij. 'Misschien nam ik dat gewoon aan. Maar ze zagen er in ieder geval getrouwd uit. Ze leken het erg goed met elkaar te kunnen vinden, en soms had ik de indruk dat ze nog even langsliepen na de boodschappen, op de terugweg naar huis.'

'Herinnert u zich nog iets over de vrouw? Hoe onbenullig het ook mag lijken.'

De serveerster kreeg een gegeneerde blik in haar ogen. Kusanagi vroeg zich af of ze al spijt had dat ze zich liet ontvallen de persoon op de foto te kennen.

'Dit kan ook weer iets zijn wat ik zomaar aannam, maar ...' Ze begon te stamelen. 'Ik dacht dat ze schilderde.'

'Schilderde ... Een kunstschilderes dus?'

Ze knikte en sloeg haar ogen op.

'Soms had ze een schetsboek bij zich, of een grote, vierkante tas van ongeveer zo groot.' Ze deed haar handen zo'n zestig centimeter uit elkaar. 'Zo'n platte tas, weet u wel.'

'U zag niet wat er in die tas zat?'

'Nee, dat niet.' Ze sloeg haar ogen weer neer.

Kusanagi moest terugdenken aan wat hij van Hiromi Wakayama had gehoord. Dat een ex-vriendin van Yoshitaka Mashiba in het uitgeversbedrijf werkte, en dat ze boeken uitbracht.

Als een kunstschilderes een boek liet uitgeven, zou dat een verzameling van haar werk zijn. Maar volgens Hiromi Wakayama vond Mashiba het vervelend dat hij zijn mening moest geven over haar boeken. Bij een verzameling schilderijen kon dat toch niet zo lastig zijn?

'Is u verder nog iets bijgebleven?' vroeg Kusanagi.

De serveerster boog nogmaals haar hoofd opzij en keek hem toen met vragende ogen aan.

'Waren die twee dan niet getrouwd?'

'Waarschijnlijk niet. Hoezo?'

'Nou, het is niets bijzonders, maar ...' Ze hield haar handen tegen haar wangen. 'Ik geloof dat ze over kinderen praatten. Ze zeiden dat ze snel een baby wilden of zo. Maar heel zeker weet ik het niet. Misschien verwar ik hen met een ander stel.'

Ze klonk net als daarvoor niet overtuigd, maar Kusanagi twijfelde geen moment aan de betrouwbaarheid van haar geheugen. Het meisje verwarde helemaal niets of niemand. Ze had het beslist over Yoshitaka Mashiba en zijn toenmalige vriendin. Eindelijk had hij een aanknopingspunt gevonden. Hij voelde er een lichte opwinding bij.

Kusanagi bedankte de serveerster en liet haar gaan. Hij stak zijn hand uit naar het kopje chai. Die was al een beetje koud, maar de geur ging uitstekend samen met de zoetheid van de melk.

Toen hij de thee voor de helft ophad en zich net zat af te vragen hoe hij de identiteit van de vermoedelijke schilderes zou achterhalen, ging zijn telefoon. Op het scherm zag hij tot zijn verbazing dat het Yukawa was. Zich bewust van de andere klanten om hem heen nam hij discreet op. 'Met Kusanagi.'

'Met Yukawa. Kun je praten?'

'Als ik mijn stem wat demp, lukt het wel. Maar wat krijgen we nu: jij die met mij contact opneemt? Dat komt ook niet vaak voor. Wat is er?'

'Ik wilde je spreken over iets. Kun je vandaag tijd vrijmaken?'

'Als het belangrijk genoeg is, zou ik dat eventueel kunnen, ja. Waarover gaat het?'

'De details vertel ik je liever als we elkaar zien. Laat ik alvast zeggen dat het over je werk gaat.'

Kusanagi zuchtte.

'Zijn jij en Utsumi weer heimelijk iets aan het bekokstoven?'

'Het is nu juist omdat ik niet heimelijk wil doen dat ik je bel. Zien we elkaar of niet?'

Waarom blaast die vent toch altijd zo hoog van de toren, dacht Kusanagi, maar toch kon hij een grijns niet onderdrukken.

'Al goed. Waar zal ik naartoe gaan?'

'De locatie laat ik aan jou over. Maar als het kan ergens waar het rookvrij is', zei Yukawa zonder omwegen.

Uiteindelijk spraken ze af in een koffiehuis bij het station Shinagawa. Dat was dicht bij het hotel waar Ayane logeerde. Als hij vlug genoeg klaar was met Yukawa, kon hij haar dan nog even vragen of ze iets wist over een kunstschilderes.

Toen hij het koffiehuis binnenging, was Yukawa er al. Hij zat helemaal achter in het rookvrije gedeelte een tijdschrift te lezen. Ondanks de naderende winter had hij z'n Cut&Sewn-shirt met korte mouwen aan. Op de stoel ernaast lag een zwartleren jasje.

Kusanagi liep naar hem toe en bleef voor hem staan. Maar Yukawa maakte geen aanstalten op te kijken.

'Wat zit je daar zo aandachtig te lezen?' zei Kusanagi, terwijl hij een stoel achteruittrok.

Blijkbaar had Yukawa zijn komst toch opgemerkt, want zonder enig blijk van verrassing wees hij naar het tijdschrift dat hij zat te lezen.

'Het is een artikel over dinosaurussen. Er staat een techniek in beschreven om CT-scans te nemen van fossielen.'

'Wel wel, een wetenschappelijk tijdschrift? Welk nut hebben CT-scans van dinosaurusbotten dan?'

'Niet van de botten. Ze onderzoeken er fossielen mee.' Yukawa hief eindelijk zijn hoofd op en duwde met een vingertop zijn bril omhoog.

'Dat is toch hetzelfde? Fossielen van dino's bestaan toch alleen uit botten?'

Yukawa kneep achter zijn bril geamuseerd zijn ogen tot spleetjes.

'Jij stelt me echt nooit teleur. Je geeft me altijd het antwoord dat ik voorspeld had.'

'Waarom krijg ik nu de indruk dat je me uitlacht?'

De ober was naar hem toe gekomen en dus bestelde hij een tomatensap.

'Vreemde dingen drink jij. Denk je aan je gezondheid?'

'Trek het je niet aan. Ik heb even mijn buik vol van thee en koffie, meer niet. Zeg me liever waarover dit gaat. Kom maar vlug ter zake.'

'Ik had het graag nog wat over fossielen gehad, maar goed.' Yukawa pakte zijn koffiekopje. 'Heb je gehoord wat jullie forensische dienst vond van mijn vergiftigingstruc?'

'Jazeker. Jouw idee zou gegarandeerd sporen nalaten. Bijgevolg is de kans dat het in deze zaak toegepast is nihil. Zelfs Galileo begaat weleens een vergissing, nietwaar?'

'"Gegarandeerd", "de kans is nihil" ... dat is geen wetenschappelijke manier van uitdrukken. Trouwens, het is onfair me een vergissing te verwijten, gewoon omdat ik een hypothese aanreikte die niet de juiste bleek. Maar goed, jij bent geen wetenschapper, dus vergeef ik je.'

'Zeg, kom er dan ten minste openlijk voor uit dat je je verlies niet wilt toegeven.'

'Dat ik verloren heb, is klinkklare onzin. Het weerleggen van een hypothese loont wel degelijk. Het beperkt namelijk de opties. Er is weer een route afgesloten waarlangs het gif in de koffie kon terechtkomen.'

Het tomatensap werd gebracht. Kusanagi dronk er gulzig van, zonder het rietje te gebruiken. Na al die thee gaf het zijn tong een frisse prikkel.

'Er is maar één route', zei Kusanagi. 'Iemand deed het in de ketel. Hiromi Wakayama, of, als zij het niet was, de persoon die Yoshitaka Mashiba zondag binnenliet.'

'Je ontkent de mogelijkheid dat het in het water zat?'

Bij die woorden van Yukawa trok Kusanagi een grimas.

'Ik geloof onze forensische dienst en het lab. Zij konden in de petflessen geen gif detecteren. Dat betekent, kortom, dat het niet in het water zat.'

'Utsumi zegt dat de petfles misschien omgespoeld werd.'

'Dat weet ik. Ze zegt dat het slachtoffer hem zelf omspoelde, nietwaar? Ik wil gerust wedden: niemand spoelt lege petflessen water om.'

'Maar de kans is niet nihil.'

Kusanagi snoof hardop.

'Wil je gokken op die kleine kans? Dat staat je vrij, hoor. Ik volg liever de weg die voor de hand ligt.'

'Ik geef toe dat de weg die jij onderzoekt voor de hand ligt. Maar je weet het maar nooit. In de wetenschappelijke wereld moeten we ook die ene kans op duizend in overweging nemen.' Yukawa keek hem met een ernstige blik aan. 'Ik heb een verzoek voor jou.'

'Wat is het?'

'Ik wil het huis van de Mashiba's nog een keer zien. Kun je me niet naar binnen laten? Ik weet dat je de sleutel op zak hebt.'

Kusanagi staarde terug naar de buitenissige fysicus.

'Wat heb je daar nog te zoeken? Utsumi bracht je er onlangs toch naartoe?'

'Ik bekijk het nu vanuit een ander oogpunt.'

'Een ander oogpunt?'

'Of noem het simpelweg een denkwijze. Het kan zijn dat ik

een fout beging. Dat wil ik gaan controleren.'

Kusanagi trommelde met zijn vingertoppen op tafel.

'Waarover gaat het? Spreek klare taal.'

'Ik zeg het je wel als we daar zijn en ik kan controleren of ik het fout had. Voor jou is het ook beter zo.'

Kusanagi leunde achterover op zijn stoel en zuchtte.

'Wat voer je in godsnaam in je schild? Welke deal heb je met Utsumi gesloten?'

'Deal? Waar heb je het over?' Yukawa giechelde. 'Doe niet zo argwanend. Ik zei het je toch al? Als wetenschapper heb ik belangstelling voor dit raadsel en dus wilde ik de uitdaging aangaan, meer niet. Zodra ik die belangstelling verlies, trek ik me bijgevolg weer terug. Die finale beslissing wil ik nu nemen en dus vraag ik je me dat huis nog een keer te laten zien.'

Kusanagi staarde zijn vriend recht in de ogen. Yukawa keek onverstoorbaar naar hem terug.

Kusanagi had geen idee wat er in hem omging. Maar dat was niets nieuws. Hij herinnerde zich dat hij meermaals uit de nood geholpen was door Yukawa te vertrouwen zonder te begrijpen waarom.

'Ik probeer mevrouw Mashiba te bereiken. Een ogenblik.' Terwijl hij zijn mobiele telefoon pakte, stond hij op.

Hij ging een eindje verderop staan en belde. Toen Ayane opnam, vroeg hij haar met een hand voor zijn mond of ze vanavond nog naar het huis mochten gaan.

'Het spijt me andermaal, maar we moeten absoluut nog iets natrekken.'

Hij kon Ayane lichtjes horen zuchten.

'Zit er niet zo over in alstublieft. Het lijkt me de normale gang van zaken bij een onderzoek. Doet u maar.'

'Bedankt. Ik zal van de gelegenheid gebruikmaken om de bloemen water te geven.'

'Dat zou helpen. Dankuwel.'

Na het telefoontje liep hij terug naar zijn stoel. Yukawa keek hem onderzoekend aan.

'Je lijkt iets te willen zeggen?'

'Waarom ga je een eindje uit de buurt om te telefoneren? Is er iets wat ik niet mocht horen?'

'Ach, welnee. Ik heb toestemming gevraagd om het huis binnen te gaan. Dat is alles.'

'Hm.'

'Wat? Is er nog iets?'

'Nee hoor. Ik dacht gewoon dat je wel een verkoper leek die met een klant onderhandelt, zoals je daar stond te telefoneren. Ligt het zo delicaat?'

'We gaan tijdens haar afwezigheid haar huis binnen. Het is toch normaal dat ik omzichtig te werk ga?' Kusanagi pakte de rekening van de tafel. 'Laten we gaan. Het wordt al laat.'

Voor het station namen ze een taxi. Yukawa sloeg het wetenschappelijk tijdschrift open dat hij eerder zat te lezen.

'Je zei dat fossielen van dinosaurussen altijd botten zijn, maar onder die vooringenomenheid ligt nu net een fatale valkuil verborgen. Daardoor lieten tal van paleontologen kostbaar materiaal massaal verloren gaan.'

Weer dat gezeur, dacht Kusanagi, maar hij besloot toch maar mee te gaan in het gesprek.

'De dinofossielen die ik in het museum zag, waren anders allemaal botten, hoor.'

'Juist. Vroeger behielden ze alleen de botten. De rest gooiden ze weg.'

'Hoe bedoel je?'

'Het ging dus zo: bij het graven van putten werden dinobotten gevonden. Dol van vreugde dolven de wetenschappers alles op. De aarde die aan het gebeente hing, haalden ze er allemaal netjes af, om zo een gigantisch dinoskelet te bouwen. En toen begonnen de waarnemingen: o, kijk, de tyrannosaurus had zo'n kin, en zulke korte voorpoten. Maar ze begingen een grote blunder. In het jaar 2000 maakte een onderzoeksgroep een CT-scan van een opgegraven fossiel zonder eerst de aarde te verwijderen en ze probeerden een driedimensionaal beeld te maken van de inwendige structuur. Toen verscheen het volledige hart. De aarde binnen in het geraamte, die tot dan toe weggegooid was, bleek zowaar het weefsel van de organen, die exact de vorm behouden hadden van toen de dino's nog leefden. Inmiddels is voor paleontologen het maken van een CT-scan van dinofossielen de standaardtechnologie.'

'Hm', reageerde Kusanagi loom. 'Toegegeven, een interessant verhaal. Maar is het ook relevant voor deze zaak? Of maak je gewoon een praatje?'

'Toen ik dit voor het eerst vernam, dacht ik: wat een vernuftige truc, en het vergde tientallen miljoenen jaren tijd om hem te verwezenlijken. De wetenschappers die de aarde weghaalden toen ze dinobotten vonden kun je niets verwijten. Het was normaal dat ze dachten dat alleen de botten overgebleven waren, en het was ook logisch dat ze voor hun onderzoek een prachtig specimen wilden creëren door die botten te ontbloten. Maar precies die waardeloos geachte, verwijderde aarde had een veel belangrijkere betekenis.' Yukawa deed het tijdschrift dicht. 'Ik heb het af en toe over eliminatie, hè? Door de denkbare hypotheses een voor een te ontkrachten, kun je de enige ware toedracht achterhalen. Maar als er een fundamentele vergissing zit in de manier waarop je de hypotheses opstelt, kan dat tot bijzonder gevaarlijke resultaten leiden. En zo kon het ook gebeuren dat enthousiasme over het vinden van dinobotten ervoor zorgde dat de essentie vergooid werd.'

Het begon Kusanagi te dagen dat Yukawa dan toch aanstuurde op iets wat verband hield met de zaak.

'Zeg je dat er een fout zit in onze denkwijze over de route waarlangs het gif zijn weg vond?'

'Dat ga ik nu controleren. Wie weet is de dader een heuse wetenschapper', mompelde Yukawa als tegen zichzelf.

Het huis van de Mashiba's lag er verlaten bij. Kusanagi viste de sleutel uit zijn zak. Ayane mocht haar beide huissleutels al terughebben en Kusanagi was dan ook naar het hotel gegaan om ze te bezorgen, maar ze had er een aan hem toevertrouwd.

De politie zou hem misschien nog nodig hebben, gaf ze als reden, en zelf was ze voorlopig toch niet van plan naar huis terug te keren.

'De uitvaartplechtigheid is toch voorbij? Zou ze thuis geen herdenkingsdienst houden?' zei Yukawa terwijl hij zijn schoenen uittrok.

'Heb ik je dat niet verteld? Yoshitaka Mashiba was areligieus. De traditionele uitvaart is trouwens vervangen door een ceremonie met bloemen. Er vond wel een crematie plaats, maar de gebruikelijke herdenking na zeven dagen en zo laat ze achterwege.'

'Heel rationeel. Dat mogen ze bij mij ook zo doen als ik sterf.'

'Prima idee. Ik zal de voorzitter van het uitvaartcomité zijn.'

Binnen liep Yukawa meteen de gang door. Kusanagi zag dat en ging zelf de trap op. Hij deed de deur van de slaapkamer open en vervolgens ook de glazen schuifdeur naar het achterliggende balkon. Daar pakte hij de grote gieter die er stond, zijn aankoop in de doe-het-zelfzaak toen hij een paar dagen geleden door Ayane was gevraagd de bloemen water te geven.

Hij liep met de gieter naar beneden. Toen hij de living binnenging en in de keuken gluurde, zag hij Yukawa onder de gootsteen turen.

'Dat heb je de vorige keer toch al gezien?' zei hij achter hem staand.

'In de opsporingswereld heb je toch de uitdrukking: "honderd keer de plaats delict uitkammen"?' Yukawa scheen met een penlight naar binnen. Dat had hij blijkbaar meegebracht. 'Er zijn dus toch geen sporen van aanraking.'

'Wat onderzoek je nu eigenlijk?'

'Ik ben teruggekeerd naar mijn vertrekpunt. Ook als ik fossielen van een dinosaurus vind, mag ik ditmaal niet stomweg de aarde verwijderen ...' Yukawa draaide zich om naar Kusanagi en keek hem verbaasd aan. 'Wat is dat?'

'Dat zie je toch? Een gieter.'

'Nu je het zegt, die keer liet je Kishitani ook de bloemen begieten, hè? Is er een richtlijn uitgevaardigd dat politieagenten vanaf nu ook aan dienstverlening moeten doen?'

'Zeg maar wat je wilt.' Kusanagi duwde Yukawa opzij en draaide de kraan open. Het water begon met een krachtige straal de gieter te vullen.

'Wat een kanjer van een gieter, zeg. Is er geen slang in de tuin?'

'Dit water is voor boven. Het balkon staat vol bloembakken.'

'Veel sterkte', riep Yukawa hem cynisch na toen hij de kamer uit liep.

Kusanagi ging naar boven en gaf de bloemen op het balkon water. Hij kende nauwelijks een bloem bij naam, maar hij begreep wel dat ze er allemaal tamelijk flets bij stonden. Misschien kan ik ze voortaan maar beter om de twee dagen komen begieten, dacht hij. Hij hoorde Ayane nog zeggen dat ze tenminste de bloemen op het balkon niet wilde laten verwelken.

Toen hij klaar was met water geven, schoof hij de glazen deur weer dicht en verliet meteen ook de slaapkamer. Hij had dan wel de toestemming gekregen om hier te komen, maar bij de gedachte om lang in andermans slaapkamer te vertoeven voelde hij toch enige schroom.

Beneden was Yukawa nog steeds in de keuken bezig. Hij stond met zijn armen voor zijn borst gevouwen naar de gootsteen te staren.

'Leg nu eens duidelijk uit hoe het zit. Waar ben je mee bezig? Als je niet antwoordt, is het afgelopen met je dit soort gunsten te verlenen, hoor je?'

'Gunsten?' Yukawa trok een wenkbrauw op. 'Dat is niet erg fair. Als jouw jongere collega niet naar me toe gekomen was, zou ik niet in dit wespennest beland zijn.'

Kusanagi plantte zijn handen in zijn zij en beantwoordde de blik van zijn vriend.

'Ik weet niet wat Utsumi gezegd heeft om je hierin te betrekken, maar ik heb er niets mee te maken. Als je vandaag dit huis wilde doorzoeken, had je dat ook maar tegen haar moeten zeggen. Waarom kom je daarvoor bij mij?'

'Omdat een discussie pas zin heeft als ze zich voordoet tussen mensen met tegengestelde meningen.'

'Ben je dan gekant tegen mijn aanpak? Net zei je toch nog dat die voor de hand ligt?'

'Ik ben er niet tegen gekant dat je een voor de hand liggend spoor volgt. Ik kan alleen niet aanvaarden dat je een spoor afwijst omdat het níét voor de hand ligt. Zolang er ook maar de geringste mogelijkheid blijft, mag je het niet eenvoudigweg elimineren; dat zeg ik je toch zo vaak? Het is gevaarlijk je te laten verblinden door de dinobotten en zo de aarde weg te gooien.'

Kusanagi schudde geërgerd zijn hoofd.

'Wat is dan die aarde waarover je het hebt?'

'Het water natuurlijk', antwoordde Yukawa. 'Het gif zat in het water. Dat denk ik nog steeds.'

'En het slachtoffer spoelde de petfles om?' Kusanagi haalde zijn schouders op.

'De petfles doet er niet toe. Er is ook ander water.' Yukawa wees naar de gootsteen. 'Uit die kraan komt er zo veel als je wilt.'

Kusanagi boog zijn hoofd opzij en staarde terug naar Yukawa's koele ogen. 'Meen je dat nu?'

'Het valt niet uit te sluiten.'

'Het forensisch team stelde al vast dat er met het kraanwater niets mis is.'

'Oké, ze analyseerden dus de bestanddelen van het water. Maar dat deden ze om na te gaan of het water dat nog in de ketel zat kraan- of mineraalwater was. Jammer genoeg konden ze dat niet beoordelen, want na het jarenlange gebruik zaten er deeltjes kraanwater vast aan de binnenkant van de ketel.'

'Maar als het kraanwater vergiftigd was, hadden ze dat op dat ogenblik toch te weten moeten komen?'

'Als het gif ergens in de waterleiding aangebracht was, kon het al helemaal weggespoeld zijn toen jullie forensische dienst het water testte.'

Kusanagi snapte nu waarom Yukawa voortdurend onder de gootsteen zat te turen. Hij ging na of het doenbaar was gif in te brengen via de waterleiding.

'Het slachtoffer gebruikte voor zijn koffie alleen flessenwater.'

'Naar het schijnt, ja', zei Yukawa. 'Maar wie zegt dat?'

'Zijn echtgenote', zei Kusanagi, waarna hij op zijn lip beet en Yukawa aanstaarde. 'Ga jij nu ook al zeggen dat je haar verdenkt? Je hebt haar niet eens ontmoet. Wat liet je je door Utsumi influisteren?'

'Ze heeft zo haar eigen mening, dat is waar. Maar ik bouw mijn hypothese uitsluitend op basis van objectieve feiten.'

'En volgens die hypothese is mevrouw Mashiba dus de dader?'

'Ik vroeg me af waarom ze je over die petflessen vertelde. Daarvoor moest ik twee mogelijkheden overwegen: het is waar dat het slachtoffer alleen flessenwater gebruikte, of het is niet waar. In geval het waar is, is er geen probleem. Mevrouw Mashiba werkte gewoon mee aan het onderzoek, puur en simpel. Utsumi zegt dat ze haar ook dan nog verdenkt, maar zo partijdig ben ik niet. Het probleem is eerder: wat als het niet waar is? Dat ze zo'n leugen vertelt, betekent uiteraard dat ze bij het misdrijf betrokken is, maar in dat geval moet ze ook baat hebben bij die leugen. Dus dacht ik eens na over het verloop van het politieonderzoek vanaf de getuigenis over de petflessen.' Yukawa likte zijn lippen en ging door. 'Eerst en vooral onderzocht de politie de petflessen, om vervolgens vast te stellen dat er geen gif in te detecteren viel. Anderzijds is het wel in de ketel gedetecteerd. Vandaar jullie besluit dat de dader waarschijnlijk het gif in de ketel deed. En onvermijdelijk heeft mevrouw Mashiba zo ook een ijzersterk alibi.'

Kusanagi schudde heftig met zijn hoofd.

'Dat slaat nergens op. Ook zonder haar aanwijzingen had de forensische dienst het kraanwater en de petflessen onderzocht. Door haar verklaring dat hij alleen flessenwater gebruikte, bracht ze veeleer haar eigen alibi aan het wankelen. Dat blijkt ook uit het feit dat Utsumi het idee dat het gif in een petfles zat nog altijd niet verworpen heeft.'

'Dat is het hem nu juist. De meeste mensen zouden er zeker net zo over denken als Utsumi. Ik vraag me dus af of die getuigenis over de petflessen geen valstrik was om haar en de rest te misleiden.'

'Een valstrik?'

'Al wie mevrouw Mashiba verdenkt, kan zich niet ontdoen van het idee dat ze het gif in een petfles deed. Omdat ze denken dat het de enige manier is. Maar als er toch een volkomen andere manier gebruikt is, zal wie zich vastklampt aan de petfles nooit ofte nimmer tot de ware toedracht kunnen komen. Als dat geen valstrik is, wat dan wel? Dus heb ik eens nagedacht. Als er geen flessenwater gebruikt is ...' Midden in zijn zin stopte Yukawa plotseling met praten. Hij sperde verrast zijn ogen open, zijn blik op iets achter Kusanagi gericht.

Kusanagi keek om. Toen schrok hij even erg als Yukawa.

In de deuropening van de living stond Ayane.

16

Kusanagi stond daar met zijn mond open, zijn enige gedachte: ik moet iets zeggen.

'Hallo ... Eh, sorry voor het binnenvallen', flapte hij eruit, waarna hij meteen spijt had van die dwaze woorden. 'Komt u kijken wat er aan de hand is?'

'Nee, ik kwam andere kleren halen ... Eh, wie is die meneer?' vroeg Ayane.

'Yukawa is de naam. Ik doceer natuurwetenschappen aan de Keizerlijke Universiteit', stelde Yukawa zichzelf voor.

'Een professor aan de universiteit?'

'Hij is een vriend van me. Soms doen we een beroep op zijn medewerking bij wetenschappelijke aspecten van het onderzoek. En ook deze keer helpt hij ons.'

'O ... Op die manier?' reageerde Ayane merkbaar verward op Kusanagi's uitleg. Maar ze stelde geen verdere vragen over Yukawa en zei: 'Mag ik al overal aankomen?'

'Dat mag. U bent vrij om alles te gebruiken. Het spijt me dat het zo lang geduurd heeft.'

'Geen probleem', zei Ayane. Ze maakte rechtsomkeert en begon de gang in te lopen. Maar toen bleef ze staan en draaide zich opnieuw naar Kusanagi.

'Ik weet niet of ik dit wel mag vragen, maar wat kwam u nu precies uitzoeken?'

'Eh, wel ...' Kusanagi likte aan zijn lippen. 'Hoe het gif zijn weg vond, is nog altijd even onduidelijk en dus doen we een inspectie om dat uit te pluizen. Het spijt me echt dat we zo vaak ...'

'Dat geeft niet. Het was niet bedoeld als klacht, dus zit er maar niet mee. Ik ben boven; roept u me maar als er iets is.'

'Dat zal ik doen. Dank u.'

Kusanagi boog zijn hoofd naar Ayane, waarna Yukawa naast hem ineens zei: 'Zou ik u iets mogen vragen?'

'Wat dan wel?' Ayane trok een wantrouwig gezicht.

'Op de waterleiding is een zuiveraar aangesloten, nietwaar? Ik neem aan dat de filter regelmatig vervangen moet worden, maar wanneer gebeurde dat voor het laatst?'

'O, dat ...' Ayane kwam opnieuw naderbij. Nadat ze een blik op de gootsteen had geworpen, keek ze gegeneerd. 'Die is nooit vervangen.'

'Hè? Niet één keer?' vroeg Yukawa verwonderd.

'Ik zat wel te denken dat het langzamerhand tijd was om het te laten doen. De filter die er nu in zit, is nog altijd die die ik liet plaatsen vlak nadat ik hier introk. Dat moet dus zowat een jaar geleden zijn. En de firma had me gezegd hem om het jaar te laten vervangen.'

'Een jaar geleden geplaatst ... Dat zegt u toch?'

'Eh, is dat een probleem?'

'Nee hoor.' Yukawa wuifde met zijn hand. 'Ik vroeg het maar ter informatie. Maar in dat geval denk ik dat u beter van de gelegenheid gebruik kunt maken om een nieuwe te laten aanbrengen. Studies tonen aan dat oude filters meer kwaad dan goed doen.'

'Dat zal ik onthouden. Maar eerst moet ik een beetje schoonmaken onder de gootsteen. Het zal er wel erg vuil zijn?'

'Dat is overal zo. Onder de gootsteen van ons lab is het een broeinest van kakkerlakken. Eh, mijn verontschuldigingen dat ik uw huis vergelijk met een onderzoekslab. Ik wil maar zeggen ...' Yukawa keek vluchtig naar Kusanagi en vervolgde toen: 'Als u Kusanagi hier de contactgegevens van die firma geeft, denk ik dat hij meteen de nodige maatregelen zal treffen. Hoe vlugger hoe beter bij dit soort dingen.'

Kusanagi keek verbaasd terug naar Yukawa. Maar de fysicus hield zijn ogen op Ayane gericht, alsof hij de blik van zijn vriend negeerde, en hij vroeg: 'Wat denkt u ervan?'

'Nu meteen, bedoelt u?'

'Ja. Eerlijk gezegd: het zou ook het onderzoek vooruit kunnen helpen. Hoe vlugger hoe beter dus.'

'Als het zo zit, eh, mij best.'

Yukawa verzachtte de uitdrukking op zijn gezicht en keek naar Kusanagi. 'Je hebt haar gehoord.'

Kusanagi keek boos terug. Maar hij wist uit ervaring dat de academicus nooit zomaar ondoordacht dingen zei. Yukawa had ongetwijfeld zo zijn plannetje, en Kusanagi had er alle vertrouwen in dat dat het onderzoek ten goede zou komen.

Kusanagi keerde zich weer naar Ayane.

'Goed, kunt u me dan de gegevens van de firma bezorgen?'

'Ja. Een ogenblikje alstublieft.'

Ayane liep de kamer uit. Kusanagi wachtte tot ze weg was en keek toen opnieuw boos naar Yukawa.

'Zeg niet plotseling de gekste dingen zonder eerst met mij te overleggen.'

'Daar was geen tijd voor, ik kon niet anders. En voor je gaat zeuren, kun je maar beter gaan doen wat je moet doen.'

'Wat dan?'

'De forensische dienst erbij roepen. Je wilt toch geen bewijs laten vernielen door de firma van de waterzuiveraar? Het verwijderen van de oude filter kun je maar beter overlaten aan iemand van het forensisch team.'

'We moeten de filter door hen laten meenemen, bedoel je?'

'Die, en ook het slangetje', bromde Yukawa. Zijn ogen straalden de ijzige glans van de wetenschapper uit. Daardoor geïntimideerd slikte Kusanagi zijn antwoord in, net toen Ayane weer verscheen.

Ongeveer een uur later werd door het forensisch team de filter en de slang van de waterzuiveraar weggenomen. Zij aan zij hielden Kusanagi en Yukawa het in het oog. In de verwijderde onderdelen zat flink wat opgehoopt vuil. Een lid van het team stopte beide voorwerpen behoedzaam in een acryltas.

'Goed, dit neem ik dus mee', zei hij tegen Kusanagi.

'Dank je', antwoordde Kusanagi.

De monteur van de firma was ook al ter plaatse. Nadat Kusanagi er zich van had verzekerd dat de man begonnen was met het installeren van de nieuwe filter en slang, keerde hij terug naar de living. Daar zat Ayane met een sombere blik op de bank. In de tas naast haar zaten de nieuwe kleren die ze in de slaapkamer was gaan halen, zei ze. Ze leek voorlopig niet van plan weer in dit huis te komen wonen.

'Sorry, het duurt allemaal langer dan verwacht', verontschuldigde Kusanagi zich.

'Nee, dat geeft niet. Het is goed dat op deze manier de filter tenminste vervangen is.'

'Ik zal mijn superieuren aanspreken over de kosten.'

'Dat hoeft niet. Ik ben degene die hem gebruikt.' Ayane glimlachte, maar ze keek meteen weer ernstig. 'Eh, was er met de filter geknoeid?'

'Dat weet ik niet. We onderzoeken het gewoon omdat die kans bestaat.'

'Stel dat het zo is, hoe zou het gif dan aangebracht zijn?'

'Tja, dat ...' stamelde Kusanagi en hij keek naar Yukawa. Die stond in de deuropening de handelingen van de monteur in de keuken gade te slaan.

'Yukawa', riep Kusanagi hem toe.

De rug in het zwarte Cut&Sewn-shirt bewoog. Toen Yukawa zich omdraaide, vroeg hij aan Ayane: 'Is het waar dat uw man alleen water uit petflessen dronk?'

Moet je dat nu zo abrupt vragen, dacht Kusanagi, terwijl hij naar Ayanes reactie keek. Die knikte.

'Ja, dat is waar. Daarom stonden er altijd een aantal flessen water in de koelkast.'

'En u moest van hem dat water ook gebruiken als jullie koffiedronken?'

'Ja.'

'En toch, mevrouw, gebruikte u het in werkelijkheid niet. Zo heb ik tenminste vernomen.'

Kusanagi sperde zijn ogen open bij die woorden van Yukawa. Ongetwijfeld had Kaoru Utsumi het geheim van het onderzoek geschonden. Hij zag haar vrijpostige gezicht direct voor zich.

'Nou ja, het blijft toch verspilling?' Ayane glimlachte flauw. 'Ik kan me niet voorstellen dat leidingwater zo ongezond is als hij zei. En warm water van de kraan kookt ook sneller. Ik denk trouwens dat hij het zelf niet eens merkte.'

'Dat ben ik met u eens. Of je nu kraanwater gebruikt of mineraalwater, voor de smaak van de koffie kan het volgens mij niet veel verschil maken', zei Yukawa serieus.

Kusanagi wierp hem een spottende blik toe. En dat voor iemand die tot voor kort alleen instantkoffie dronk, dacht hij erbij. Maar Yukawa merkte die blik helemaal niet op, of hij had geen zin erop te reageren, want hij ging onverstoorbaar verder.

'De vrouw die zondag koffiezette, hoe heet ze ook weer? Uw assistente ...'

'Mevrouw Hiromi Wakayama', vulde Kusanagi aan.

'Juist, mevrouw Wakayama. Ook zij gebruikte, naar uw voorbeeld, kraanwater. En toen gebeurde er niets. Zo rees het vermoeden dat het gif in een petfles zat, maar er is nog een soort water beschikbaar. Dat uit de zuiveraar. Het zou kunnen dat uw man om de een of andere reden, bijvoorbeeld om te besparen op het flessenwater, bij het koffiezetten water uit de zuiveraar gebruikte. Vandaar de noodzaak om ook die te onderzoeken.'

'Dat begrijp ik, maar is het dan mogelijk gif aan te brengen in een waterzuiveraar?'

'Onmogelijk is het niet, denk ik. Nou ja, ik neem aan dat de forensische dienst ons daar wel antwoord op zal geven.'

'Maar wanneer had de dader het dan moeten doen?' Ayane draaide zich naar Kusanagi en keek hem in volle ernst aan. 'Zoals ik al meermaals zei: de vrijdag daarvoor hielden we hier thuis een feestje. Toen was er met de waterzuiveraar niets aan de hand.'

'Kennelijk niet, nee', zei Yukawa. 'Dat zou dus betekenen dat er daarna mee geknoeid is. En als het de bedoeling van de dader was alleen uw man te treffen, mogen we aannemen dat hij een tijdstip beoogde waarop uw man alleen was.'

'Nadat ik vertrokken was dus. Als ik tenminste de dader niet ben.'

'Zo is dat', bevestigde Yukawa eenvoudigweg.

'Het staat nog niet vast dat er met de waterzuiveraar geknoeid is. Het is dunkt me dus ook niet nodig zo hard van stapel te lopen', suste Kusanagi, waarna hij vroeg hem even te verontschuldigen en opstond. Voor hij de living uit liep, gaf hij met zijn ogen een teken aan Yukawa.

Hij wachtte in de hal tot Yukawa erbij kwam.

'Wat is hier de bedoeling van?' vroeg Kusanagi. Zijn toon was scherp.

'Van wat?'

'Hoezo "van wat"? Als je zo met haar praat, geef je toch te kennen dat je haar verdenkt? Omdat Utsumi je vroeg mee te werken aan het onderzoek, hoef je nog niet haar kant te kiezen. Dat is toch al te gek?'

Yukawa trok verongelijkt zijn wenkbrauwen samen.

'Dat is een valse beschuldiging. Wanneer heb ik dan Utsumi's kant gekozen? Ik ga gewoon op een logische manier de gebeurtenissen na. Houd je hoofd een beetje koel, wil je. Mevrouw Mashiba gedraagt zich een stuk beheerster.'

Kusanagi beet op zijn lip. Maar net toen hij iets wilde terugzeggen, hoorde hij de deur openklikken. De monteur van de filter kwam uit de living tevoorschijn, gevolgd door Ayane.

'Hij is klaar met de filter', zei ze.

'Eh, bedankt', richtte Kusanagi zich tot de monteur. 'En wat betreft de betaling ...'

'Dat is al geregeld, maakt u zich geen zorgen', zei Ayane.

'O, oké', antwoordde Kusanagi zwakjes.

Yukawa wachtte tot de monteur weg was en begon toen ook zijn schoenen aan te trekken.

'Ik moet er ook vandoor. Wat ga jij doen?'

'Ik blijf nog even hier. Ik wil mevrouw Mashiba nog iets vragen.'

'Ach zo? ... Wel, sorry voor het storen.' Yukawa maakte een hoofdbuiging naar Ayane.

'Nog een goede avond', zei ze terwijl hij al naar buiten liep.

Kusanagi keek Yukawa na en slaakte een diepe zucht.

'Mijn verontschuldigingen dat hij u in verlegenheid bracht. Het is geen slechte kerel, maar hoffelijkheid is helaas niet aan hem besteed. Een rare vogel, zeg maar.'

'Ach wat?' Ayane keek verbaasd. 'Waarom verontschuldigt u zich? Ik voelde me niet bepaald in verlegenheid gebracht.'

'Gelukkig maar.'

'Hij zei toch dat hij aan de Keizerlijke Universiteit doceerde? Bij een academicus stel je je een rustige, gereserveerde man voor, maar hij maakt helemaal niet zo'n indruk, nietwaar?'

'Academici zijn er ook van allerlei slag. Maar dan nog is mijn ouwe makker een geval apart.'

'Ouwe makker?'

'O, dat vergat ik nog te zeggen, we zaten samen op de universiteit. In een heel ander vakgebied weliswaar.'

Nadat Kusanagi met Ayane naar de living was teruggelopen, vertelde hij haar dat hij destijds samen met Yukawa bij de badmintonclub was en dat ze elkaar ook nu nog zagen doordat de politie in een aantal zaken een beroep had gedaan op zijn medewerking.

'Zo zit het dus. Mooi toch? Dat je via je werk in contact blijft met een jeugdvriend.'

'Ik ben hem anders liever kwijt dan rijk.'

'Dat kan ik moeilijk geloven. Ik benijd jullie.'

'U hebt in uw geboortestad toch ook een vriendin met wie u samen naar de onsen gaat?'

'Eh ... ja.' Er scheen iets tot Ayane door te dringen en ze knikte. 'Meneer Kusanagi, u was toch bij mijn ouders? Ik hoorde het van mijn moeder.'

'Ja, wel, dat is nu eenmaal wat de politie doet: alles natrekken. U hoeft er niets achter te zoeken', probeerde Kusanagi het haastig te vergoelijken.

Ayane schonk hem een glimlach.

'Dat weet ik wel. Of ik echt mijn ouders bezocht, is van cruciaal belang. Ik vind het niet meer dan normaal dat u dat controleert. Zit u daar alstublieft niet over in.'

'Ik ben blij dat u dat zegt.'

'Mijn moeder zei dat de rechercheur een heel vriendelijke man leek. Ik gaf haar gelijk, en ik antwoordde dat ik me daardoor ook een stuk geruster voelde.'

'Goh.' Kusanagi bracht een hand naar zijn hals. Die voelde een beetje warm aan.

'U bezocht toen toch ook mevrouw Motooka?' vroeg Ayane. Sakiko Motooka was de vriendin met wie ze naar de onsen ging.

'Bij haar ging Utsumi langs. En volgens Utsumi maakte mevrouw Motooka zich nog voor ze van de zaak afwist al enige zorgen om u. Ze vond u minder levenslustig dan voor uw huwelijk.'

Waarschijnlijk deed dat bij Ayane een belletje rinkelen, want met een eenzame glimlach om haar lippen zuchtte ze hardop.

'Dat zei ze dus? Ik maakte mezelf wijs dat ik goed de schijn opgehouden had, maar een vriendin die je al zo lang kent, heeft je toch direct door, hè.'

'Voelde u niet de behoefte bij mevrouw Motooka uw hart te luchten over de aankondiging van uw man dat hij bij u wegging?'

Ayane schudde haar hoofd.

'Nee, dat kwam niet in me op. Ik wilde koste wat het kost mijn zinnen verzetten ... Ik vond ook niet dat er veel over te praten viel. Voor ons huwelijk hadden we onderling afgesproken dat we uit elkaar zouden gaan als we geen kinderen konden krijgen. Voor mijn ouders had ik dat natuurlijk wel verzwegen.'

'Meneer Ikai vertelde me al dat uw man een kind wilde en het huwelijk louter als een middel daartoe beschouwde. Ik vind het een beetje raar dat zulke mannen bestaan.'

'Ik wilde zelf ook een kind, en omdat ik dacht dat het wel vlug genoeg zou lukken, tilde ik niet zo zwaar aan die afspraak. Maar ja, na bijna een jaar was het nog steeds niet zo ver ... God is wreed, hè.' Ayane sloeg haar ogen neer, maar hief meteen haar gezicht weer op. 'Meneer Kusanagi, hebt u kinderen?'

Kusanagi lachte even en keek terug naar Ayane. 'Ik ben vrijgezel.'

'O.' Haar mond viel even open. 'Neem me niet kwalijk.'

'Geeft niet, hoor. Mensen zeggen me weleens dat ik moet opschieten, maar ja, als je geen partner hebt. Yukawa van daarnet is ook alleen.'

'Bij hem heb je die indruk wel, ja. Huiselijkheid straalt hij allerminst uit.'

'In tegenstelling tot uw man heeft hij een hekel aan kinderen. Hij zegt dat hun onlogische gedrag hem stress bezorgt, en meer van dat soort gekke dingen.'

'Merkwaardige man.'

'Ik zal het hem doorgeven. Hoe dan ook, over uw echtgenoot heb ik één vraag.'

'En die is?'

'Is er in zijn kennissenkring iemand die schildert als beroep?'

'Schilderen ... Bedoelt u artistiek?'

'Ja. Het hoeft niet per se recent te zijn, maar noemde uw man ooit zo iemand?'

Ayane hield peinzend haar hoofd schuin en keek Kusanagi toen aan alsof ze iets besefte.

'Heeft die persoon iets met de zaak te maken?'

'Tja, dat weet ik nog niet. Ik zei u onlangs al dat ik speurwerk verricht naar de vroegere partners van uw man. En zo kwam aan het licht dat hij blijkbaar ooit een soort kunstschilderes als vriendin had.'

'Ach zo? Nu, het spijt me, maar daar weet ik niets van. Wanneer zou dat dan geweest zijn?'

'Wanneer precies is onduidelijk, maar ik schat een jaar of twee, drie geleden.'

Ayane knikte, waarna ze lichtjes haar gezicht opzij draaide.

'Nee, helaas. Ik geloof niet dat ik mijn man daarover ooit iets hoorde zeggen.'

'Nee? Nou ja, dan is het maar zo.' Kusanagi keek op zijn horloge en kwam overeind van de bank. 'Sorry dat ik zo veel van uw tijd in beslag nam. Ik ga nu maar.'

'Ik keer ook terug naar het hotel.' Ayane pakte haar tas en stond eveneens op.

Ze liepen samen het huis uit. Afsluiten deed Ayane.

Kusanagi stak zijn rechterhand uit. 'Ik zal die bagage wel voor u dragen. Laten we een eindje lopen tot waar we een taxi kunnen aanhouden.'

'Dankuwel', zei Ayane en ze reikte hem de tas aan. Toen keerde ze zich om naar het huis en mompelde: 'Komt er echt ooit een dag dat ik hier opnieuw zal wonen?'

Kusanagi vond niet meteen de juiste woorden. Zij aan zij liepen ze weg.

17

Volgens het bord op de deur bleek alleen Yukawa in het lab aanwezig. Uiteraard had ze niet toevallig dit tijdstip gekozen.

Kaoru klopte aan. 'Binnen', reageerde een barse stem. Toen ze de deur openduwde, zag ze dat Yukawa net koffie stond te zetten. Hij deed dat zowaar met een trechter en een filterzakje.

'Goeie timing.' Yukawa schonk koffie in twee mokken.

'Dit is tegen uw gewoonte. Gebruikt u het koffiezetapparaat niet?'

'Ik dacht: laat ik maar een keer pietje precies spelen. Ik maakte hem zelfs met mineraalwater.' Yukawa reikte haar een van de mokken aan.

'Smakelijk', zei Kaoru en ze nipte ervan. Ze proefde hetzelfde koffiepoeder als de vorige keer.

'En hoe smaakt het?' vroeg Yukawa.

'Lekker.'

'Lekkerder dan anders?'

Na een korte aarzeling zei Kaoru: 'Mag ik eerlijk antwoorden?'

Yukawa trok een verveeld gezicht en ging met zijn mok in de hand op een stoel zitten.

'Je hoeft niet eens te antwoorden. Ik zie al dat je er net zo over denkt als ik.' Hij tuurde in de mok. 'Je moet weten dat ik zo-even koffiezette met kraanwater. Hij had duidelijk dezelfde smaak. Ik proefde althans geen verschil.'

'Ik denk dat je dat normaal ook niet proeft.'

'Maar de culinaire specialisten zijn het erover eens dat er een smaakverschil is.' Yukawa pakte een document van zijn bureau. 'Water heeft een bepaalde hardheid. Om die te bepalen, rekenen ze het totaal van calciumionen en magnesiumionen per liter om naar de hoeveelheid calciumcarbonaat, staat hier. Op basis van die hoeveelheid maken ze dan een onderscheid tussen zacht, gemiddeld en hard water.'

'Dat heb ik weleens gehoord, ja.'

'In het algemeen is zacht water geschikt om te koken. Waar het om gaat, is het calciumgehalte; als je bij het koken van rijst water met veel calcium gebruikt, verbindt dat calcium zich met de plantaardige vezels van de rijst en voelt hij droger aan als hij klaar is.'

Kaoru fronste haar wenkbrauwen. 'Dat wil je natuurlijk niet.'

'Aan de andere kant: om bouillon te trekken van rundvlees en zo, is hard water juist goed. Het bloed in het vlees en de beenderen verbindt zich dan met het calcium, zodat het makkelijker af te schuimen is. Dat moet ik onthouden voor als ik consommé maak.'

'Kookt u dan?'

'Af en toe, hè.' Yukawa legde het document terug op zijn bureau.

Kaoru stelde zich Yukawa voor in de keuken, hoe hij met gefronst voorhoofd de juiste hoeveelheid water stond af te meten en de sterkte van het vuur regelde. Het kon niet anders dan eruitzien als een wetenschappelijk experiment, bedacht ze.

'Trouwens, hoe zit het met die zaak?'

'We hebben een toelichting gekregen van de forensische dienst. Daar kwam ik u vandaag van op de hoogte brengen.' Kaoru haalde een dossier tevoorschijn uit haar schoudertas.

'Laat maar horen', zei Yukawa en hij dronk van zijn koffie.

'Naar verluidt is er geen arsenigzuur gedetecteerd in de filter en de slang. Maar ze konden ook vaststellen dat, als het er toch in gezeten had, het na een paar keer spoelen met water niet meer op te sporen zou zijn. Het probleem is wat nu volgt.' Kaoru haalde een keer adem en liet toen opnieuw haar ogen op het document rusten. 'Aan de filter en de slang hing vuil vast dat er al geruime tijd in zat, en zo beschouwd is het heel onwaarschijnlijk dat ze recentelijk nog aangeraakt waren. Met andere woorden: als iemand ze losgemaakt had, zou dat gegarandeerd sporen nagelaten hebben. En dan is er nog deze bijkomende informatie: kennelijk heeft het forensisch team vlak na de moord ook onder de gootsteen gekeken, op zoek naar het gif. Ze verplaatsten toen wat oude flessen afwasmiddel en zo die zich voor de filter bevonden, en de plekken waar die gestaan hadden waren de enige op de plank die niet stoffig waren.'

'Om kort te gaan: dat betekent dat niet alleen de filter maar ook de spullen onder de gootsteen al een hele poos niet meer aangeraakt waren?'

'Zo ziet de forensische dienst het.'

'Dat was wel te verwachten. Ik had ook die indruk toen ik daar voor het eerst onder de gootsteen keek. Maar normaal gesproken hadden ze nog iets moeten controleren.'

'Dat weet ik. Of het gif niet via de kraan in de waterzuiveraar gebracht kan zijn, nietwaar?'

'Dat is de cruciale vraag. En het antwoord?'

'Theoretisch is het mogelijk, maar praktisch gezien niet, zeggen ze.'

Yukawa nam een slok koffie en vertrok zijn mond. Vast niet vanwege de bittere smaak.

'Het idee dat u opperde, professor Yukawa, was via de kraan een lang rietvormig voorwerp in te brengen, zoals ze bij een gastroscopie doen, om zo de slang bij de waterzuiveraar te bereiken, zodat je het gif door dat rietje kunt laten vloeien. Maar hoe ze dat ook probeerden, het lukte niet. Concreet zit het zo dat het verbindingsstuk naar de zuiveraar bijna rechthoekig is, en bijgevolg konden ze er geen rietje door krijgen. Als je een speciaal instrument met een manoeuvreerbaar uiteinde maakte, zou het nog kunnen, maar ...'

'Laat maar. Het is al goed.' Yukawa krabde aan zijn hoofd. 'Zo'n omslachtige methode zou onze dader nooit toepassen. Het ziet ernaar uit dat we de theorie van de waterzuiveraar ook maar beter kunnen schrappen. Ik dacht dat het een goed spoor was, maar goed. We moeten nog een keer van gedachtegang veranderen. Ergens zien we iets over het hoofd.'

Yukawa goot de koffie die nog in de kan zat in zijn mok. Maar hij miste zijn doel en morste een beetje. Kaoru kon hem met zijn tong horen klakken.

Zelfs hij ergert zich dus soms, bedacht ze. Misschien was hij boos op zichzelf omdat hij die ene simpele vraag niet kon beantwoorden: waar kon dat gif toch aangebracht zijn?

'Wat doet onze vermaarde speurder inmiddels?' vroeg Yukawa.

'Hij ging naar het bedrijf van meneer Mashiba. Om inlichtingen in te winnen, zei hij.'

'Hm.'

'Heeft meneer Kusanagi iets ...?'

'Nee nee.' Yukawa schudde zijn hoofd en slurpte van zijn koffie. 'Maar toen ik hem onlangs zag, ontmoette ik ook mevrouw Mashiba.'

'Dat hoorde ik, ja.'

'Ik heb even met haar gepraat en inderdaad: ze is een mooie, innemende vrouw.'

'Hebt u ook een zwak voor mooie vrouwen, professor?'

'Ik geef gewoon een objectieve evaluatie. Maar hoe dan ook, iets aan Kusanagi baarde me zorgen.'

'Is er wat gebeurd?'

'In onze studententijd kwam hij op een keer aanzetten met twee pasgeboren katjes die hij ergens gevonden had. Ze waren allebei sterk verzwakt en iedereen kon zien dat ze niet veel kans op overleven hadden. Maar hij nam ze mee naar zijn kamer en begon zijn colleges te verzuimen om er zorg voor te dragen. Met behulp van een oud flesje oogdruppels probeerde hij hun toch melk te laten drinken. Al gauw zei een vriend tegen hem dat zoiets verloren moeite was, dat ze toch spoedig zouden doodgaan. Zijn antwoord toen was: "En wat dan nog?"' Yukawa knipperde met zijn ogen en staarde in de verte. 'Kusanagi kijkt naar mevrouw Mashiba met dezelfde blik als toen hij voor die katjes zorgde. Hij voelt aan dat er iets niet pluis is, maar tegelijk denkt hij: en wat dan nog?'

18

Kusanagi ging op een van de banken voor de receptiebalie zitten en staarde naar het schilderij aan de muur. Een rode roos dreef in de duisternis. Hij meende dit ontwerp ergens al een keer gezien te hebben. Het label van de een of andere westerse sterkedrank moest het geweest zijn.

'Wat zit u daar zo ernstig te bestuderen?' vroeg Kishitani, die tegenover hem zat. 'Dat schilderij heeft verder geen belang, hoor. Kijk maar eens goed. Links onderaan staat een handtekening. Het is een buitenlandse naam.'

'Dat weet ik ook wel.' Kusanagi wendde zijn ogen af van het schilderij. Eigenlijk was de handtekening hem niet eens opgevallen.

Kishitani draaide even zijn hoofd.

'Zou hij trouwens werk van zijn ex bewaren? Zelf zou ik dat meteen weggooien.'

'Jij wel, ja. Maar Yoshitaka Mashiba misschien niet.'

'En toch, dat hij het niet thuis kon laten liggen, was nog geen reden om het mee te brengen naar zijn directeurskamer, of wel? Een normaal mens voelt zich niet op z'n gemak als hij de hele tijd naar zo'n schilderij aan de muur moet zitten kijken, hoor.'

'Hij hoefde het niet noodzakelijk op te hangen.'

'Een schilderij meebrengen zonder het op te hangen? Dat is dan ook weer eigenaardig, vind ik. Stel dat een werknemer het toch onder ogen krijgt, dat valt moeilijk uit te leggen.'

'Je kunt gewoon zeggen dat je het van iemand kreeg.'

'Dat zou nog eigenaardiger zijn. Als je een schilderij cadeau krijgt van een cliënt, hang je dat uit beleefdheid op, dat is het minste wat je kunt doen. Je weet immers nooit wanneer de schenker nog een keer langskomt.'

'Ach, zeur toch niet zo. Dat type man was Yoshitaka Mashiba niet', zei Kusanagi bits.

Net op dat moment verscheen in de gang naast de receptiebalie een vrouw in een wit pak. Ze had kort haar en droeg een bril met een fijn montuur.

'Neem me niet kwalijk dat ik u liet wachten. Eh, meneer Kusanagi ...'

'Dat ben ik.' Kusanagi stond op. 'Sorry voor het storen.'

'Geen probleem.'

Op het visitekaartje dat ze aanreikte stond de naam Keiko Yamamoto. Haar functie was hoofd publiciteit.

'U wilde dus graag de persoonlijke bezittingen van onze vorige directeur zien?'

'Inderdaad. Als dat zou kunnen?'

'Zeker. Volgt u me maar.'

Keiko Yamamoto begeleidde hen naar een kamer waar een bordje hing met KLEINE VERGADERZAAL erop.

'Dit is niet de directeurskamer?' vroeg Kusanagi.

'Er is inmiddels een nieuwe directeur aangesteld. Vandaag is hij weg voor zaken, dus helaas kan hij u niet te woord staan.'

'De directeurskamer is dus ook al opnieuw ingericht?'

'Na onze uitvaartplechtigheid voor de vorige directeur hebben we die opgeruimd. Dingen die met het werk te maken hadden liggen er nog, maar zijn persoonlijke bezittingen hebben we hiernaartoe overgebracht. We zijn van plan alles te zijner tijd naar zijn privéadres te sturen. We hebben niets zomaar weggegooid. In overleg met zijn juridische raadsman, meneer Ikai, proberen we alles correct af te handelen.'

Keiko Yamamoto glimlachte niet één keer terwijl ze sprak. Haar toon was stijf, alsof ze op haar hoede was. Voor Kusanagi klonk het alsof ze te verstaan wilde geven dat het bedrijf niets met de dood van Yoshitaka Mashiba te maken had en dat ze verdachtmakingen over het verdonkeremanen van bewijs niet kon waarderen.

In de kleine vergaderzaal stond een tiental kleine en grote kartonnen dozen opgestapeld. Verder zagen ze golfclubs, trofeeën, een apparaat voor voetmassage en nog wat spullen. Een schilderij van welke aard ook viel op het eerste gezicht niet te bespeuren.

'U vindt het toch niet erg dat we even rondneuzen?' zei Kusanagi.

'Natuurlijk niet. Neem uw tijd. Ik zal u wat te drinken brengen. Hebt u een voorkeur?'

'Doet u geen moeite, we hoeven niets. Maar dank u voor het aanbod.'

'Nou, goed dan.' Nog even kil en onbewogen liep Keiko Yamamoto de kamer uit.

Kishitani keek hoe ze de deur achter zich dichtsloeg en haalde zijn schouders op.

'We lijken niet erg welkom.'

'Ben je ooit ergens welkom als je dit werk doet? We mogen al dankbaar zijn dat ze instemmen met ons verzoek.'

'En toch heeft het bedrijf er ook baat bij dat de zaak zo vlug mogelijk opgehelderd wordt. Ze zouden dus best wat vriendelijker kunnen zijn. Dat mens lijkt wel een ijzeren masker op te hebben.'

'Het maakt voor het bedrijf niet uit of deze zaak opgelost wordt of niet, als hij maar overwaait. Dat er rechercheurs in en uit lopen, dat is het vervelende. Er is een nieuwe directeur, ze hebben pas de knop omgedraaid, en daar zijn die mannen alweer. Dan heb je niet veel zin om vriendelijk te lachen, geloof me. Maar kom, genoeg gekletst, aan de slag.' Kusanagi trok een paar handschoenen aan.

Hun komst van vandaag had slechts één doel: achterhalen wie de ex-vriendin van Yoshitaka Mashiba was. Hun enige spoor was dat de vrouw een soort kunstschilderes zou zijn. Wat voor werken ze schilderde, wisten ze niet.

'Dat ze een schetsboek had, wil toch niet noodzakelijk zeggen dat ze kunstschilderes is? Ze kan net zo goed een ontwerpster of een striptekenares zijn', zei Kishitani terwijl hij een kartonnen doos doorzocht.

'Dat is zo', gaf Kusanagi grif toe. 'Houd dat maar in je achterhoofd bij het zoeken. Sommige architecten of meubelontwerpers gebruiken ook een schetsboek, let dus goed op.'

'Oké', antwoordde Kishitani met een zucht.

'Nou, je lijkt er niet veel zin in te hebben.'

De jongere rechercheur staakte zijn bezigheden en zei beteuterd: 'Het is niet dat ik geen zin heb, maar ik snap het niet goed. In het onderzoek tot dusver is geen enkele aanwijzing opgedoken dat buiten Hiromi Wakayama iemand op de dag van de moord het huis van de Mashiba's in en weer uit liep.'

'Dat weet ik wel. Maar dan is mijn vraag: kun je met stelligheid zeggen dat niemand dat deed?'

'Eh ...'

'Hoe deed de dader dan het gif in de ketel? Zeg het me maar.' Kusanagi keek de zwijgende Kishitani chagrijnig aan en ging toen verder: 'Daar heb je geen antwoord op, hè? Natuurlijk niet. Zelfs Yukawa moest de handdoek in de ring gooien. Het antwoord is duidelijk en eenvoudig: er kwam geen truc of wat dan ook aan te pas. De dader kwam het huis van de Mashiba's binnen, deed het gif in de ketel en ging weer weg. Dat is alles. En ik heb je toch uitgelegd hoe het komt dat we na al ons speurwerk nog steeds niet gevonden hebben wie het zou kunnen zijn?'

'Omdat meneer Mashiba zelf geheim moest houden dat hij hem of haar zag ...'

'Bravo, dat heb je goed onthouden. Als een man dingen in zijn privéleven geheim wilde houden, onderzoek je zijn liefdesrelaties. Dat is een basisregel van ons werk. Of kraam ik nu onzin uit?'

Kishitani schudde lichtjes van nee.

'Goed, kun je dan opschieten, nu ik je instemming heb? Zo veel tijd hebben we niet.'

Kishitani knikte zonder iets te zeggen en keerde zich opnieuw naar de kartonnen doos. Terwijl hij hem gadesloeg, slaakte Kusanagi een lichte zucht.

Waarom wind je je zo op, stelde hij zichzelf de vraag. Waarom geërgerd reageren op een simpele opmerking van een jongere collega? Maar tegelijk besefte hij ook de reden voor zijn ergernis.

Kusanagi geloofde zelf maar half dat hun zoektocht enige zin had. Hij kreeg het bange vermoeden niet uit zijn hoofd dat het opsporen van Yoshitaka Mashiba's exen niets zou opleveren.

Natuurlijk, dat was nu eenmaal politiewerk. Als je bang bent met lege handen achter te blijven, ben je niet geschikt als rechercheur. Maar de ongerustheid die hij nu koesterde was van een andere orde.

Als deze zoektocht niets opleverde, zou de verdenking zich pas echt toespitsen op Ayane Mashiba, was hij bang. En dan had hij het niet alleen over Kaoru Utsumi en de anderen. Kusanagi voorvoelde dat dan onherroepelijk het moment zou komen dat ook hijzelf Ayane ging verdenken.

Telkens als hij haar zag, werd Kusanagi iets gewaar. Het was een gevoel van uiterste spanning, alsof een mes op zijn keel gericht was. Hij bereidde zich voor op wat komen zou en kon een verlangen dat ene moment in alle intensiteit te beleven niet weerstaan. Die sensatie overweldigde en fascineerde hem.

Maar als hij nadacht over de ware aard ervan, doemde een verontrustend beeld in hem op en werd hij bevangen door een verstikkende angst.

Kusanagi had een paar keer eerder te maken gehad met verdachten die ondanks hun diepe menselijkheid door omstandigheden toch iemand om het leven hadden gebracht. Hij kon voelen dat ze iets gemeen hadden, iets wat je een aura zou kunnen noemen. Ze leken zich niet meer vast te klampen aan het leven en vrede te hebben met alles. Maar je kon ook zeggen dat ze zich op verboden terrein hadden begeven, slechts een stap verwijderd van de waanzin.

Ayane zond ook zulke signalen uit. Kusanagi probeerde dat wanhopig te ontkennen, maar zijn professionele speurzin stond hem niet toe het ook maar een moment te negeren.

Hij voerde deze zoektocht dus uit om zijn eigen twijfels weg te wissen. Maar bevooroordeeld een onderzoek aanvatten was uit den boze. Dat wist hij maar al te goed, en daarom ergerde hij zich aan zichzelf.

Hun gesnuffel duurde nu al zo'n uur. Maar niets wees op een verband met een schilderes of een ander beroep dat gebruik kon maken van een schetsboek. De inhoud van de kartonnen dozen bestond bijna uitsluitend uit geschenken en allerhande souvenirs.

'Meneer Kusanagi, wat is dit, denkt u?' Kishitani pakte een klein stuk pluchen speelgoed vast. Op het eerste gezicht leek het op een raap. Er zaten groene bladeren aan.

'Een raap zeker?'

'Ja, maar het is ook een ruimtewezen.'

'Een ruimtewezen?'

'Kijk, als je zo doet', zei Kishitani. Met de bladeren naar beneden zette hij het ding op tafel. En ja, op het witte bovengedeelte stond een gezichtje getekend en als je je inbeeldde dat de bladeren poten waren, vertoonde het wel enige gelijkenis met die kwalvormige ruimtewezens die vaak in stripverhalen opduiken.

'Kijk eens aan.'

'Volgens de uitleg die erbij zit, is het een figuurtje dat Rapenknaap heet en van de planeet Rapius komt. Het is hier in dit bedrijf gemaakt, zo te zien.'

'Oké, maar wat dan nog?'

'Meneer Kusanagi, zou een ontwerper van dit soort spullen niet ook een schetsboek gebruiken?'

Kusanagi knipperde met zijn ogen en tuurde naar het speeltje.

'Dat is best mogelijk, ja.'

'Zal ik mevrouw Yamamoto roepen?' Kishitani kwam overeind.

Aangekomen in de vergaderzaal bekeek Keiko Yamamoto het stuk speelgoed en ze knikte.

'Dat is inderdaad hier bij ons gemaakt. Het is het personage uit een animatie op het net.'

'Internetanimatie?' Kusanagi boog zijn hoofd opzij.

'Tot voor drie jaar stond het op onze site. Wilt u het eens bekijken?'

'Zeker.' Kusanagi stond op.

Ze gingen naar Keiko Yamamoto's kantoor, waar ze een pc begon te bedienen. Op de monitor verscheen de titel *Rapenknaap*. Toen ze op AFSPELEN klikte, kregen ze een animatiefilmpje van ongeveer een minuut te zien. Hetzelfde figuurtje als het stuk speelgoed verscheen in beeld en begon te bewegen. Het verhaal zelf stelde niet veel voor.

'Staat het nu niet meer online?' vroeg Kishitani.

'Een tijdje kwam er heel wat respons op en creëerden we ook een aantal bijkomende artikelen, zoals dat speelgoed van daarnet, maar de verkoop bleef onder de verwachtingen en uiteindelijk werd het stopgezet.'

'Is dit personage ontworpen door een van uw werknemers?' vroeg Kusanagi aan Keiko Yamamoto.

'Nee. Oorspronkelijk had iemand op een persoonlijke blog afbeeldingen gezet van een figuur die Rapenknaap heette. Omdat die populair werd op het net, sloten we een contract af om er een animatieversie van te maken.'

'Het is dus niet door een professional getekend?'

'Nee, de persoon in kwestie geeft les op een school, maar niet in het kunstonderwijs.'

'Wel wel.'

Dan kan het, dacht Kusanagi. Volgens Tatsuhiko Ikai zorgde Yoshitaka Mashiba ervoor geen amoureuze relaties te beginnen met werknemers of vrouwen met wie hij een professionele band had. Maar als die persoon geen beroeps was, kregen ze misschien een ander verhaal.

'O, we hebben pech, meneer Kusanagi', zei Kishitani, die met de pc bezig was. 'Dit is niet wie we zoeken.'

'Waarom niet?'

'Hier staat het profiel van de maker. Het is een man. Een leraar dus, geen lerares.'

'Wat zeg je?' Kusanagi keek ook naar het scherm. Zo stond het inderdaad in het profiel.

'Dat hadden we beter meteen kunnen vragen. Maar het ontwerp was zo schattig dat ik durfde wedden dat het van een vrouw afkomstig was.'

'Ik ook. We waren te voortvarend.' Kusanagi fronste en krabde aan zijn hoofd.

'Eh,' kwam Keiko Yamamoto ertussen, 'is er iets mis mee dat de maker een man is?'

'Voor ons helaas wel. We zoeken iemand die de sleutel kan zijn tot het oplossen van de zaak, maar de eerste voorwaarde is wel dat het een vrouw is.'

'De zaak ... Daarmee bedoelt u de moord op directeur Mashiba?'

'Uiteraard.'

'Heeft deze internetanimatie iets met die zaak te maken?'

'De details kan ik u niet vertellen, maar als de maker een vrouw geweest was, had dat gekund, meer niet.' Kusanagi zuchtte en keek naar Kishitani. 'Laten we er voor vandaag maar mee ophouden.'

'Dat is wellicht het beste.' Kishitani liet zijn schouders hangen.

Keiko Yamamoto deed hun uitgeleide tot in de hal. Kusanagi boog zijn hoofd naar haar.

'Sorry voor het storen tijdens uw werk. Het zou kunnen dat we in het kader van het onderzoek nog moeten terugkomen, dus ik hoop op uw begrip.'

'Ja, natuurlijk ...' Ze keek enigszins bezwaard. Er was een duidelijk verschil met de kille, uitdrukkingsloze blik die ze aanvankelijk had.

De twee zeiden 'tot ziens' en liepen van haar weg, maar ze waren nog niet buiten of Keiko Yamamoto riep hun toe even te wachten. Kusanagi draaide zich weer om.

'Is er nog iets?'

Ze kwam naar hen toe en zei met gedempte stem: 'Op de benedenverdieping van dit gebouw is een lounge. Kunt u daar op me wachten? Ik wil u iets vertellen.'

'Houdt het verband met de zaak?'

'Dat zou ik persoonlijk niet weten. Het gaat over dat personage van zo-even. Over de maker ervan.'

Kusanagi wisselde een blik uit met Kishitani en knikte toen naar Keiko Yamamoto. 'Goed.'

'Tot zo meteen dan', zei ze en ze liep terug het kantoor in.

De lounge op de begane grond was een open ruimte. Het bordje met VERBODEN TE ROKEN verwensend, dronk Kusanagi van zijn koffie.

'Wat zou ze ons willen vertellen?' zei Kishitani.

'Tja. Aan een mannelijke amateur-tekenaar heb ik in ieder geval niets.'

Even later kwam Keiko Yamamoto erbij. Ze keek schichtig om zich heen. In haar hand hield ze een A4-envelop.

'Sorry dat ik u liet wachten', zei ze en ze nam plaats op een stoel tegenover hen. Er kwam meteen een serveerster, maar Keiko Yamamoto wuifde met haar hand ten teken dat ze niets wilde. Blijkbaar was ze niet van zins het gesprek lang te rekken.

'En, waarover gaat het?' vroeg Kusanagi haar.

Keiko Yamamoto keek nogmaals in het rond en leunde toen even naar voren.

'Ik zou willen dat dit niet in de openbaarheid komt. En als dat toch gebeurt, moet ik u vragen absoluut geheim te houden dat u het van mij hebt, want anders kom ik in de problemen.'

'Eh ...' Kusanagi beantwoordde Keiko Yamamoto's blik.

Normaal gesproken zou hij nu geneigd zijn te zeggen dat dat afhing van wat ze te vertellen had. Maar dan was de kans op belangrijke informatie verkeken. In bepaalde gevallen moest een rechercheur tactloos genoeg zijn om een belofte te breken.

Hij knikte. 'Goed. Ik beloof het.'

Keiko Yamamoto likte haar lippen.

'De bedenker van dat figuurtje in die internetanimatie, nou, dat is eigenlijk wel een vrouw.'

'Hè?' Kusanagi zette grote ogen op. 'Echt waar?'

Hij rechtte zijn rug. Dit verhaal was dan toch het beluisteren waard.

'Ja, echt waar. Dat kwam door een samenloop van omstandigheden.'

Terwijl hij zijn pen gereedhield om notities te maken, knikte Kishitani. 'Het gebeurt wel vaker dat mensen liegen op het net, hè, niet alleen over hun naam, maar ook over hun leeftijd en geslacht.'

'Tja, is dat van dat lesgeven dan ook gelogen?' vroeg Kusanagi.

'Nee, de man die daar vermeld staat, bestaat echt. Hij schreef de blog. Maar iemand anders creëerde het poppetje. Dat was een vrouw, die verder niets met die leraar te maken heeft.'

Kusanagi fronste zijn wenkbrauwen en liet zijn ellebogen op tafel rusten. 'Wat heeft dit in godsnaam te betekenen?'

Op Keiko Yamamoto's gezicht was enige aarzeling te lezen, maar ze sprak toen toch.

'In feite was het vanaf het begin allemaal doorgestoken kaart.'

'Doorgestoken kaart?'

'Daarnet zei ik dat het figuurtje populair werd toen de leraar het op zijn blog introduceerde en dat wij het daarom bewerkten tot een animatiefilmpje, maar in feite verliep het omgekeerd. Het plan om een filmpje met dat personage online te zetten was er al, maar als verkoopstrategie lieten we het eerst zijn intrede doen op een individuele blog. Vervolgens stelden we op het net alles in het werk om de aandacht te vestigen op die blog. En toen we dachten dat het werkelijk begon aan te slaan, deden we het voorkomen alsof ons bedrijf een contract afsloot voor de animatieversie.'

Kusanagi vouwde zijn armen voor zijn borst en gromde.

'Dat is dan wel een heel omslachtige manier van doen, moet ik zeggen.'

'De directeur was van mening dat de fans op het net zo meer affiniteit zouden voelen en dat het hun enthousiasme zou aanwakkeren.'

Kishitani draaide zich naar Kusanagi en knikte.

'Dat klinkt aannemelijk. Liefhebbers van dit soort dingen op het net juichen het toe als de informatie door een onbekend individu uitgestuurd wordt en zich zo geleidelijk verbreidt.'

'De ontwerper van het figuurtje is dus toch een van uw werknemers?' vroeg Kusanagi aan Keiko Yamamoto.

'Nee, we gingen op zoek naar een geschikte kandidaat onder onbekende striptekenaars en illustratoren en zo. We lieten hen ideeën voor een personage aandragen om daaruit het meest geschikte te kiezen. Dat figuurtje kwam als winnaar uit de bus. In het contract stond dat de maakster het strikt geheim zou houden dat zij het bedacht had. Vervolgens tekende ze voor ons de afbeeldingen die op de blog van de leraar terechtkwamen. Ze bleef dat trouwens niet de hele tijd doen; vanaf een bepaald moment nam een andere ontwerper het over. Uit wat ik u al vertelde, zult u wel begrijpen dat we de leraar ook betaalden om die blog te schrijven.'

'Tjongejonge.' liet Kusanagi zich onwillekeurig ontvallen. 'Van doorgestoken kaart gesproken.'

'Het lanceren van een nieuw typetje vergt een uitgekiende marketing.' Keiko Yamamoto lachte wrang. 'Niet dat deze erg geslaagd was weliswaar.'

'En wie is dan die tekenares?'

'Oorspronkelijk maakte ze prentenboeken. Er zijn er een paar van haar verschenen.' Ze pakte de envelop van de stoel naast haar, legde hem op haar schoot en haalde er een prentenboek uit tevoorschijn.

'Mag ik even kijken?' zei Kusanagi en hij nam het boek aan. Het was getiteld: *Laat het morgen maar regenen*. Al bladerend zag hij dat het verhaal draaide om een *teruterubozu**-poppetje. De auteur heette Sumire Kocho.

'Heeft ze nog een band met het bedrijf?'

'Nee, nadat ze in de beginperiode die afbeeldingen tekende, is ieder contact verbroken. Ons bedrijf bezit alle rechten op het figuurtje, ziet u.'

'Hebt u die vrouw ooit ontmoet?'

'Nee, nooit. Zoals ik net al zei, moest haar bestaan geheim blijven. Buiten de directeur hebben maar heel weinig mensen haar in levenden lijve ontmoet. Naar ik hoorde onderhandelde ze over het contract en zo ook met de directeur persoonlijk.'

'Met meneer Mashiba? Persoonlijk?'

'Bij hem leek het raapfiguurtje het meest in de smaak te vallen', zei Keiko Yamamoto en ze staarde Kusanagi daarbij strak aan.

Kusanagi knikte en liet zijn oog weer op het prentenboek vallen. Er was een kadertje met wat info over de auteur, maar haar echte naam noch geboortedatum stond daarin vermeld.

Hoe dan ook, een auteur van prentenboeken voldeed aan het profiel: beroepshalve tekende ze en ze had ook boeken uitgebracht.

'Mag ik dit even lenen?' Hij hield het prentenboek omhoog.

'Ga uw gang', zei ze en ze keek toen op haar horloge.

'Ik moet zoetjesaan terug. Meer heb ik niet te vertellen. Ik hoop dat het nuttig is voor het onderzoek.'

'Het is bijzonder nuttig. Dankuwel.' Kusanagi boog zijn hoofd.

Toen Keiko Yamamoto weg was, gaf hij het prentenboek aan Kishitani.

'Steek je licht op bij de uitgeverij.'

'Zitten we op het juiste spoor?'

'Zo ziet het er wel naar uit. Op zijn minst was er iets gaande tussen deze tekenares en Yoshitaka Mashiba.'

'U klinkt helemaal zeker van uw zaak.'

'Toen ik daarnet Keiko Yamamoto's blik zag, was ik overtuigd. Zij had vroeger al haar vermoedens over die twee.'

'Waarom zou ze dan tot nu toe gezwegen hebben? De rechercheurs die hier eerder inlichtingen kwamen inwinnen moeten haar toch ook gevraagd hebben naar Mashiba's relaties met vrouwen?'

'Ze dacht dat ze zonder bewijs niets mocht insinueren, zeker. Tegen ons zei ze het ook niet met zo veel woorden. We toonden belangstelling voor de maker van dat figuurtje en daarom achtte ze het waarschijnlijk raadzamer ons mee te delen dat het in feite geen man maar een vrouw was. Omdat ze wist dat die tekenares voor meneer Mashiba een speciale betekenis had, kon ze niet zomaar zwijgen en doen alsof ze van niets wist.'

'Ik snap het. Nu heb ik spijt van mijn roddelpraat over dat ijzeren masker en zo.'

'Als je niet wilt dat haar welwillendheid tevergeefs was, bel dan maar vlug die uitgeverij.'

Kishitani pakte zijn mobiele telefoon en liep met het prentenboek in de hand de lounge uit. Terwijl hij hem zag telefoneren, dronk Kusanagi de rest van zijn koffie. Die was al helemaal koud.

Kishitani kwam terug. Maar hij keek niet erg blij.

'Heb je de juiste persoon niet te pakken gekregen?'

'Toch wel. En hij vertelde me ook over de auteur, Sumire Kocho.'

'Nou, waarom dan dat sippe gezicht?'

Zonder op de vraag te antwoorden sloeg Kishitani zijn notitieboekje open.

'Haar echte naam is naar verluidt Junko Tsukui. "Tsukui" geschreven zoals in "Tsukuimeer", en "jun" met hetzelfde karakter als in het woord "juntaku". Dit prentenboek kwam vier jaar geleden uit. Momenteel is het niet meer in de handel.'

'Heb je haar contactgegevens gekregen?'

'Nee, want ...' Kishitani keek op van zijn notitieboekje. 'Ze is overleden.'

'Wat? Wanneer?'

'Twee jaar geleden. Ze pleegde thuis zelfmoord.'

19

Kaoru zat een rapport te schrijven in de vergaderkamer van het bureau van Meguro, toen Kusanagi en Kishitani terugkwamen. Allebei keken ze nors.

'En de ouwe? Is hij al naar huis?' vroeg Kusanagi onbehouwen.

'Als u de chef bedoelt, die is in de recherchekamer, denk ik.'

Zonder verder commentaar liep Kusanagi de deur uit. Kishitani hief zijn handen op, om te gebaren dat hij er ook niets aan kon doen.

'Hij lijkt in een slecht humeur, zei Kaoru.

'We hadden haar gevonden, eindelijk. De ex van Yoshitaka Mashiba.'

'Hè, is dat zo? Hoe komt het dan dat hij toch ...?'

'Wel, er was een, eh, onverwachte ontwikkeling.' Kishitani ging op een klapstoel zitten.

Kaoru schrok bij het horen van zijn verhaal. De vermoedelijke ex-vriendin was dus al dood.

'We gingen naar de uitgeverij om een foto van de vrouw op te vragen. En die lieten we zien aan de serveerster in de theespeciaalzaak waar Yoshitaka Mashiba met haar kwam. Volgens haar was het ontegenzeggelijk die vrouw. En daarmee was de kous dus af. Meneer Kusanagi's theorie dat het misdrijf door de ex gepleegd werd viel in het water.'

'Vandaar dus dat humeur.'

'Ik ben zelf ook teleurgesteld. De hele dag moet ik met hem optrekken en dan is dit het resultaat. Pf, ik ben moe.'

Kishitanai rekte zich helemaal uit. Op dat moment ging Kaoru's mobiele telefoon. Ze keek en zag dat het Yukawa was. Ze had hem toch vanmiddag nog gezien?

'Hallo. Dank u voor zo-even.'

'Waar ben je nu?' viel Yukawa met de deur in huis.

'Op het bureau van Meguro.'

'Ik heb ondertussen alles nog een keer op een rijtje gezet. Wat me bij een klusje voor jou bracht. Kunnen we elkaar zien?'

'Hè? ... Eh, mij best, maar waarover gaat het?'

'Dat zeg ik je straks wel. Kies jij de plek maar.' Yukawa's stem klonk opvallend opgewonden.

'Ik kom wel naar de universiteit, hoor.'

'Daar ben ik niet meer. Ik ben al onderweg richting Meguro. Kies dus vlug een plek.'

Kaoru noemde een familierestaurant in de buurt, waarop Yukawa 'oké' zei en de verbinding verbrak.

Kaoru stopte het onvoltooide verslag in haar tas en pakte haar jasje.

'Professor Yukawa?' vroeg Kishitani.

'Ja. Hij wil me iets vertellen of zo.'

'Mooi zo. We zouden er erg mee geholpen zijn als hij de vergiftigingstruc voor ons kon oplossen. Luister maar goed naar wat hij zegt en vergeet niet notities te maken. De uitleg van de professor kan best ingewikkeld zijn.'

'Dat weet ik', zei Kaoru en ze liep de vergaderkamer uit.

In het familierestaurant had ze nog maar een paar slokken van haar kopje thee gedronken, toen Yukawa binnenkwam. Hij ging tegenover haar zitten en bestelde bij de serveerster een chocolademelk.

'Geen koffie?'

'Die ben ik beu, of wat dacht je? Met jou dronk ik daarnet ook al twee koppen.' Yukawa trok een mondhoek op. 'Sorry dat ik je zo ineens liet opdraven.'

'Geen probleem. Maar waarover gaat het nu eigenlijk?'

'Hm.' Hij sloeg even zijn ogen neer en keek Kaoru toen aan.

'Eerst voor alle duidelijkheid: heb je nog steeds je twijfels over mevrouw Mashiba?'

'Eh ... Nou, ik verdenk haar wel, ja.'

'Ja dus?' Yukawa stak zijn hand in zijn binnenzak en haalde een opgevouwen papier tevoorschijn. Dat legde hij op tafel. 'Lees maar.'

Kaoru pakte het papier en vouwde het open. Ze las de inhoud en fronste haar wenkbrauwen.

'Wat is dit?'

'Iets wat jij voor me zou moeten uitzoeken. En niet zomaar bij benadering, het moet exact zijn.'

'En als ik dit uitzoek, kunt u het raadsel oplossen?'

Yukawa knipperde met zijn ogen en hij zuchtte.

'Nee, dat verwacht ik niet meteen. Het is een test om te bevestigen dat het raadsel onoplosbaar is. Om het in jullie termen te zeggen: het gaat om het vinden van overtuigend bewijs.'

'Hoe bedoelt u?'

'Nadat je vandaag vertrok, probeerde ik van alles te bedenken. Welke methode gebruikte mevrouw Mashiba, gesteld dat zij het gif aanbracht? Maar ik vind maar geen verklaring. Mijn conclusie is dus dat er voor deze equatie geen oplossing is. Behalve één dan.'

'Behalve één? Tja, dan is die er dus toch?'

'Maar het is een denkbeeldige oplossing.'

'Een denkbeeldige oplossing?'

'In de zin dat het theoretisch denkbaar is maar praktisch onhaalbaar. Er is maar één methode waarmee een vrouw die in Hokkaido is haar man in Tokio gif kan laten innemen. Maar de kans dat ze die toepaste, is zo goed als nihil. Begrijp je? De truc is mogelijk, maar de uitvoering is onmogelijk, daar komt het op neer.'

Kaoru schudde haar hoofd.

'Ik kan u niet goed volgen. Uiteindelijk betekent dat toch dat het onmogelijk is? En u zegt me deze test te doen om dat te bewijzen?'

'Bewijzen dat er geen antwoord is, is ook belangrijk.'

'Maar ík ben wel op zoek naar een antwoord. Theorieën doen er niet toe. Ik wil de ware toedracht van een zaak achterhalen. Dat is onze job.'

Yukawa deed er het zwijgen toe. Net op dat moment werd zijn chocolademelk gebracht. Met een langzame beweging dronk hij ervan.

'Nou ja', mompelde hij. 'Je hebt vast gelijk.'

'Professor ...'

Yukawa stak zijn hand uit en pakte het papier van tafel.

'Als er een antwoord bestaat, ook al is dat een denkbeeldige oplossing, kan een wetenschapper niet tot rust komen voor hij zekerheid heeft, dat ligt in zijn aard. Maar jullie zijn geen wetenschappers. Jullie mogen jullie kostbare tijd niet verspillen aan zulke bewijsvoering.' Yukawa stak het netjes opgevouwen papier in zijn zak en liet een glimlach om zijn mondhoeken spelen. 'Vergeet dit gesprek maar.'

'Professor, vertel me alstublieft de truc. Als ik hem gehoord heb, zal ik mijn eigen oordeel vellen. En als ik het de moeite waard vind, zal ik uitzoeken wat op dat papier staat.'

'Dat zal niet gaan.'

'Hoezo?'

'Als je de truc kent, zul je bevooroordeeld zijn. Zo kun je geen objectieve test doen. En omgekeerd: als je de test toch niet zou doen, hoef je de truc ook niet te kennen. Hoe het ook zij, ik kan hem hier nu niet aan je verklappen.'

Yukawa's hand ging naar de rekening. Maar Kaoru was hem net te snel af. 'Die is voor mij.'

'Geen sprake van. Ik heb je voor niets hiernaartoe laten komen.'

Kaoru stak haar vrije hand naar hem uit.

'Geef me dat papier van daarnet. Ik zal het uitzoeken.'

'Het is dus een denkbeeldige oplossing, hè.'

'Toch wil ik het weten. Dat ene antwoord dat u gevonden hebt.'

Yukawa zuchtte en haalde het papier weer tevoorschijn. Kaoru pakte het aan, en nadat ze nog een keer de inhoud had overgelezen, stopte ze het in haar tas.

'Als die truc toch niet denkbeeldig blijkt, is het raadsel dus wel oplosbaar, nietwaar?'

Tegen haar verwachting volgde geen bevestigend knikje van Yukawa. Met zijn wijsvinger duwde hij zijn bril omhoog en mompelde: 'Dat is maar de vraag.'

'Heb ik het mis?'

'Als het geen denkbeeldige oplossing is ...' Met een priemende blik keek hij haar aan en ging toen verder: '... zullen jullie hoogstwaarschijnlijk toch aan het kortste eind trekken. En ik zal er ook niet tegenop kunnen, ben ik bang. Dit is de perfecte misdaad.'

20

Hiromi Wakayama keek naar het wandtapijt aan de muur.

Stukjes marineblauw en grijs vormden samen een gordel. Die lange gordel kronkelde zich al kruisend en kringelend uiteindelijk weer naar zijn beginpunt. Hij vormde met andere woorden een lus. Het was een behoorlijk ingewikkelde compositie, maar vanaf een afstand leek het een simpel geometrisch patroon. Yoshitaka Mashiba had het smalend 'het patroon van een DNA-spiraal' genoemd, maar Hiromi hield van dit werk. Op een tentoonstelling van Ayane in Ginza had het bij de ingang gehangen. Het was dus het eerste wat de bezoekers te zien kregen, wat erop wees dat Ayane overtuigd was van de kwaliteit ervan. Het was haar ontwerp, dat wel, maar Hiromi had het eigenlijke werk gedaan. In de kunstwereld is het niet zo uitzonderlijk dat werken die een artiest op een tentoonstelling presenteert in feite van de hand van een discipel zijn. Zeker niet bij patchwork, waar het voltooien van een omvangrijk werk een paar maanden kan duren. Als je de arbeid niet verdeelt, krijg je nooit genoeg bij elkaar voor een tentoonstelling. Toch deed Ayane nog relatief veel zelf. Viervijfde van de werken die toen te bezichtigen waren, had ze eigenhandig gemaakt. En toch had Ayane iets van Hiromi gekozen om bij de ingang te hangen. Dat had haar diep geroerd. Ze was verheugd over die erkenning voor haar vakmanschap.

Ik wil altijd voor haar blijven werken, had ze toen gedacht.

Er tikte iets. Ayane had haar mok op de werktafel gezet. Ze zaten tegenover elkaar in de patchworkstudio van Anne's House. Normaal was die om deze tijd open, en een aantal leerlingen zou dan bezig zijn met het in stukken snijden en aaneenhechten van lappen stof. Maar nu waren ze maar met z'n tweeën. De studio bleef dicht.

'Meen je dat?' zei Ayane, haar beide handen om de mok sluitend. 'Nou ja, het is jouw beslissing natuurlijk.'

'Sorry dat ik u hier zomaar mee overval.' Hiromi boog haar hoofd.

'Je hoeft je niet te verontschuldigen. Ik was zelf ook al bang dat het voortaan wat moeilijk kon liggen. Misschien kunnen we dus niet anders.'

'Het is allemaal mijn schuld. Ik weet echt niet wat ik kan zeggen.'

'Laten we er maar over ophouden. Ik wil niet meer horen dat je je verontschuldigt.'

'Oké. Sorry ...'

Hiromi liet haar hoofd hangen. Er welden tranen op, maar ze verzette zich daar met alle macht tegen. Als ze huilde, zou Ayane zich nog ongemakkelijker gaan voelen.

Hiromi had Ayane gebeld om te zeggen dat ze iets te bespreken had en haar wilde zien. Ayane had, zonder verdere details te vragen, voorgesteld dat dan maar in Anne's House te doen. Hiromi had zo'n vermoeden dat ze speciaal de studio koos omdat ze al doorhad waarover het ging.

Ze had gewacht tot Ayane thee had gezet om haar op de hoogte te brengen. Ze zei dat ze wilde stoppen met de studio. Uiteraard doelde ze daarmee op haar werk als Ayanes assistente.

'Maar Hiromi, gaat dat zomaar?' vroeg Ayane. Toen Hiromi opkeek, vervolgde ze: 'Met wat je te wachten staat, weet je wel. Hoe ga je aan de kost komen? Het zal toch niet zo eenvoudig zijn een baan te vinden? Of kun je op steun van je ouders rekenen?'

'Ik heb nog niets beslist. Ik wil mijn ouders geen last bezorgen, maar het zou kunnen dat ik geen keus heb. Met het weinige spaargeld dat ik heb, wil ik het wel zo veel mogelijk op eigen kracht zien te redden.'

'Dat klinkt niet echt geruststellend. Zal het wel lukken zo?' Ayane streek herhaaldelijk een lok over haar oor. Het was een tic die ze vertoonde als ze zich ergerde. 'Nou ja, misschien kan ik me er beter niet mee bemoeien.'

'Dank u voor uw bezorgdheid. Ik ben het echt niet waard.'

'Stop toch met zulke dingen te zeggen.'

Ayanes strenge toon deed Hiromi's hele lijf onwillekeurig verstijven. Ze boog opnieuw diep haar hoofd.

'Sorry', zei Ayane zacht. 'Dat waren harde woorden. Maar ik wil echt niet dat je nog zo'n houding aanneemt. Dat we niet langer kunnen samenwerken, valt helaas niet te verhelpen, maar ik wil wel dat je gelukkig wordt. Dat meen ik.'

Dat blijk van openhartigheid deed Hiromi bedeesd haar gezicht opheffen. Ayane had een glimlach om haar lippen. Het was een wat eenzame glimlach, maar geveinsd leek hij niet.

'Sensei ...' mompelde Hiromi.

'Trouwens, de persoon die er de oorzaak van is dat we ons nu zo voelen is niet meer onder ons. Laten we dus niet langer achterom kijken.'

Hiromi kon alleen maar even knikken bij die verzoenende uitspraak. In haar binnenste was ze bang dat zoiets onmogelijk was. De liefde voor Yoshitaka Mashiba, het verdriet om haar verlies, het zelfverwijt omdat ze Ayane verraden had – dat alles sneed te diep in haar hart.

'Hiromi, hoeveel jaar kom je hier ook alweer?' vroeg Ayane, nu opgewekter.

'Iets meer dan drie jaar.'

'O ja? Is het al drie jaar? In die tijd maken scholieren hun lager of hoger middelbaar af, hè. Tja, misschien moeten we dan gewoon denken dat je hier bij mij ook afgestudeerd bent.'

Ditmaal kon Hiromi niet eens knikken. Met zo'n paar zorgeloze woorden ga je me niet troosten, dacht ze. Zo onnozel ben ik niet.

'Hiromi, je hebt toch nog een sleutel van de studio, hè?'

'O, ja. Ik zal hem teruggeven.' Hiromi pakte de tas die naast haar lag.

'Nee, houd hem maar.'

'Maar ...'

'Er liggen hier toch een heleboel spullen van je? Ik neem aan dat het even zal duren om alles in te pakken. En als je nog andere dingen wilt meenemen, doe gerust. Dat wandtapijt bijvoorbeeld, dat zou je toch ook graag hebben?' zei Ayane. Ze richtte haar blik op het werk dat Hiromi zopas zat te bekijken.

'Vindt u dat niet erg?'

'Natuurlijk niet. Jij hebt het tenslotte gemaakt. En het oogstte op de tentoonstelling veel lof. Ik wilde het vroeg of laat toch aan jou geven, daarom heb ik het ook niet verkocht.'

Hiromi herinnerde zich dat ook. Vrijwel alle andere werken waren toen voorzien van een prijskaartje, maar dit wandtapijt was niet te koop.

'Hoeveel dagen denk je nodig te hebben om al je spullen op te ruimen?' vroeg Ayane.

'Met vandaag en morgen kan ik wel volstaan, denk ik.'

'Ja? Goed, bel me dan als je klaar bent. De sleutel ... wel, stop die maar in de brievenbus. Maar kijk eerst goed of je niets vergeten hebt, hè, want ik ben van plan meteen daarna een verhuizer te doen komen om deze flat leeg te halen.'

Hiromi knipperde niet-begrijpend met haar ogen, waarop Ayane glimlachte.

'Ik kan toch niet eeuwig in een hotel blijven wonen? Het is op allerlei vlak onpraktisch, en goedkoop is het ook niet. Daarom dacht ik erover hier te gaan logeren, tot ik een nieuw onderkomen vind.'

'Gaat u dan niet terug naar huis?'

Ayane zuchtte en liet haar schouders hangen.

'Ik heb dat overwogen, maar ik kan het niet aan. Al mijn mooie herinneringen zijn veranderd in bitterheid. En bovendien is het daar te groot voor mij alleen. Je vraagt je af hoe hij het daar vroeger volhield, toen hij nog in zijn eentje woonde.'

'Gaat u het van de hand doen?'

'Met wat er gebeurd is in dat huis, weet ik niet of ik een koper kan vinden. Ik zal er eens met meneer Ikai over praten. Misschien heeft hij de nodige connecties.'

Hiromi wist niet wat ze moest zeggen en staarde naar de mok op de werktafel. De thee die Ayane haar had ingeschonken zou al wel koud zijn.

'Tja, ik ga maar eens.' Ayane pakte haar eigen lege mok en stond op.

'Laat maar staan. Ik zal hem wel afwassen.'

'O? Dankjewel.' Nadat Ayane de mok weer op tafel had gezet, bleef ze ernaar turen. 'Deze bracht jij toch mee? Zei je niet dat je hem kreeg op het huwelijksfeest van een vriendin?'

'Dat klopt. We kregen ze als paar.'

Beide mokken stonden nu op de werktafel. Als ze iets te bespreken hadden, gebruikten ze altijd die.

'Dan moet je die ook maar mee naar huis nemen.'

'Oké', antwoordde Hiromi zachtjes. Ze was helemaal niet van zins geweest iets als mokken mee naar huis te nemen. Maar het idee dat alleen al de aanwezigheid van zulke dingen genoeg kon zijn om Ayane aanstoot te geven, stemde haar nog een stuk somberder.

Ayane hing haar tas over haar schouder en liep naar de hal. Hiromi ging haar achterna.

Nadat ze haar schoenen had aangetrokken, draaide Ayane zich naar Hiromi.

'Het voelt een beetje raar, vind je niet? Jij houdt ermee op hier in de studio, en toch ga ik nu als eerste naar buiten.'

'Ik probeer zo snel mogelijk klaar te zijn met opruimen. Vandaag nog, als het kan.'

'Je hoeft je niet te haasten. Zo bedoelde ik het niet.' Ayane keek Hiromi recht in het gezicht. 'Oké, het ga je goed.'

'U ook, sensei.'

Ayane knikte en trok de deur open. Ze ging naar buiten, glimlachte en deed toen de deur weer dicht.

Hiromi ging ter plekke op de vloer zitten en slaakte een diepe zucht.

Haar werk in de patchworkstudio opgeven viel haar zwaar, en dat ze nu geen inkomen meer had baarde haar ook zorgen, maar ze kon niet anders. Los van haar bekentenis over de affaire met Yoshitaka, was het een vergissing geweest gewoon te willen doorgaan alsof alles bij het oude was. Ayane mocht dan zelf haar ontslag niet ter sprake gebracht hebben, Hiromi kon zich niet voorstellen dat ze haar oprecht vergeven had.

Bovendien ... Hiromi legde een hand op haar buik.

Er was het kind dat ze in zich droeg. Hiromi was bang geweest dat Ayane zou vragen wat ze van plan was. De waarheid was dat ze daar zelf nog niet uit was.

Misschien had Ayane niets over de baby gevraagd omdat ze er toch van uitging dat Hiromi hem zou laten weghalen. Dat ze hem mogelijk wilde houden, was vast nooit in haar opgekomen.

Maar Hiromi zelf twijfelde. Of nee, als ze haar diepste binnenste aftastte, vond ze daar alleen de wens het kind ter wereld te brengen. Dat besefte ze al te goed.

Maar stel dat ze het hield, wat voor leven wachtte haar dan? Op haar ouders kon ze niet terugvallen. Die verkeerden in goede gezondheid, maar ze leidden niet bepaald een leventje vrij van financiële zorgen. Bovendien waren ze allebei heel eenvoudige zielen, en het nieuws dat hun dochter na een overspelige relatie een ongehuwde moeder werd, was wellicht ontstellend genoeg om hen helemaal van streek te brengen.

Zat er dan toch niets anders op dan de baby weg te halen? Telkens als ze over die vraag nadacht, kwam ze uit bij datzelfde punt. Ze pijnigde haar hersenen, op zoek naar een manier om toch maar die conclusie af te wenden. Sinds Yoshitaka's dood herhaalde dit zich keer op keer.

Net toen ze licht haar hoofd schudde, ging haar mobiele telefoon. Hiromi kwam langzaam overeind en liep terug naar de werktafel. Uit de tas die daar op een stoel lag, haalde ze het toestel tevoorschijn. Ze herkende het nummer. Eerst wilde ze niet opnemen, maar ten slotte drukte ze toch op de toets. De belster zou het niet zomaar opgeven als ze haar nu negeerde.

'Ja?' antwoordde ze. Het was niet met opzet, maar haar stem klonk donker en bedrukt.

'Hallo, met Utsumi van de hoofdstedelijke politie. Stoor ik niet?'

'Zegt u het maar.'

'Het spijt me, maar ik heb nog een paar vragen voor u. Kunnen we elkaar ergens ontmoeten?'

'Wanneer?'

'Zo vlug mogelijk. Sorry daarvoor.'

Hiromi zuchtte hardop. Het geeft niet dat ze het kan horen, dacht ze.

'Kunt u in dat geval hiernaartoe komen? Ik ben in de patchworkstudio.'

'In Daikanyama, toch? Is mevrouw Mashiba daar ook?'

'Nee, die verwacht ik hier vandaag niet meer. Ik ben alleen.'

'Goed. Dan kom ik nu naar u toe.' De verbinding werd verbroken.

Hiromi stopte de telefoon in haar tas en hield een hand tegen haar voorhoofd.

Haar ontslag in de patchworkstudio betekende niet dat daarmee ook maar iets van de baan was. Zolang de zaak niet opgelost was, zou de politie haar evenmin met rust laten. In alle vrede haar kind ter wereld brengen was volkomen uitgesloten.

Ze dronk in één slok de rest van haar thee. Zoals verwacht was die helemaal lauw.

Gebeurtenissen van de afgelopen drie jaar schoten door haar hoofd. Haar patchworktechniek, die ze zich oorspronkelijk zelf had aangeleerd, verbeterde in amper drie maanden zo snel dat ze er zelf versteld van stond. Toen Ayane haar voorstelde haar assistente te worden, ging ze dan ook meteen akkoord. De dagelijkse sleur van de onbevredigende baantjes die ze van het uitzendbureau kreeg toebedeeld, was ze helemaal zat.

Hiromi keek naar de pc die in een hoek van de kamer stond. Wanneer ze samen met Ayane over ontwerpen nadacht, maakten ze actief gebruik van grafische software. Soms duurde alleen al het bepalen van het kleurenschema de hele nacht. Maar niet één keer had ze dat als lastig ervaren. Zodra een ontwerp vastlag, gingen ze op pad om de stoffen aan te schaffen. Ondanks hun felle discussies bij het vastleggen van het kleurenschema, gebeurde het soms dat ze allebei op het eerste gezicht verliefd werden op de kleur van een stof die ze in een winkel vonden en hun eerste idee prompt nog helemaal omgooiden. Op zulke momenten keken ze elkaar gniffelend aan.

Dat waren dagen van opperste voldoening. Waarom moest het zo eindigen?

Hiromi schudde zachtjes haar hoofd. Ze wist de reden maar al te goed. Het was allemaal haar eigen schuld. Ze had de man van een ander gestolen, en dan nog van de vrouw aan wie ze alles te danken had. Dat, en alleen dat, was de oorzaak.

Hiromi zag nog duidelijk haar eerste ontmoeting met Yoshitaka Mashiba voor zich. Ze zat hier in deze kamer een les voor te bereiden, toen ze een telefoontje kreeg van Ayane. Er zou een man langskomen, zei ze, kon ze hem dus vragen daar even te wachten? Over haar precieze relatie met die man had ze toen niet gerept.

Even later was de man inderdaad gekomen. Hiromi liet hem binnen en gaf hem een kopje groene thee. Terwijl hij belangstellend rondkeek in de kamer, stelde hij haar allerlei vragen. Hij bezat een kalmte die alleen volwassen mannen hebben, maar tegelijk had hij ook iets van een jongen die zijn nieuwsgierigheid niet kan bedwingen. Dat hij bijzonder intelligent was, kon ze tijdens hun korte gesprek ook al aanvoelen.

Toen daarna Ayane kwam opdagen, legde ze uit wie hij was. Het verraste Hiromi dat ze elkaar op een party hadden leren kennen. Ze wist niet dat Ayane weleens naar zulke gelegenheden ging.

Als ze er nu op terugkeek, besefte ze dat ze toen al gevoelens koesterde voor Yoshitaka. Op het moment dat Ayane hem voorstelde als haar vriend, welde een emotie op die in de buurt kwam van jaloezie; dat herinnerde ze zich nog levendig.

Ze vroeg zich af of het anders zou zijn gelopen als hun kennismaking niet onder die omstandigheden had plaatsgevonden, als Ayane samen met hem was aangekomen. Ze had de indruk dat dat kleine beetje tijd dat ze alleen met hem doorbracht zonder te weten wie hij was, volstond om die bijzondere gevoelens te doen ontluiken.

En toen de verliefdheid eenmaal vlam vatte in haar hart, was die, hoe smeulend ook, nooit meer uitgedoofd. Doordat Ayane trouwde, kwam Hiromi sinds die tijd ook weleens over de vloer bij de Mashiba's en zo voelde ze zich nog een stuk dichter bij Yoshitaka. Vanzelfsprekend waren ze soms ook alleen met z'n tweeën.

Uiteraard had Hiromi nooit haar gevoelens geuit. Daarmee zou ze Yoshitaka alleen in verlegenheid brengen, dacht ze, en vooral: ze was helemaal niet uit op iets meer met hem. Voor haar was het genoeg dat hij haar als een deel van de familie behandelde.

Maar hoe geheim ze ook dacht dat ze waren, toch moesten die gevoelens tot Yoshitaka zijn doorgedrongen. Geleidelijk aan veranderde zijn houding jegens haar. Terwijl hij haar eerst minzaam had aangekeken als was ze zijn zusje, ging zich in die blik subtiel iets anders mengen. En toen ze dat merkte, begon haar hart onmiskenbaar te bonzen.

En toen, op een avond zo'n drie maanden geleden, terwijl ze in deze kamer nog laat zat te werken, kreeg ze een telefoontje van hem.

'Ik hoorde van Ayane dat je er de laatste tijd voortdurend nachtwerk van maakt. Het lijkt behoorlijk druk in de studio.'

Hij vroeg haar of ze niet met hem een portie *ramen** wilde gaan eten. Bij hem was het door overwerk ook laat geworden. En er was een ramentent waar hij allang een keer heen wilde, zei hij.

Ze had honger en dus ging ze graag in op de uitnodiging. Yoshitaka kwam haar meteen ophalen in zijn auto.

De smaak van de ramen had niet bepaald een blijvende indruk nagelaten. Maar dat kon komen doordat ze met Yoshitaka samen was. Telkens als hij zijn stokjes bewoog, streek zijn elleboog langs haar lichaam. Alleen die gewaarwording stond in haar geheugen gebrand.

Daarna bracht hij haar naar huis. Nadat hij voor haar flatgebouw was gestopt, zei hij glimlachend: 'Kunnen we zo af en toe nog een keer samen een kom ramen gaan eten?'

'Goed hoor, wanneer u maar wilt', antwoordde Hiromi.

'Bedankt. Je gezelschap fleurt me op.'

'Is dat zo?'

'Ik voel me moe, hier en hier.' Hij wees eerst naar zijn borststreek en toen naar zijn hoofd, en keek Hiromi vervolgens ernstig aan. 'Bedankt voor vanavond. Echt, het was leuk.'

'Dat vond ik ook.'

Onmiddellijk na dat antwoord stak Yoshitaka een arm uit en sloeg die om haar schouders. Ze werd met een ruk naar hem toe getrokken en ze liet haar lichaam tegen hem aan leunen. Ze kusten elkaar, als was het de natuurlijkste zaak van de wereld.

'Welterusten', zei hij. 'Welterusten', antwoordde zij.

Die nacht ging haar hart wild tekeer en kon ze moeilijk de slaap vinden. Maar ze was zich niet bewust dat ze een zware misstap had begaan. Ze deelden nu hun kleine geheimpje en verder stond ze er niet bij stil.

In geen tijd merkte ze dat dat een grote misvatting was. In Hiromi's binnenste groeide Yoshitaka's tegenwoordigheid zienderogen. Wat ze ook deed, ze kreeg hem niet uit haar hoofd.

En toch, als ze elkaar niet waren blijven zien, had die koortsachtige toestand misschien ook niet zo lang voortgeduurd. Maar Yoshitaka begon haar vanaf toen regelmatig uit te nodigen. En zelf bleef ze ook steeds vaker zonder dat het echt nodig was in de studio hangen, om te wachten op een telefoontje van hem.

Als een ballon waarvan de draad was losgeschoten, vloog Hiromi's hart oncontroleerbaar steeds verder de hoogte in. Toen ze eindelijk die laatste grens tussen man en vrouw hadden overschreden, besefte ze voor het eerst dat ze iets verschrikkelijks had gedaan. Maar de woorden die Yoshitaka haar die nacht toefluisterde, waren krachtig genoeg om al haar twijfels weg te blazen.

Hij zei dat hij bij Ayane weg zou gaan.

'Het doel van ons huwelijk is kinderen, ze weet dat. Als ze niet binnen het jaar zwanger is, maken we een einde aan onze verbintenis, dat is de afspraak. Er resten nog drie maanden, maar het zal er niet van komen. Dat voel ik gewoon.'

Het waren in feite kille woorden, maar voor Hiromi klonken ze op dat moment hoopvol. Zo zelfzuchtig was ze inmiddels al.

Nu ze aan dat alles terugdacht, besefte ze andermaal wat voor vreselijk verraad ze hadden gepleegd. Ayane had alle recht hen te haten.

Was het dan ...

Wie weet was het toch Ayane die Yoshitaka vermoord had? Het was ook denkbaar dat ze Hiromi wilde vermoorden en dat ze gewoon als camouflage zo aardig tegen haar deed.

Alleen, ze had een alibi. En de politie leek haar niet te verdenken, wat er zo goed als zeker op wees dat het feit dat zij onmogelijk het misdrijf kon plegen nog altijd vaststond.

Maar had buiten Ayane iemand een motief om Yoshitaka te doden? Als ze daarover nadacht, voelde Hiromi zich om nog een heel andere reden neerslachtig. Het deed haar beseffen dat ze dan wel het kind wilde houden, maar nauwelijks iets afwist van de vader.

Kaoru Utsumi arriveerde in een donkerkleurig pak. Ze ging zitten op de stoel waar tot voor dertig minuten Ayane had gezeten en excuseerde zich met een hoofdbuiging nogmaals voor het ongemak.

'Ik denk niet dat u de zaak zult oplossen door steeds weer bij mij te komen aankloppen. Zo goed kende ik meneer Mashiba niet, ziet u.'

'U kende hem niet goed maar toch kreeg u een verhouding met hem?'

Bij die woorden van de vrouwelijke rechercheur trok Hiromi haar gezicht strak in de plooi.

'Zijn kwaliteiten als mens meende ik wel te kennen. Maar dat is niet wat u nodig hebt voor het onderzoek, of wel? Wat ik bedoel is dat ik niets afweet van zijn verleden of van moeilijkheden op zijn werk of zo.'

'Informatie over de menselijke kwaliteiten van het slachtoffer is ook noodzakelijk om ons onderzoek vooruit te helpen. Maar vandaag ben ik hier niet voor dat soort complexe kwesties. Ik wilde het over meer alledaagse dingen hebben.'

'Alledaags, zegt u?'

'Het dagelijkse leven van de Mashiba's. Daarvan zou u als geen ander op de hoogte moeten zijn.'

'Zoiets moet u toch gewoon aan mevrouw Mashiba vragen?'

Kaoru Utsumi boog haar hoofd opzij en lachte.

'Uit de mond van een betrokkene komt volgens mij maar zelden een objectieve mening.'

'... Wat wilt u weten?'

'U begon daar thuis over de vloer te komen kort nadat de Mashiba's trouwden, nietwaar? Hoe frequent gebeurde dat?'

'Dat varieerde, maar gemiddeld een of twee keer per maand, geloof ik.'

'Was er een vaste dag van de week?'

'Niet bepaald. Maar het was vaak op zondag. Omdat de studio dan dicht was.'

''s Zondags was Yoshitaka Mashiba ook thuis, of niet?'

'Dat is zo, ja.'

'Maakten jullie dan met z'n drieën een babbeltje en zo?'

'Dat kwam ook weleens voor, maar meestal was meneer Mashiba in zijn studeerkamer. Ook op vrije dagen zat hij thuis te werken. Als ik langsging, was dat trouwens omdat ik iets te bespreken had met mevrouw Mashiba, niet met de bedoeling wat te kletsen', protesteerde Hiromi. Ze voelde zich gekrenkt door de insinuatie dat ze naar de Mashiba's ging omdat ze Yoshitaka wilde zien.

'In welke kamer hield u die gesprekken met mevrouw Mashiba?'

'In de living.'

'Altijd?'

'Ja. Waarom vraagt u dat?'

'Dronk u soms thee of koffie tijdens zo'n gesprek?'

'Iedere keer kreeg ik wel een van beide aangeboden.'

'En u zette nooit zelf?'

'Toch, af en toe. Als zij haar handen vol had met andere dingen in de keuken.'

'U zei toch dat u van mevrouw Mashiba leerde hoe u koffie moest zetten? En dat u het daarom de ochtend van de moord ook op die manier deed?'

'Ja. Gaat het weer over die koffie? Hoeveel keer heb ik u dat nu al verteld?' zei Hiromi zuur.

Misschien was ze het gewend dat ondervraagden hun ongenoegen lieten blijken, want de jonge politievrouw vertrok geen spier.

'Op dat etentje met de Ikai's, deed u toen de koelkast open?'

'De koelkast?'

'In de koelkast zouden petflessen met mineraalwater gestaan hebben. Ik wil weten of u die gezien hebt.'

'Die heb ik gezien, ja. Op een bepaald moment ging ik namelijk water halen.'

'Hoeveel flessen stonden er toen nog in?'

'Dat weet ik niet meer. Er stonden er in ieder geval een paar naast elkaar.'

'Hoeveel precies?'

'Ik zei toch dat ik dat niet meer wist. Het was een hele rij, dus een stuk of vier, vijf, zeker.' Ongewild verhief Hiromi haar stem.

'Goed', zei de rechercheur en ze knikte, haar gezicht uitdrukkingsloos als een *no**-masker. 'Vlak voor de moord belde meneer Mashiba u met de vraag bij hem thuis te komen. Gebeurde dat wel vaker?'

'Nee. Dat was de eerste keer.'

'Waarom zou hij u uitgerekend die dag uitgenodigd hebben?'

'Dat ... Nou ja, omdat mevrouw Mashiba naar haar ouders gegaan was.'

'Tot dan toe hadden jullie daartoe de kans nog niet gehad, bedoelt u?'

'Dat speelde ook wel mee, denk ik, maar waarschijnlijk wilde hij me vooral zo snel mogelijk op de hoogte brengen dat zijn vrouw met de echtscheiding ingestemd had.'

'Juist.' Kaoru Utsumi knikte. 'Weet u iets af van hobby's?'

'Hobby's?' Hiromi fronste haar wenkbrauwen.

'Hobby's van de Mashiba's. Sporten of reizen of zo, of ritjes met de auto?'

Hiromi hield nadenkend haar hoofd schuin.

'Hij speelde tennis en golf, maar zij had niets speciaals. Haar patchwork en koken, dat was het zowat, neem ik aan.'

'Maar hoe brachten ze dan hun vrije dagen thuis door?'

'Daar weet ik niet veel over.'

'Vertel toch maar wat u weet.'

'Mevrouw Mashiba zei dat ze meestal patchwork zat te maken. Meneer Mashiba keek naar het schijnt graag naar een dvd en zo.'

'In welke kamer maakte mevrouw Mashiba haar patchwork?'

'Ik denk in de living', antwoordde Hiromi in de war gebracht. De vragen leken helemaal nergens toe te leiden.

'Gingen ze weleens met z'n tweeën op reis?'

'Vlak na hun huwelijk gingen ze naar Parijs en Londen. Daarna maakten ze, geloof ik, geen noemenswaardige reizen meer. Meneer Mashiba ging voor zijn werk wel regelmatig hier en daar naartoe, natuurlijk.'

'En hoe was dat met boodschappen en zo? Ging u bijvoorbeeld nooit met mevrouw Mashiba shoppen in de stad?'

'We gingen soms stoffen kopen voor het patchwork.'

'En dat deden jullie op zondag?'

'Nee, voor aanvang van de cursussen, op weekdagen dus. Omdat we zo'n grote hoeveelheid stoffen hadden, brachten we ze van de winkel rechtstreeks mee hiernaartoe.'

Kaoru Utsumi knikte en schreef een paar dingen op in haar notitieboekje.

'Dat was het. Bedankt voor uw tijd.'

'Eh, wat voor zin hadden die vragen eigenlijk? De bedoeling ontgaat mij volkomen.'

'Over welke vragen hebt u het dan precies?'

'Over allemaal. De hobby's, de boodschappen, ik kan me niet voorstellen dat dat relevant is voor de zaak.'

Kaoru Utsumi aarzelde heel even, maar glimlachte toen.

'U hoeft dat ook niet te begrijpen. Politiemensen hebben zo hun eigen ideeën.'

'En die kunt u me niet vertellen?'

'Het spijt me. Dat zijn de regels.' De rechercheur stond met een ruk op. Ze knikte ten afscheid en liep toen met gezwinde pas naar de hal.

21

'Toen ze me polste over de bedoeling van mijn vragen, wist ik niet goed wat ik moest zeggen. Ik snapte zelf niet eens de bedoeling. Normaal krijg ik bij een verhoor als taak doelgerichte vragen te stellen', zei Kaoru terwijl ze haar kop koffie oppakte.

Ze was naar Yukawa's lab gekomen met de resultaten van de test waar hij haar om had verzocht.

'Dat is doorgaans ook de juiste aanpak, maar het hangt af van het moment en het geval.' Yukawa, die recht tegenover haar zat, keek op van het rapport. 'Ik wil uitzoeken of het hier al dan niet gaat om een uitzonderlijk misdrijf zonder precedent. Het bestaan van iets nagaan is een erg verraderlijke bezigheid en wordt makkelijk beïnvloed door vooroordelen van de belanghebbende. Zoals bij de fysicus René Blondlot ... Nou ja, dat zul jij wel niet weten.'

'Ik heb zelfs nog nooit van hem gehoord.'

'Hij is een Franse onderzoeker die in de tweede helft van de negentiende eeuw heel wat verwezenlijkte. In het begin van de twintigste eeuw verkondigde Blondlot dat hij een nieuw soort stralen ontdekt had. Hij noemde ze N-stralen en beweerde dat hun werking de glans van elektrische vonken verhoogt. Het werd geprezen als een baanbrekende uitvinding en de hele natuurwetenschappelijke wereld was in rep en roer. Maar uiteindelijk werd het bestaan van N-stralen weerlegd. Een wetenschapper uit een ander land nam herhaaldelijk de proef op de som, maar de glans van de elektrische vonken nam niet toe.'

'Het was dus bedrog?'

'Nee, bedrog was het niet. Blondlot geloofde namelijk zelf in het bestaan van N-stralen.'

'Hoezo?'

'Welnu, Blondlot controleerde de helderheid van de elektrische vonken alleen met zijn eigen ogen. Dat was de basis van zijn vergissing. Het werd aangetoond dat de verhoogde glans bij contact met N-stralen niet meer dan een illusie was, gecreëerd door zijn eigen wensen.'

'Goh, dus ook een briljant fysicus begaat zulke simpele fouten.'

'Zie je, zo gevaarlijk zijn vooroordelen. Daarom heb ik jou ook geen enkele voorkennis meegegeven. Dat stelde je in staat bijzonder objectieve informatie te verkrijgen.' Yukawa richtte zijn aandacht weer op Kaoru's rapport.

'En, hoe zit het nu? Is het een denkbeeldige oplossing?'

Yukawa gaf niet onmiddellijk antwoord en bleef naar het rapport turen. Tussen zijn wenkbrauwen was een diepe rimpel getrokken.

'In de koelkast stonden dus toch nog meerdere petflessen', mompelde hij als tegen zichzelf.

'Dat vond ik ook eigenaardig. Mevrouw Mashiba zei dat ze ervoor zorgde nooit zonder flessenwater te zitten. Toch bleef er de dag nadat ze naar haar ouders vertrok maar één fles meer over. Hoe kwam dat, denkt u?'

Yukawa vouwde zijn armen voor zijn borst en deed zijn ogen dicht.

'Professor?'

'Onmogelijk.'

'Hè?'

'Dat is absoluut onmogelijk. Maar ...' Yukawa zette zijn bril af en drukte met zijn vingertoppen tegen zijn oogleden. In die houding bleef hij roerloos zitten.

22

Vanaf het station Iidabashi liep hij de oplopende Kagurazakalaan in, waar hij even voorbij de Bishamontentempel links afsloeg. Opnieuw ging het steil bergop, en toen kon hij aan de rechterkant het kantoorgebouw zien dat hij zocht.

Kusanagi ging door de hoofdingang naar binnen. Aan de linkermuur hing een rij bordjes met bedrijfsnamen. Uitgeverij Kunugi bevond zich op de eerste etage.

Er was een lift, maar Kusanagi liep de trap op naar boven. Die stond volgestapeld met kartonnen dozen, wat de doorgang erg bemoeilijkte. Tegen de wet op de brandveiligheid, maar laat ik dat vandaag maar door de vingers zien, dacht hij.

De deur van het kantoor stond wijd open. Toen hij naar binnen gluurde, zag hij een aantal werknemers aan hun bureau zitten. De jonge vrouw die het dichtstbij zat, merkte Kusanagi op en kwam naar hem toe.

'Kan ik u helpen?'

'Is meneer Sasaoka er? Ik sprak zonet met hem aan de telefoon.'

'O, hallo', klonk van opzij een stem. Van achter een archiefkast verscheen het hoofd van een wat mollige man, die daar blijkbaar gehurkt had gezeten.

'Meneer Sasaoka?'

'Dat ben ik. Eh ...' Hij trok een la van het bureau naast hem open en pakte er een visitekaartje uit. 'Aangename kennismaking.'

Kusanagi haalde ook een kaartje tevoorschijn en wisselde het uit. Op dat van de man stond: KUNIO SASAOKA, GEDELEGEERD BESTUURDER UITGEVERIJ KUNUGI.

'Nou, dit is de eerste keer dat ik een visitekaartje krijg van iemand van de politie. Dat wordt een mooi aandenken.' Sasaoka draaide het kaartje om en riep verbaasd uit: 'O, er staat "voor de heer Sasaoka". En ook de datum van vandaag. Aha, zeker om misbruik te voorkomen?'

'Neemt u me niet kwalijk. Puur een kwestie van gewoonte.'

'Tja, je kunt niet voorzichtig genoeg zijn, neem ik aan. Eh, zullen we hier praten? Of liever in een koffiehuis of zo?'

'Hier is prima.'

'O, oké.'

Sasaoka begeleidde Kusanagi naar een eenvoudige ontvangstruimte, die in een hoek van het kantoor was ingericht.

'Bedankt dat u tijd voor me vrijmaakt', zei Kusanagi terwijl hij op een zwarte kunstleren bank plaatsnam.

'Geen probleem. Anders dan in de grote bedrijven doen we het hier rustig aan.' Sasaoka lachte zijn tanden bloot. Het leek geen slechte kerel.

'Ik zei het al aan de telefoon, maar ik had u graag gesproken over Junko Tsukui.'

De lach verdween van Sasaoka's gezicht.

'Ze werkte rechtstreeks onder mijn redactie. Ze had echt talent, zonde gewoon.'

'Kende u mevrouw Tsukui al lang?'

'Wat heet lang? Een goeie twee jaar. Ik liet haar twee boeken voor ons maken.'

Sasaoka stond op, liep naar zijn bureau en kwam terug met twee prentenboeken.

'Dit zijn ze.'

'Mag ik even?' zei Kusanagi en hij pakte de boeken. De titels waren *De sneeuwman viel om* en *De avonturen van tempelwachter Taro*.

'Ze hield ervan met folkloristische hoofdfiguren te werken, zoals hier die sneeuwman of een hond die tempels bewaakt. Ze had ook een boek over een teruterubozu gemaakt.'

'Dat ken ik. *Laat het morgen maar regenen* heet het toch?'

Yoshitaka Mashiba had na het zien van dat boek Junko Tsukui uitgekozen om het personage in de internetanimatie te creëren.

Sasaoka knikte en liet zijn wenkbrauwen zakken.

'In de handen van mevrouw Tsukui kregen ook de meest vertrouwde figuren weer een frisse uitstraling. Het is echt een verlies.'

'Herinnert u zich de omstandigheden van haar dood?'

'Natuurlijk. Ze liet een brief voor me achter, weet u.'

'Ja, ik hoorde al van haar familie dat ze een paar afscheidsbrieven nagelaten had.'

Junko Tsukui was afkomstig van Hiroshima. Kusanagi had met haar moeder gebeld. Volgens haar had Junko in haar kamer een overdosis slaappillen genomen en had ze er drie afscheidsbrieven klaargelegd, alle drie bestemd voor mensen met wie ze professionele banden had. Een van hen was dus Sasaoka geweest.

'Ze schreef dat het haar speet op die wijze plotseling haar werk af te breken. Ik had haar toen pas om een volgend boek gevraagd en dus voelde ze zich wellicht schuldig.' De herinnering aan de gebeurtenissen van toen leek pijnlijk, want Sasaoka fronste zijn voorhoofd.

'Over het motief voor haar zelfdoding stond er niets?'

'Nee. Ze drukte alleen haar spijt uit.'

Het waren niet de enige afscheidsbrieven die Junko Tsukui schreef. Vlak voor haar zelfmoord stuurde ze er ook haar moeder een. Na het lezen daarvan had die in paniek haar dochter gebeld. Omdat ze geen verbinding kreeg, verwittigde ze in allerijl de politie. De agent die ter plaatse de oproep ontving, haastte zich naar het flatgebouw en vond daar het lichaam.

Ook in de brief aan haar moeder stond niets over het motief voor haar wanhoopsdaad. Ze betuigde haar dank voor het leven dat haar was geschonken en de opvoeding die ze had genoten, en ze verontschuldigde zich voor wat ze uiteindelijk met dat kostbare leven had aangericht.

'Nog steeds weet ik niet waarom', huilde de moeder aan de andere kant van de lijn. Ook na twee jaar was het leed om het verlies van haar dochter allerminst verzacht.

'Meneer Sasaoka, hebt u enig idee waarom mevrouw Tsukui zich van het leven beroofde?'

Bij die vraag trok Sasaoka een mondhoek op en hij schudde zijn hoofd.

'Dat vroeg de politie me toen ook, maar ik zou het echt niet weten. Ik zag haar twee weken voor haar zelfmoord nog, maar niets wees in die richting. Misschien lag dat weliswaar aan mijn eigen onopmerkzaamheid.'

Kusanagi dacht niet dat het te wijten was aan Sasaoka's onopmerkzaamheid. Hij had ook de ontvangers van de overige twee afscheidsbrieven al ontmoet en die zeiden allebei iets soortgelijks.

'Weet u dat mevrouw Tsukui een relatie had?' gooide Kusanagi het over een andere boeg.

'Ik had iets van dien aard vernomen, ja. Maar wie het was, weet ik niet. Tegenwoordig moet je opletten met vragen over zulke dingen, want je wordt al heel gauw aangeklaagd voor ongewenste intimiteiten', zei Sasaoka met een serieus gezicht.

'En weet u of ze, los van die relatie, met iemand een hechte band had? Dat mag ook een vrouwelijke kennis zijn, een vriendin of zo.'

Sasaoka vouwde zijn korte, dikke armen over elkaar en hield zijn hoofd schuin.

'Die vraag kreeg ik destijds ook, maar er komt me niemand voor de geest. Je kunt eigenlijk wel zeggen dat ze graag alleen was. Het type dat gelukkig was als ze maar naarstig prentjes kon tekenen in haar kamer, weet u wel, en volgens mij was ze niet erg gesteld op omgang met mensen. Daarom verbaasde het me ook een beetje toen ik hoorde dat ze een vriend had.'

Net als Ayane Mashiba, dacht Kusanagi. Die had wel haar assistente Hiromi Wakayama en de jeugdvriendin met wie ze in haar geboortestreek naar een onsen ging, maar in wezen leefde ze alleen. Op de bank in haar ruime living de hele dag door met patchwork bezig zijn, dat was haar leven.

Zou Yoshitaka Mashiba dan gewoon vallen op dat type vrouwen, vroeg hij zich af.

Nee ...

Toch niet helemaal, bedacht Kusanagi zich. Hij moest weer denken aan wat hij van Tatsuhiko Ikai had gehoord: 'Maar hij waardeerde dat niet. Blijkbaar vond hij dat een vrouw op de bank mocht zitten zo veel ze wilde, als ze geen kinderen kon baren, was ze niet meer dan een pronkstuk en hem alleen tot last.'

Misschien koos Yoshitaka Mashiba contactarme vrouwen omdat hij hen alleen zag als apparaten om kinderen te baren. En vond hij het dus onnodig dat bij die apparaten lastige menselijke relaties hoorden.

'Eh ...' verbrak Sasaoka de stilte. 'Waarom doet u uitgerekend nu navraag naar haar zelfmoord? Het motief was onduidelijk, maar verder leek er niet meteen iets loos en is er voor zover ik weet ook geen echt onderzoek gedaan.'

'Aan haar zelfmoord is ook niets verdachts of zo, hoor. Mevrouw Tsukui's naam is opgedoken in het onderzoek naar een andere zaak en dus trekken we gewoon een paar dingen na.'

'Hm, op die manier dus.'

Sasaoka was merkbaar benieuwd naar wat voor zaak dat dan wel was. Kusanagi besloot het gesprek af te ronden.

'Sorry voor het storen tijdens uw werk. Ik weet genoeg.'

'Is dat alles? Oei, ik heb zelfs vergeten u een kopje thee aan te bieden.'

'Dat geeft niet. Bedankt voor uw tijd. Mag ik deze even lenen?' Hij pakte de twee prentenboeken op.

'Natuurlijk. U mag ze gerust houden.'

'Weet u het zeker?'

'Ja. Als ze hier blijven liggen, worden ze vroeg of laat toch maar versnipperd.'

'Ach zo? Tja, in dat geval.'

Kusanagi stond op en liep naar de deur. Sasaoka kwam met hem mee.

'Het was anders wel even schrikken toen. Bij het nieuws van haar dood dacht ik niet meteen aan zelfmoord. En ook nadat we het te weten kwamen, deden mijn collega's en ik allerlei gissingen. Sommigen vroegen zich openlijk af ze niet vermoord was. Nogal onkies misschien, maar ja, ze had dan ook dat spul ingenomen.'

Kusanagi bleef staan en staarde Sasaoka in het ronde gezicht.

'Dat spul?'

'Ja, dat gif.'

'Waren het dan geen slaappillen?'

Sasaoka tuitte zijn lippen en wuifde met zijn hand.

'Nee hoor. *Tiens*, weet u dat dan niet? Het was arseen.'

'Arseen?' Er ging een schok door Kusanagi heen.

'Ja, zoals bij die fameuze zaak van de vergiftigde curry in Wakayama.'

'Arsenigzuur?'

'Ja, zo heette het, geloof ik.'

Kusanagi's hart bonsde hevig. Hij nam afscheid en snelde de trap af.

Met zijn mobiel belde hij Kishitani. Hij droeg hem op stante pede het dossier van Junko Tsukui's zelfmoord op te vragen bij het bevoegde arrondissement.

'Wat is er aan de hand? Bent u nog altijd bezig met die auteur van prentenboeken, meneer Kusanagi?'

'Dit heeft de goedkeuring van de chef. Doe dus wat je gezegd wordt, zonder tegensputteren.'

Hij verbrak de verbinding en hield een voorbijrijdende taxi aan. Hij zei de chauffeur hem naar het politiebureau van Meguro te brengen.

Ook na al die dagen was het onderzoek nog voor geen meter gevorderd. Dat ze niet konden achterhalen langs welke weg het gif was aangebracht, had daar veel mee te maken, maar een andere oorzaak was dat ze, hoe en waar ze ook zochten, niemand konden vinden met een motief om Yoshitaka Mashiba om te brengen. De enige die dat wel had, was Ayane, maar haar alibi was waterdicht.

Kusanagi had bij Mamiya bepleit dat op de dag van de moord vast iemand het huis van de Mashiba's had betreden. En hij had hem daarom toestemming gevraagd onderzoek te doen naar

Junko Tsukui, de ex-vriendin van Yoshitaka Mashiba.

'Maar die vrouw is toch dood?' had Mamiya gezegd.

'Dat is het hem nu net', antwoordde Kusanagi. 'Als Mashiba de oorzaak is van haar zelfmoord, is het best mogelijk dat iemand in Junko Tsukui's omgeving hem daarom haatte.'

'Wraak, bedoel je? Maar die zelfmoord dateert al van twee jaar geleden. Waarom is die wraakactie dan niet eerder gebeurd?'

'Dat weet ik niet. Misschien uit vrees dat er meteen een verband gelegd zou worden als de wraak te kort op haar zelfmoord volgde?'

'Als die redenering klopt, moet de dader behoorlijk rancuneus zijn. Dan heeft hij twee jaar lang afgewacht, zonder dat hij zijn wrok liet overwaaien.'

De twijfel stond nog op Mamiya's gezicht te lezen, maar hij stond het onderzoek naar Junko Tsukui toch toe.

En dus had Kusanagi sinds gisteren meer details verzameld, door naar haar ouderlijk huis te bellen en door de mensen op te zoeken die een afscheidsbrief hadden ontvangen. Het telefoonnummer van de ouders had hij van de redacteur van *Laat het morgen maar regenen*.

Maar tot nu toe had niemand iets gezegd dat op Yoshitaka Mashiba's betrokkenheid bij de zelfmoord wees. Integendeel, niemand had zelfs weet van haar relatie met Mashiba.

Volgens Junko Tsukui's moeder was in haar kamer geen enkele aanwijzing gevonden dat er weleens een man op bezoek kwam. Daarom dacht ze ook nu nog dat haar zelfmoord niet was ingegeven door liefdesverdriet of zo.

Ongeveer drie jaar geleden waren Mashiba en Junko Tsukui voor het eerst opgemerkt in de theespeciaalzaak en een jaar later maakte Junko een einde aan haar leven. Als zij en Mashiba op dat moment al uit elkaar waren, was een oorzakelijk verband aannemelijk.

Maar ook al veroorzaakte de breuk met Mashiba dan haar wanhoopsdaad, zolang niemand dat wist, kon ook niemand een wrok jegens hem koesteren. Hij had van Mamiya speciaal toestemming gekregen om dit uit te vissen, maar al vlug leek zijn zoektocht op de klippen te lopen.

Tot hij dus over het gif te horen kreeg.

Als hij meteen het dossier had opgevraagd bij de dienst die Junko Tsukui's zelfmoord had behandeld, zou hij dat eerder te weten gekomen zijn. Maar omdat hij eerst naar het ouderlijk huis belde en alles wat de moeder vertelde klakkeloos geloofde, had hij die routineprocedure achterwege gelaten. Hij was ervan uitgegaan dat bij het arrondissement geen waardevolle informatie te vinden was, aangezien ze het als zelfmoord hadden afgedaan.

Arsenigzuur warempel ...

Uiteraard kon het ook stom toeval zijn. Door de vergiftigde curry in Wakayama was het inmiddels algemeen bekend hoe dodelijk arsenigzuur was. Vanzelfsprekend kwamen zo ook meer mensen op het idee het te gebruiken voor moord of zelfdoding.

Maar om het leven komen door hetzelfde gif dat je ex gebruikte bij haar zelfmoord, dat was al te toevallig. Was het dan niet waarschijnlijker dat er opzet mee gemoeid was?

Terwijl hij dit overwoog, kreeg hij een oproep op zijn mobiele telefoon. Op het LCD-scherm zag hij dat die van Yukawa kwam.

'Wat is er met je? Sinds wanneer hang je even vaak aan de telefoon als een schoolmeisje?'

'Niets aan te doen, ik wil iets met je bespreken. Kunnen we elkaar vandaag ergens zien?'

'Onmogelijk is dat niet, maar waarover gaat het? Heb je de truc van de vergiftiging door?'

'"Doorhebben" is niet het correcte woord. Er is niets bewezen, maar ik mag wel stellen dat ik een mogelijke manier ontdekt heb.'

Zoals altijd draait hij eromheen, dacht Kusanagi terwijl hij zijn telefoon steviger omklemde. Maar als Yukawa zich zo uitdrukte, had hij meestal het juiste antwoord gevonden.

'Heb je het Utsumi al verteld?'

'Nee, nog niet. Momenteel heb ik trouwens ook geen zin er met jou over te praten. Als je instemt me te zien in de hoop daar meer over te horen, zul je alleen bedrogen uitkomen.'

'Wat moet dat nou weer? Oké, waarover wilde je dan wel praten?'

'Een verzoek voor jullie verdere onderzoek. Ik wil controleren of aan de voorwaarden voldaan is om de truc te verwezenlijken.'

'Je wilt me dus niet zeggen wat de truc inhoudt, maar je verwacht wel informatie van mij te krijgen? Je weet toch dat het delen van gegevens uit het onderzoek met burgers in wezen taboe is?'

Yukawa liet een paar seconden voorbijgaan voor hij antwoord gaf.

'Ik had niet gedacht die woorden alsnog uit jouw mond te horen. Nou ja, doet er ook niet toe. Er is een reden dat ik je niet over de truc kan vertellen. Die leg ik je uit als we elkaar zien.'

'Wat een pretentie, zeg. Ik moet nu eerst nog naar het bureau van Meguro. Daarna kom ik naar de universiteit. Het zal rond een uur of acht zijn, schat ik.'

'Bel me dan als je aankomt. Het zou kunnen dat ik niet in het lab ben.'

'Oké.'

Nadat hij de verbinding had verbroken, voelde Kusanagi zich nerveus worden.

Welke vergiftigingstruc kon Yukawa bedacht hebben? Uiteraard verwachtte Kusanagi niet van zichzelf dat hij dat zomaar kon raden. Wat hem vooral zorgen baarde, was de positie waarin Ayane zou terechtkomen door het ophelderen van de truc.

Als wat Yukawa in gedachten had haar ijzersterke alibi ontkrachtte ...

Dan was er geen ontkomen meer aan, besefte Kusanagi. En daarmee bedoelde hij niet voor Ayane. Het zou zijn eigen vluchtwegen afsluiten. Hij moest dan zijn verdenking wel op haar laten vallen.

Waar zou Yukawa eigenlijk mee op de proppen komen? Vroeger had hij altijd vol spanning op dit moment gewacht, maar vandaag was het anders. Het vooruitzicht sneed hem langzaam de adem af.

In de vergaderkamer van het bureau van Meguro stond Kishitani te wachten met een fax in zijn hand. Hij zei dat hij van het arrondissement het rapport over de zelfmoord van Junko Tsukui had binnengekregen. Mamiya stond naast hem.

'Ik snap nu waar u op uit was. Het gif, nietwaar?' Kishitani stak de fax uit.

Kusanagi liet zijn blik over het rapport gaan. Daaruit bleek dat Junko Tsukui in haar flat dood op het bed lag. Op het tafeltje ernaast stond een halfvol glas water en lag een plastic zakje met wit poeder. Het poeder was diarseentrioxide, met andere woorden: arsenigzuur.

'Over hoe ze het in handen kreeg staat er niets, zie ik. Zou dat niet opgehelderd zijn?' mompelde Kusanagi.

'Waarschijnlijk hebben ze het niet verder onderzocht', zei Mamiya. 'Hoe je het ook bekijkt, er lijkt geen boos opzet in het spel. De politie daar heeft ook niet de tijd om de herkomst uit te pluizen van een beetje arsenigzuur, dat tenslotte niet zo moeilijk te verkrijgen is.'

'Hoe dan ook, het blijft merkwaardig dat de ex-vriendin met arsenigzuur zelfmoord pleegde. U doet het maar weer, meneer Kusanagi.' Kishitani klonk lichtjes opgewonden.

'Dat arsenigzuur is niet bij de politie bewaard, veronderstel ik?' zei Kusanagi.

'Ik heb dat nagevraagd, maar jammer genoeg ligt het er niet meer. 't Is ook al twee jaar geleden, hè', zei Mamiya. Hij keek alsof hij het ook echt jammer vond.

Als het er nog had gelegen, konden ze controleren of hetzelfde poeder bij de huidige zaak was gebruikt.

'Maar kregen de nabestaanden dan niets te horen over het gif?' vroeg Kusanagi.

'Hoe bedoel je?'

'Junko Tsukui's moeder zei dat het om een overdosis slaappillen ging. Ik vraag me af waarom.'

'Gewoon een misverstand, zeker.'

'Misschien, maar toch.'

Hij betwijfelde of ze zich zou vergissen in de toxische stof waarmee haar dochter zich het leven benam.

'Eerst kwam Utsumi aanzetten met dat idee, en nu dit erbij; zo beginnen we stukje bij beetje vordering te zien in het onderzoek', zei Kishitani.

Daar keek Kusanagi van op.

'Kwam Utsumi met een idee?'

'Blijkbaar heeft professor Galileo zijn wijsheid met haar gedeeld', antwoordde Mamiya. 'Hij zei haar de waterzuiveraar die bij de Mashiba's thuis op de waterleiding aangesloten zat nu een keer grondig te laten onderzoeken. Hoe noemde ze het ook weer, dat instituut?'

'SPring-8', zei Kishitani.

'Juist, daar. Professor Yukawa raadde haar aan er een extra test te vragen. Utsumi loopt wellicht al rond op het hoofdbureau om alle formaliteiten te regelen.'

SPring-8 bevond zich in de provincie Hyogo en was het grootste stralingsinstituut ter wereld. Zelfs bij minieme hoeveelheden materiaal konden ze er een analyse van de bestanddelen doen, en sinds de herfst van 1998 werd het ingeschakeld bij crimineel onderzoek. Ook bij de zaak met de vergiftigde curry deed men een beroep op hun expertise, en hun efficiëntie zorgde voor heel wat belangstelling.

'Denkt Yukawa dan dat het gif in de waterzuiveraar zat?'

'Volgens Utsumi wel.'

'Maar de wijze waarop het aangebracht is, was toch niet op te sporen ...' zei Kusanagi, waarna hij verschrikt opkeek.

'Wat is er?'

'Wel, ik zou hem eigenlijk straks nog zien. Hij liet doorschemeren dat hij de truc opgelost had, maar zou hij daarmee de wijze waarop het gif in de zuiveraar terechtkwam bedoelen ...?'

Mamiya knikte.

'Utsumi zei ook iets in die richting. Kennelijk heeft de professor het raadsel opgelost, zei ze. Maar hoe het precies zit, wilde hij haar niet zeggen. Het is weer hetzelfde liedje: de professor is helaas even eigengereid als verstandig.'

'Tegen mij lijkt hij evenmin van zins over de truc te praten.'

Mamiya grijnsde.

'Nou ja, tenslotte laten we hem gratis zijn medewerking verlenen. Hoe dan ook, hij roept je speciaal bij hem, dus zal hij wel de een of andere nuttige raad voor je hebben. Spits je oren maar.'

Toen Kusanagi bij de universiteit aankwam, was het even over acht uur. Hij had naar Yukawa gebeld maar geen verbinding gekregen. Even later probeerde hij het nogmaals en nadat het signaal een aantal keer was overgegaan, kreeg hij hem toch aan de lijn.

'Sorry. Ik had mijn telefoon niet gehoord.'

'Waar ben je? In het lab?'

'Nee, in de sporthal. Weet je nog waar die is?'

'Vanzelfsprekend.'

Hij beëindigde het gesprek en begaf zich op weg naar de hal. Links voorbij de hoofdpoort stond een grijs gebouw met een boogvormig dak. In zijn studententijd was Kusanagi daar vaker geweest dan in de collegezalen. Hij had er ook Yukawa voor het eerst ontmoet. Destijds waren ze allebei slank. Alleen Yukawa had zijn figuur behouden.

Toen hij naar de zaal ging, kwam er net een jongeman in trainingspak naar buiten. Hij had een badmintonracket bij zich. Hij zag Kusanagi en begroette hem met een knikje.

Binnen zag hij Yukawa zittend een windbreker aantrekken. Op het terrein hing een net gespannen. Hij was vast nog maar net opgehouden met trainen.

'Ik vond al dat universiteitsprofessoren vaak lang leefden en nu snap ik ook waarom. Ze kunnen de faciliteiten van de universiteit benutten als gratis privégym.'

Yukawa's gezicht verried geen enkele reactie op Kusanagi's sarcasme.

'Privé is een misvatting. Ik maak netjes een reservering. Ook je idee dat universiteitsprofessoren lang leven klopt niet. Eerst en vooral vergt het tijd en moeite om professor te worden. Als je, met andere woorden, niet gezond genoeg bent om lang te leven, kun je ook geen professor worden. Jij haalt oorzaak en gevolg door elkaar.'

Kusanagi kuchte droog, vouwde zijn armen voor zijn borst en keek neer op Yukawa.

'Waar wilde je over praten?'

'Ach, we hoeven ons toch niet te haasten? Wat denk je, nu je hier toch bent?' Yukawa strekte zijn hand uit naar twee rackets en reikte een ervan Kusanagi aan.

'Daarvoor ben ik niet hiernaartoe gekomen, hoor.'

'Veel tijd zou ik trouwens aan jou niet hoeven te verspillen. Het zou me verwonderen als je het lang volhoudt. Ik wilde het je al eerder zeggen, maar de afgelopen paar jaar is jouw taille, voorzichtig geschat, zo'n negen centimeter uitgezet. Een beetje rondlopen om inlichtingen in te winnen helpt dus niet om je conditie te verbeteren.'

'Dat had je niet mogen zeggen.' Kusanagi trok zijn jas uit en pakte het uitgestoken racket aan.

Het was langgeleden dat hij tegenover Yukawa aan het net had gestaan. Het gevoel van zo'n twintig jaar eerder kwam weer tot leven.

Maar het gevoel waarmee hij met zijn racket de shuttle hanteerde, kwam minder gewillig terug. Bovendien werd hij zich pijnlijk bewust van zijn fysieke achterstand. Zoals Yukawa had voorspeld, ging hij na amper tien minuten al hijgen en bewogen zijn benen niet meer.

Toen hij zag hoe Yukawa alle ruimte kreeg om het punt te beslissen met een flinke smash, ging Kusanagi op de vloer zitten.

'Word ik dan toch oud? In het armworstelen verlies ik anders niet eens tegen jongelui.'

'De snelle spieren, die je bij armworstelen en zo voornamelijk gebruikt, verzwakken ook wel met het ouder worden, maar met een beetje training herstellen ze meteen. De langzame spieren, die je uithoudingsvermogen ondersteunen, krijg je echter moeilijk terug zoals voorheen. Met je hart- en longfunctie is dat net zo. Ik raad je aan geregeld goed te sporten', zei Yukawa nuchter.

Zijn ademhaling was allerminst verstoord. De smeerlap, dacht Kusanagi.

Ze gingen met hun rug tegen de muur naast elkaar zitten. Yukawa haalde een drinkfles tevoorschijn en goot wat van de vloeistof in het dopje. Dat gaf hij aan Kusanagi. Hij proefde en het bleek een sportdrank. Hij smaakte lekker koel.

'Zo lijken we weer in onze studententijd te zijn, hè. Behalve dan dat ik een stuk minder bedreven ben.'

'Als je het niet regelmatig blijft doen, verzwakt je techniek net zoals je fysiek. Ik ben het blijven doen en jij niet. Dat is alles.'

'Moet dat een troost zijn?'

'Nee. Waarom zou ik je moeten troosten?' vroeg Yukawa verwonderd.

Toen hij dat zag, lachte Kusanagi wrang. Hij gaf het dopje van de fles terug aan Yukawa en keek toen weer serieus.

'Het gif zat dus in de waterzuiveraar?'

Yukawa knikte van ja.

'Ik zei het al aan de telefoon: bewijzen kan ik het nog niet. Maar het zou me verbazen als ik me vergis.'

'En daarom zei je tegen Utsumi dat ze de zuiveraar moest laten testen in SPring-8?'

'Ik schafte vier identieke zuiveraars aan, deed er arsenigzuur in en spoelde ze een paar keer uit met water, waarna ik testte of ik bestanddelen kon terugvinden. Hier aan de universiteit kon ik daarvoor een analysemethode toepassen op basis van inductief gekoppeld plasma.'

'Op basis van wat?'

'Laat maar, dat snap je toch niet. Weet gewoon dat het een erg geavanceerde analysemethode is. Ik probeerde dat dus uit met de vier zuiveraars en bij twee kon ik arseen detecteren, terwijl ik bij de andere twee geen uitsluitsel kreeg. Het materiaal waaruit die waterzuiveraars bestaan, heeft een speciale coating, waardoor zelfs minieme deeltjes zich erg moeilijk kunnen vasthechten. Bovendien bleek uit de navraag die ik Utsumi liet doen dat jullie forensische dienst voor de zuiveraar van de Mashiba's de analyse op basis van atomaire absorptie gebruikt had. Die heeft een iets lagere gevoeligheid dan de methode die ik toepaste. Daarom zei ik haar dus dat ze hem moest meenemen naar SPring-8.'

'Als je zo ver gaat, moet je absoluut zeker zijn van je zaak.'

'Absoluut zou ik niet zeggen. Maar het is de enig denkbare verklaring.'

'Tja, hoe is het dan in godsnaam in zijn werk gegaan? Volgens Utsumi had je die mogelijkheid toch al laten varen?'

Kusanagi's vraag deed Yukawa in stilzwijgen verzinken. Hij kneep met beide handen in zijn handdoek.

'Door die zogenoemde truc van jou? En die kun je me dus niet verklappen?'

'Ik zei het ook tegen Utsumi: ik mag jullie geen vooroordelen inprenten.'

'Of wij nu vooroordelen hebben of niet, heeft toch niets met de truc op zich te maken?'

'Dat heeft het maar al te zeer.' Yukawa keerde zich naar Kusanagi. 'Als de truc die ik in gedachten heb werkelijk gebruikt is, zijn er hoogstwaarschijnlijk nog sporen van te vinden. Dat ik zei de waterzuiveraar mee te nemen naar SPring-8, is dan ook om die sporen te vinden. Maar als er geen sporen gevonden worden, is dat nog geen bewijs dat de truc niet toegepast is. Dat is het bijzondere eraan, zie je.'

'Maar hoezo dan?'

'Stel dat ik jullie nu, in deze fase, vertel hoe de truc in elkaar zit. Als ze vervolgens die sporen vinden, des te beter. Maar wat als ze er geen vinden? Zouden jullie dan jullie denkwijze nog wel kunnen resetten? Zouden jullie niet krampachtig blijven vasthouden aan de truc?'

'Eh ... misschien wel. Er is namelijk ook geen bewijs dat de truc niet gebruikt is.'

'Daar heb ik dus een probleem mee.'

'Hoe bedoel je?'

'Ik wil niet dat de verdenking zich ondanks een gebrek aan bewijs toespitst op één specifieke persoon, dat bedoel ik. Maar één persoon in de hele wereld kon namelijk die truc voor elkaar krijgen.'

Kusanagi staarde naar Yukawa's ogen achter de brilleglazen.

'Mevrouw Mashiba?'

Yukawa knipoogde langzaam. Hij bevestigde het dus.

Kusanagi zuchtte langgerekt.

'Nou ja, maakt niet uit. Ik ga gewoon door met mijn onderzoek volgens de normale procedure. Eindelijk heb ik iets gevonden dat op een aanknopingspunt lijkt.'

'Een aanknopingspunt?'

'Ik heb de ex-vriendin van Yoshitaka Mashiba opgespoord. Ze heeft bovendien iets gemeen met deze zaak.'

Kusanagi legde uit dat Junko Tsukui zichzelf had vergiftigd met arsenigzuur. Hij vertrouwde erop dat Yukawa het niet verder zou vertellen.

'Wel wel, en dat was dus twee jaar geleden ...'

Yukawa tuurde in de verte.

'Jij lijkt rotsvast overtuigd van die truc, maar ik geloof dat ik net zo goed op het juiste spoor zit. Dit is geen simpel geval van een echtgenote die zich wreekt uit woede om het overspel van haar man. Volgens mij zit het iets ingewikkelder in elkaar.'

Yukawa keek Kusanagi in het gezicht en grijnsde toen plotseling breed.

'Doe niet zo raar. Denk je dat ik ernaast zit?'

'Nee, toch niet. Ik dacht gewoon: eigenlijk had ik je niet speciaal moeten laten komen.'

Toen Kusanagi niet-begrijpend zijn wenkbrauwen fronste, knikte Yukawa en hij ging verder.

'Dat is precies wat ik wilde zeggen. Deze zaak heeft diepere wortels dan je zou denken. Het draait niet alleen om wat vlak voor en na de moord gebeurde, het gaat veel, veel verder terug in het verleden. Je kunt dus maar beter alles natrekken. Wat je net vertelde over het opduiken van dat arsenigzuur, is bijvoorbeeld bijzonder interessant.'

'Ik snap het niet. Jij verdenkt toch mevrouw Mashiba? En toch denk je dat het verleden belangrijk is?'

'Ja. Uiterst belangrijk zelfs.' Yukawa pakte zijn racket en sporttas en stond op. 'Ik heb het koud gekregen. Laten we gaan.'

De twee liepen de sporthal uit. Bij de hoofdpoort bleef Yukawa staan.

'Ik ga terug naar het lab, en jij? Drink je nog een kop koffie?'

'Valt er nog iets anders te bespreken?'

'Nee, wat mij betreft niet.'

'Dan houd ik het hierbij. Ik ga terug naar het bureau. Ik heb nog dingen te doen.'

'Oké.' Yukawa draaide zich om en liep weg.

'Yukawa', riep Kusanagi hem achterna. 'Ze stuurde haar vader een jas die ze van patchwork maakte. Ter hoogte van het middel verwerkte ze er een kussen in. Als voorzorg voor wanneer hij zou uitglijden in de sneeuw en op zijn heup zou vallen.'

Yukawa keek om. 'Nou en?'

'Ze gaat niet onbezonnen te werk. Voor ze iets onderneemt, is ze in staat voor zichzelf uit te maken of ze daar goed aan doet. Zo iemand gaat niet over tot moord, gewoon omdat ze door haar echtgenoot bedrogen is.'

'De intuïtie van de speurneus?'

'Ik geef je gewoon mijn indruk. Maar jij denkt zeker net zoals Utsumi dat ik speciale gevoelens koester voor mevrouw Mashiba, hè?'

Yukawa sloeg even zijn ogen neer en keek toen opnieuw naar Kusanagi.

'Met speciale gevoelens is toch niets mis? Persoonlijk geloof ik niet dat jij zo zwak bent dat je je gevoelens in de weg zou laten staan van je professionele overtuiging. En dan nog iets.' Hij hield een wijsvinger omhoog en vervolgde: 'Je hebt beslist gelijk: ze is niet dwaas.'

'Verdenk je haar dan niet?'

Zonder nog te antwoorden stak Yukawa zijn hand op, keerde hem de rug toe en liep weg.

23

Na een keer diep ademhalen belde Kusanagi aan. Terwijl hij naar het bordje van ANNE'S HOUSE staarde, vroeg hij zichzelf af waarom hij zo nerveus was.

Zonder dat er eerst antwoord uit de intercom kwam, ging de deur open. Ayanes blanke gezicht verscheen. Ze schonk Kusanagi een zachte blik, als van een moeder aan haar zoon.

'Stipt op tijd', zei ze.

'O, is dat zo?' Kusanagi keek op zijn horloge. Het was precies twee uur. Hij had vooraf gebeld om mee te delen dat hij op dat uur graag even langs zou komen.

Ze deed de deur wijd open en nodigde hem uit om binnen te komen.

Toen Kusanagi de vorige keer in deze flat was, kwam hij Hiromi Wakayama verzoeken mee te gaan naar het politiebureau. Hij had toen niet zo aandachtig gekeken, maar het interieur maakte vandaag toch een andere indruk. De werktafel en de meubelen waren nog dezelfde, maar het geheel had iets van zijn fleurigheid verloren.

Toen hij op de hem aangeboden stoel ging zitten en om zich heen keek, schonk Ayane met een zuinig lachje twee kopjes thee uit een pot.

'Het is hier behoorlijk kaal geworden, vindt u ook niet? Het deed me beseffen dat er meer spullen van Hiromi lagen dan ik gedacht had.'

Kusanagi knikte zwijgend.

Hiromi Wakayama had naar verluidt zelf haar ontslag aangeboden. Toen hij dat hoorde, vond Kusanagi het alleen maar logisch. Een normale vrouw had dat meteen al gedaan, zodra haar overspelige relatie uitkwam.

Ayane had een dag eerder het hotel verlaten en logeerde nu in deze flat. Thuis wonen zag ze blijkbaar niet zitten. Ook dat gevoel kon Kusanagi begrijpen.

Ayane zette een van de theekopjes neer voor Kusanagi. Hij dankte haar.

'Ik ging vanochtend naar het huis', zei Ayane, terwijl ze tegenover Kusanagi plaatsnam.

'Bij u thuis, bedoelt u?'

Ze hield haar vingers tegen haar kopje en knikte.

'Om de bloemen water te geven. De arme stakkers waren helemaal verlept.'

Kusanagi fronste zijn voorhoofd.

'Het spijt me. Ik had de sleutel, maar ik vond niet de tijd om ze water te gaan geven ...'

Ayane zwaaide haastig met haar hand.

'Helemaal niet erg. Het was hoe dan ook veel te vrijpostig van me u zoiets te vragen. Het was geen verwijt, dus zit u er alstublieft niet over in.'

'Ik had beter moeten opletten. Vanaf nu zal ik eraan denken.'

'Nee, u hoeft echt geen moeite te doen. Ik ben van plan ze voortaan iedere dag zelf water te gaan geven.'

'O ja? Het spijt me dat ik niet van meer nut kon zijn. Tja, dan kan ik maar beter meteen ook de huissleutel teruggeven.'

Ayane hield haar hoofd schuin, alsof ze twijfelde, en keek Kusanagi toen in de ogen.

'Heeft de politie niets meer te onderzoeken bij me thuis?'

'Nou, dat valt nog niet te ...'

'Houdt u hem dan maar. Dan hoef ik zelf niet speciaal te komen als er toch nog iets is.'

'Oké. Ik zal er goed zorg voor dragen.' Kusanagi tikte tegen de linkerkant van zijn borst. Daar zat de sleutel van de Mashiba's in zijn jaszak.

'Nu ik eraan denk, die gieter, komt die toevallig van u?' vroeg Ayane.

Kusanagi, die net het kopje thee naar zijn mond bracht, legde zijn vrije hand op zijn hoofd.

'Dat ding dat u vroeger gebruikte, het lege blik met de gaatjes erin, vond ik ook niet slecht, maar ik dacht zo dat een gieter misschien toch handiger was ... Had ik het beter niet kunnen doen?'

Ayane schudde haar hoofd, een lach op haar gezicht.

'Ik wist niet eens dat er zulke grote gieters bestaan. Toen ik hem een keertje probeerde, bleek het heel praktisch. Ik had er al veel eerder zo een moeten hebben, dacht ik. Dankuwel.'

'Dat is dan een geruststelling. Ik was al bang dat u gehecht was aan dat lege blik.'

'Gehecht aan zoiets? Nee hoor. U hebt het weggegooid, neem ik aan?'

'Eh ... mocht dat niet?'

'Natuurlijk wel. Bedankt voor de moeite.'

Ayane boog lachend haar hoofd. Net op dat moment begon op een plank de telefoon te rinkelen. Ze verontschuldigde zich, stond op en pakte de hoorn.

'Hallo, met Anne's House ... O, mevrouw Ota ... Hè? ... Ja ... Ach zo?'

Ayane had nog steeds een lach op haar gezicht, maar Kusanagi zag ook hoe haar kaken heel geleidelijk verstijfden. Tegen dat ze ophing, was haar blik al helemaal somber.

'Sorry daarvoor', zei Ayane en ze ging weer op haar stoel zitten.

'Is er iets gebeurd?' vroeg Kusanagi.

Ayanes ogen kregen een zweem van eenzaamheid.

'Het was een leerling van de patchworkstudio. Door omstandigheden thuis kan ze niet langer deelnemen. Ze kwam hier al meer dan drie jaar.'

'Is dat zo? Tja, het huishouden en lessen volgen, het zal wel lastig te combineren zijn.'

Ayane ontspande haar lippen.

'Sinds gisteren krijg ik het ene telefoontje na het andere van mensen die ermee willen stoppen. Dit was al het vijfde.'

'Door de moordzaak?'

'Dat speelt ook wel, denk ik, maar het is waarschijnlijk toch voornamelijk het ontslag van Hiromi. Het hele afgelopen jaar heeft zij de cursussen op zich genomen en in feite zijn het dus allemaal haar leerlingen.'

'Als de lesgeefster ermee ophoudt, houden ze er zelf ook maar mee op dus?'

'Zo ver gaat de solidariteit wellicht niet, maar ik vermoed dat ze aanvoelden dat de sfeer niet meer was wat hij geweest is. Vrouwen zijn vatbaar voor dat soort dingen.'

'Hm ...' reageerde Kusanagi vaag, maar hij kon dit moeilijk begrijpen. Was het aanleren van Ayanes techniek dan niet de reden dat ze naar deze studio kwamen? Waren ze als leerlingen niet blij nu rechtstreeks begeleiding van de meesteres zelf te kunnen krijgen?

Het gezicht van Kaoru Utsumi kwam hem voor de geest. Zij zou zoiets mogelijk wel snappen.

'Wie weet houden er nog meer mensen mee op. Dit soort dingen brengt toch vaak een soort kettingreactie teweeg? Misschien kan ik net zo goed een poosje sluiten.' Ayane liet haar kin op haar handen rusten, waarna ze abrupt haar rug rechtte. 'Neem me niet kwalijk. Dat is natuurlijk niet uw probleem.'

Door haar strakke blik sloeg Kusanagi onwillekeurig zijn ogen neer.

'In de gegeven omstandigheden kan ik me voorstellen dat u moeilijk rust kunt vinden. Ik zal alles doen wat in mijn macht ligt om deze zaak zo vlug mogelijk op te lossen. Waarom doet u het in de tussentijd dus inderdaad niet wat kalmer aan?'

'U hebt gelijk. Misschien moet ik er maar een keer alleen op uit trekken, om mijn zinnen te verzetten.'

'Dat lijkt me een goed idee.'

'Ik heb al lang geen echte reis meer gemaakt. Terwijl ik vroeger zelfs in m'n eentje naar het buitenland ging.'

'Nu u het zegt, u studeerde toch in Engeland?'

'Dat hebt u van mijn ouders gehoord, nietwaar? Ja, in een ver verleden.' Ayane liet haar hoofd hangen en keek toen meteen weer op. 'Dat is waar ook. Ik had graag dat u me bij iets helpt, meneer Kusanagi, als u geen bezwaar hebt.'

'Wat kan ik voor u doen?' Kusanagi, die net van zijn thee dronk, zette het kopje op tafel.

'Het is die muur hier. Hij lijkt zo levenloos zonder iets eraan, vindt u niet?'

Ayane keek naar de muur naast haar. Die droeg inderdaad geen enkele versiering. Tot voor kort hing er schijnbaar wel iets, want er was een rechthoekige omtrek zichtbaar.

'Er hing een wandtapijt. Maar dat had Hiromi gemaakt en ik heb het aan haar gegeven. Daardoor voelt het nu zo leeg aan, en dus dacht ik erover er iets anders te hangen.'

'O, oké. En weet u al wat?'

'Ja. Ik heb het vandaag meegebracht van huis.'

Ayane stond op en ging naar een hoek van de kamer, waar ze een papieren tas pakte. Er leek een doek of zo in te zitten, want hij stond bol.

'Wat is dat?' vroeg Kusanagi.

'Het is de tapisserie uit de slaapkamer. Daar hing die nu niets meer te doen.'

'Dat begrijp ik.' Kusanagi kwam overeind. 'Nou, laten we het dan maar vlug ophangen.'

'Goed', antwoordde Ayane en ze begon het tapijt uit de tas te halen. Maar ze hield zich meteen weer in.

'O, maar eerst moet ik nog uw vragen beantwoorden. Daarvoor bent u tenslotte hier.'

'Ach, dat kan wachten tot we het opgehangen hebben.'

Ayane schudde met een ernstig gezicht haar hoofd.

'Dat zou niet netjes zijn. U bent hier voor uw werk, dus dat heeft voorrang.'

Kusanagi grijnsde en knikte. Hij haalde zijn notitieboekje tevoorschijn uit zijn binnenzak. Toen hij haar vervolgens aankeek, was zijn mond strakgespannen.

'Goed, dan ben ik zo vrij u een paar vragen te stellen. Ik ben bang dat het geen aangenaam onderwerp is voor u, maar het is voor het onderzoek, dus vergeeft u me.'

'Oké', antwoordde Ayane.

'Ik kon de naam achterhalen van de vrouw met wie uw echtgenoot een relatie had voor hij u leerde kennen. Ze heet Junko Tsukui. Zegt die naam u iets?'

'Junko wie?'

'Junko Tsukui. Je schrijft het zo.' Kusanagi liet Ayane de naam zien die in zijn notitieboekje gekrabbeld stond.

Ayane keek Kusanagi recht aan. 'Het is de eerste keer dat ik die naam hoor', antwoordde ze.

'Hoorde u dan uw man ooit iets zeggen over een auteur van prentenboeken? Het kleinste detail kan helpen.'

'Een auteur van prentenboeken?' Ze fronste haar wenkbrauwen en boog haar hoofd opzij.

'Junko Tsukui tekende prentenboeken. Daarom dacht ik dat uw man zich mogelijk een keer had laten ontvallen dat hij vroeger zo iemand kende.'

Ayane keek schuin naar de grond en nam een slok thee.

'Het spijt me, maar ik herinner me niet dat mijn man het ooit had over prentenboeken of over auteurs ervan. Als dat zo was, zou het me vast bijgebleven zijn. Die wereld was namelijk wel heel ver van zijn bed.'

'Oké. Niets aan te doen dan.'

'Eh ... Heeft die vrouw iets met de zaak te maken?' vroeg Ayane op haar beurt.

'Dat weet ik nog niet. Ik ben het nu aan het uitzoeken.'

'O?' Ze sloeg haar blik neer. Toen ze met haar ogen knipperde, trilden haar lange wimpers.

'Mag ik u nog één ding vragen? Misschien hoor ik die vraag niet aan u te stellen, maar omdat beide betrokkenen niet meer onder ons zijn ...'

'Beide betrokkenen?'

'Ja. U moet weten: mevrouw Tsukui is ook overleden. Twee jaar geleden al.'

'Hè?' Ayane sperde haar ogen open.

'Daarom dus mijn vraag aan u. Zoals u ook kunt opmaken uit de moeite die we moesten doen om haar op te sporen, zijn er aanwijzingen dat uw man zijn relatie met Junko Tsukui verborgen hield voor zijn omgeving. Waarom, denkt u? Deed hij dat destijds ook toen hij pas met u samen was?'

Ayane klemde beide handen om haar theekopje en dacht even na. Toen ze antwoordde, hield ze haar gezicht nog steeds opzij gedraaid.

'Mijn man heeft zijn relatie met mij nooit verborgen gehouden. Op het moment dat we elkaar leerden kennen was hij immers vergezeld van zijn beste vriend, meneer Ikai.'

'Ja, dat is waar.'

'Maar als meneer Ikai er toen niet bij geweest was, had hij er misschien wel voor gezorgd dat zo min mogelijk mensen van mijn bestaan wisten.'

'Waarom?'

'Wel, zolang men het niet wist, hoefde hij ook geen commentaar te vrezen van zijn omgeving als we uit elkaar gingen.'

'Ging hij er al bij voorbaat van uit dat jullie uit elkaar zouden gaan?'

'Ik denk dat je beter kunt stellen dat hij altijd rekening hield met de mogelijkheid dat zijn partner geen kinderen kon krijgen. Het was zijn principe in zo'n geval prompt de relatie af te breken, en voor hem was het ideale huwelijk dus een zogenaamd moetje.'

'Een kind was dus toch zijn enige doel? Maar met u trouwde hij uiteindelijk wel, ook al was u niet zwanger.'

Toen Kusanagi dat zei, glimlachte Ayane veelbetekenend. Haar ogen kregen een samenzweerderige glinstering, die hij er nooit eerder in had opgemerkt.

'De reden is simpel: ik weigerde het zo te doen. Tot we officieel getrouwd waren, vroeg ik hem netjes condooms te gebruiken.'

'Vandaar dus. Maar zou uw man bij Junko Tsukui dan geen bescherming gebruikt hebben?' Hij vond de vraag nogal cru, maar gooide hem er toch maar uit.

'Ik vermoed van niet. Daarom is die vrouw allicht ook aan de kant geschoven.'

'Aan de kant geschoven?'

'Zo was hij nu eenmaal.' Ze lachte, alsof ze het over iets grappigs had.

Kusanagi deed zijn notitieboekje dicht.

'Begrepen. Dank u zeer.'

'Weet u genoeg?'

'Dit volstaat, ja. Het spijt me van de onprettige vragen.'

'Geen probleem. Ik heb ook andere mannen gekend dan mijn echtgenoot, weet u.'

'Dat kan ik me voorstellen', zei Kusanagi gemeend. 'Goed, zal ik u dan helpen bij het ophangen van dat wandtapijt?'

'Oké', antwoordde Ayane en ze pakte de papieren tas van zoeven. Ze liet die echter onmiddellijk weer los, alsof ze zich had bedacht.

'Ik laat het toch maar zo vandaag. Ik heb deze muur nog niet eens afgeveegd, besef ik nu. Ik zal het zelf wel ophangen als de muur weer schoon is.'

'Weet u het zeker? Het zal hier beslist mooi tot zijn recht komen. Als u een helpende hand kunt gebruiken, hoor ik het graag.'

'Dankuwel', zei Ayane en ze boog haar hoofd.

Nadat hij Anne's House had verlaten, herkauwde Kusanagi in zijn hoofd de vragen die hij had gesteld. En hij ging na of hij passend had gereageerd op Ayanes antwoorden.

'Persoonlijk geloof ik niet dat jij zo zwak bent dat je je gevoelens in de weg zou laten staan van je professionele overtuiging.'

Yukawa's woorden echoden in zijn achterhoofd.

24

Er klonk een aankondiging dat ze over een paar ogenblikken op het station Hiroshima zouden aankomen. Kaoru haalde de koptelefoon van haar iPod van haar oren en terwijl ze hem wegstopte in haar tas, stond ze op van haar zitplaats.

Toen ze in de ruimte bij de deuren kwam, controleerde ze het adres dat ze in haar notitieboekje had opgeschreven. Het ouderlijk huis van Junko Tsukui stond in Takayacho, een deel van de gemeente Higashi-Hiroshima. Het dichtstbijzijnde station was Nishi-Takaya. Kaoru had al gebeld om te zeggen dat ze vandaag langs zou komen. Junko's moeder, Yoko Tsukui, klonk een beetje in de war toen ze dat telefoontje kreeg. Waarschijnlijk omdat Kusanagi haar ook al vragen had gesteld over Junko's zelfmoord. Ze vroeg zich vast af waarom onderzoekers van de hoofdstedelijke politie daar na al die tijd zo ineens interesse voor hadden.

Aangekomen op het HST-station kocht ze bij een kiosk een flesje mineraalwater en stapte over op de lokale Sanyo Hoofdlijn. Nishi-Sakaya was de negende halte en het zou zo'n veertig minuten duren. Kaoru pakte opnieuw de iPod uit haar tas. Terwijl ze naar een liedje van Masaharu Fukuyama* luisterde, dronk ze van het water uit het petflesje. Volgens het etiket was het zacht water. Yukawa had haar verteld voor welke gerechten dat geschikt was, maar ze was het glad vergeten.

Water dus ...

Yukawa leek ervan overtuigd dat het arsenigzuur in de waterzuiveraar had gezeten. Maar ondanks die overtuiging wilde hij de truc niet verklappen, niet aan haar en ook niet aan Kusanagi. Volgens Kusanagi 'omdat het onmogelijk te bewijzen viel dat die truc niet gebruikt was'. Yukawa was bang dat zijn redenering tot valse beschuldigingen zou leiden.

Wat voor truc had hij in godsnaam verzonnen? Kaoru probeerde zich een aantal eerdere uitspraken van Yukawa voor de geest te halen.

'Theoretisch is het denkbaar, maar praktisch onhaalbaar.' ... Die woorden had hij uitgesproken toen hij voor het eerst zei dat hij iets had bedacht. Later, toen Kaoru hem de bevindingen meedeelde van wat ze op zijn orders had onderzocht, had hij ook gezegd: 'Dat is absoluut onmogelijk.'

Als je die uitspraken letterlijk nam, kwam de truc die Yukawa in gedachten had haar behoorlijk onrealistisch voor. Maar tegelijk achtte hijzelf de kans groot dat hij was uitgevoerd.

Wat de truc inhield, had Yukawa haar dus niet willen vertellen, maar hij had Kaoru wel een aantal instructies gegeven. Eerst had hij haar gezegd de waterzuiveraar een keer grondig te laten nakijken om te zien of er niets verdachts aan was. Hij had ook gezegd dat ze hem voor het testen op toxische stoffen het beste mee kon nemen naar SPring-8. En bovendien moest ze het serienummer van de zuiveraar natrekken.

De resultaten van SPring-8 waren nog niet binnen, maar de andere zaken had ze al aan Yukawa doorgegeven. De forensische dienst was van oordeel dat er aan de waterzuiveraar bij de Mashiba's thuis niets ongewoons was. De filter was ongeveer een jaar geleden voor het laatst vervangen en bevatte een normale hoeveelheid vuil voor zo'n periode. Ze vonden ook geen teken dat het apparaat ergens was aangepast. En het serienummer was echt.

Toen hij dat hoorde, was Yukawa's antwoord: 'Oké, bedankt.' Daar moest Kaoru het mee doen, want hij verbrak meteen de verbinding.

Hij had haar tenminste een hint kunnen geven, mopperde ze in zichzelf, maar ze besefte ook dat zoiets bij die fysicus ijdele hoop was.

Kaoru maakte zich veeleer zorgen om wat Kusanagi te horen gekregen had. Blijkbaar had Yukawa hem de raad gegeven niet zozeer te onderzoeken wat vlak voor en na de moord gebeurde, maar alles wat verder terugging in het verleden. En hij toonde vooral een sterke belangstelling voor het feit dat Junko Tsukui zich van het leven beroofde met arsenigzuur.

Wat zat daar achter, vroeg ze zich af. Dacht Yukawa dan niet dat Ayane Mashiba de dader was? Als zij de moord pleegde, zou het moeten volstaan alleen te onderzoeken wat vlak ervoor en erna gebeurde. En ook al speelde er de een of andere vete uit het verleden mee, Yukawa was er de man niet naar voor zoiets belangstelling te tonen.

Zonder dat ze het had beseft was het album van Masaharu Fukuyama ten einde gekomen en er speelde nu een liedje van een andere zanger op haar iPod. Terwijl ze zich de titel probeerde te herinneren, kwam de trein aan op het station Nishi-Takaya.

Het huis van de Tsukui's stond op zo'n vijf minuten lopen van het station. Het stond tegen een helling aan en onmiddellijk erachter drong zich een dicht woud op. Het was een woning in westerse stijl met een onder- en bovenverdieping. Kaoru vroeg zich af of het niet te groot was voor een vrouw alleen. Aan de telefoon had ze vernomen dat Junko Tsukui's vader overleden was en dat haar oudere broer na zijn huwelijk verhuisd was naar het centrum van Hiroshima.

Toen ze op de knop van de intercom drukte, antwoordde de stem die ze eerder aan de lijn had gehad. Wellicht doordat Kaoru vooraf het tijdstip van haar bezoek had laten weten, klonk de vrouw ditmaal niet in de war.

Yoko Tsukui was een magere vrouw, zo te zien midden zestig. Toen ze merkte dat Kaoru alleen was, was ze zichtbaar opgelucht. Misschien had ze zich voorgesteld dat ze in het gezelschap zou zijn van een ruige mannelijke collega.

Van buiten zag het huis er dan wel westers uit, binnen had het traditionele Japanse kamers. Ook die waarin Kaoru werd uitgenodigd had tatami en was zo'n twintig matten groot. In het midden stond een grote lage eettafel. Naast de *tokonoma** was een boeddhistisch huisaltaar geplaatst.

'Bedankt dat u helemaal hiernaartoe gekomen bent', zei Yoko, terwijl ze heet water uit een thermosfles in de theepot goot.

'Nee, u wordt bedankt. Het moet vreemd voelen na al die tijd vragen te krijgen over Junko.'

'Dat wel, ja. Voor mezelf had ik dat alles in zekere zin al afgesloten. Alstublieft.'

Ze zette een kop thee voor Kaoru neer.

'Volgens het dossier wist u destijds niet wat nu precies tot haar zelfdoding geleid had. Is dat nog steeds zo?'

Bij die vraag boog Yoko met een flauwe glimlach haar hoofd opzij.

'Er was geen enkele concrete aanwijzing, ziet u. Ook de mensen met wie ze omging hadden geen idee. Uiteindelijk zal het wel de eenzaamheid geweest zijn. Zo denk ik er nu over, althans.'

'Ze was eenzaam?'

'Ze tekende graag en ging naar Tokio om auteur van prentenboeken te worden, zo zei ze, maar dat meisje was van nature te bescheiden en te braaf. Ze was niet gewend aan het leven in de grote stad en zo kreeg ze als auteur ook maar moeilijk voet aan de grond. Ze had het vast op allerlei vlak erg moeilijk. Ze was al vierendertig en ze zal zich dus ook wel ongerust gevoeld hebben over de toekomst. Als ze met iemand had kunnen praten, was het misschien anders gelopen.'

Yoko bleek dus nog altijd niet te weten dat haar dochter een relatie had.

'Vlak voor ze overleed, is Junko naar het schijnt nog hier geweest.' Ze controleerde iets wat in het rapport van toen stond.

'Dat klopt. Ik merkte wel dat ze niet zo goed in haar vel zat, maar dat ze dacht aan doodgaan, dat had ik ...' Yoko knipperde met haar ogen. Waarschijnlijk vocht ze tegen de tranen.

'Jullie hadden dus een normale conversatie met elkaar?'

'Ja. Toen ik haar vroeg of alles goed ging, antwoordde ze van ja.' Yoko liet haar kin op haar borst rusten.

Kaoru zag het gezicht van haar eigen moeder voor zich. Ze probeerde zich in te denken hoe zij met haar zou omgaan als ze, vastbesloten er een einde aan te maken, terugging om een laatste keer dat gezicht te zien. Ze had het gevoel dat ze haar niet recht in de ogen zou kunnen kijken, maar anderzijds was het niet uit te sluiten dat ze zich, net als Junko, zou gedragen als altijd.

'Eh ...' Yoko hief haar hoofd weer op. 'Is er eigenlijk iets aan de hand met Junko's zelfmoord?'

Dat was allicht wat haar het zwaarste woog. Maar op dit moment mocht Kaoru haar geen details geven over de inhoud van het onderzoek.

'Er is mogelijk sprake van een verband met een andere zaak. Maar dat is lang nog niet bewezen. Ik stel deze vragen dus louter ter informatie, voor het geval dat. Meer hoeft u er niet achter te zoeken.'

'Hm, zo zit het dus?' Yoko leek nog geen genoegen te nemen met die uitleg.

'In feite gaat het om het gif.'

Bij die woorden schoten Yoko's wenkbrauwen met een ruk omhoog.

'Het gif, zegt u?'

'Junko benam zich het leven door gif in te nemen. Weet u nog welk gif dat was?'

Yoko keek haar onthutst aan en gaf geen antwoord. Ze zal het vergeten zijn, interpreteerde Kaoru dat. 'Het was arsenigzuur', zei ze dus maar. 'Onlangs, toen mijn collega Kusanagi u om inlichtingen vroeg, antwoordde u dat ze een overdosis slaappillen nam, maar volgens het dossier ging het om een vergiftigingsdood door middel van arsenigzuur. Wist u dat dan niet?'

'O ... Dat, eh ...' Om de een of andere reden stond er paniek te lezen op Yoko's gezicht. Stamelend vervolgde ze: 'Is dat, eh, een probleem? Dat ik zomaar zei dat het slaappillen waren, is dat ...?'

Wat vreemd, dacht Kaoru.

'U wist dat het geen slaappillen waren, maar toch zei u dat?'

Yoko trok een gepijnigde grimas en zei toen met een klein stemmetje dat het haar speet. 'Ik dacht: gedane zaken nemen toch geen keer en hoe ze zelfmoord pleegde heeft niet zo veel belang, dus gaf ik dat maar als antwoord.'

'U wilde liever verzwijgen dat ze arsenigzuur innam?'

Yoko zweeg. Kaoru leidde daaruit af dat er meer achter zat.

'Mevrouw Tsukui?'

'Vergeef me.' Plotseling schoof Yoko op haar knieën achteruit en ze zette haar handen op de tatami. In die houding boog ze haar hoofd. 'Het spijt me echt. Maar ik kon het op dat moment niet toegeven ...'

Kaoru was in verlegenheid gebracht door deze onverwachte reactie.

'Kijk me aan, alstublieft. Wat bedoelt u nu eigenlijk? Weet u iets meer?'

Yoko hief langzaam haar hoofd op. Ze knipperde heftig met haar ogen.

'Dat arseen, dat lag bij ons thuis.'

'Hè?' ontsnapte Kaoru een kreet. 'Maar in het rapport staat dat de herkomst onduidelijk was.'

'Ik heb het verzwegen. Een rechercheur vroeg me toen wel degelijk of ik enig idee had waar dat arseen – of nee, arsenigzuur was het? – vandaan kwam. Maar ik kreeg het niet over mijn lippen dat ze het van hier meegenomen had, en dus antwoordde ik maar dat ik het niet wist. En omdat ze niet verder aandrongen, is het daarbij gebleven ... Het spijt me echt.'

'Wacht even, alstublieft. Het is dus zeker dat het arsenigzuur bij u vandaan kwam?'

'Het kan bijna niet anders. Toen mijn man nog leefde, haalde hij het bij een kennis, om muizen te verdelgen. Het lag in het schuurtje.'

'Controleerde u of Junko het meegenomen had?'

Yoko knikte.

'Nadat de rechercheur me vroeg naar dat arsenigzuur, doorzocht ik het berghok. Daar had een zakje moeten liggen, maar het was weg. Toen besefte ik dat ze om die reden naar huis gekomen was.'

Van verbazing had Kaoru vergeten notities te maken. Vlug

liet ze haar pen over het blad van haar boekje gaan.

'Het viel me heel moeilijk openlijk toe te geven dat ze speciaal naar huis gekomen was om dat gif te halen en dat ik niet eens gemerkt had dat ze zelfmoordplannen had. Vandaar die leugen ... Als ik daardoor iemand last bezorgd heb, kan ik niet genoeg mijn spijt betuigen. Ik ben bereid bij wie u maar wilt persoonlijk mijn excuses te gaan aanbieden.' Yoko boog herhaaldelijk haar hoofd.

'Zou u me dat schuurtje kunnen laten zien?' zei Kaoru.

'Het schuurtje? Dat kan, ja.'

'Als u wilt', zei Kaoru en ze stond op.

Het schuurtje stond in een hoek van de achtertuin. Het was een eenvoudige stalen constructie en binnen was er zo'n drie vierkante meter vrije ruimte over. Naast kartonnen dozen stonden er wat oude meubelstukken en elektrische apparaten in gestouwd. Zodra ze er een voet binnen zette, rook Kaoru de schimmel en het stof.

'Waar lag het arsenigzuur?' vroeg ze.

'Daar moet het geweest zijn.' Yoko wees naar een leeg blik dat op een bestofte plank stond. 'Als ik me goed herinner, zat daarin het plastic zakje met arsenigzuur.'

'Hoeveel nam Junko mee?'

'Het hele zakje was weg. Het was dus zoiets, neem ik aan.'

Yoko hield haar handen samen, alsof ze iets op wilde scheppen.

'Dat is behoorlijk veel', zei Kaoru.

'Ja. Ik denk dat er genoeg was om een rijstkom te vullen.'

'Om zelfmoord te plegen is niet zo veel nodig. Toch vermeldt het dossier niet dat in haar kamer een dergelijke hoeveelheid arsenigzuur aangetroffen is.'

Yoko draaide haar hals.

'Dat klopt. Ik vroeg me dat ook al af ... Junko zal het weggegooid hebben, zeker?'

Nee, dacht Kaoru. Zich ontdoen van overtollig gif, daar is een zelfmoordenaar niet mee bezig.

‘Gebruikt u dit schuurtje regelmatig?’

‘Nee, tegenwoordig bijna nooit meer. Het is langgeleden dat ik het opendeed.’

‘Kan het op slot?’

‘Op slot? Ja, er ligt ergens wel een sleutel.’

‘Sluit u het dan vanaf vandaag af, alstublieft. Misschien laten we het later nog doorzoeken.’

Yoko zette grote ogen op. ‘Dit schuurtje?’

‘We zullen zorgen dat u er zo weinig mogelijk last van ondervindt’, verzekerde Kaoru haar, en tegelijk voelde ze een lichte opwinding. De herkomst van het arsenigzuur dat was gebruikt voor de moord op Yoshitaka Mashiba was nog steeds onduidelijk. Maar als de bestanddelen overeenstemden met die van het gif dat Junko van hier had meegenomen, zou dat het onderzoek een heel andere wending geven.

Maar het bleef een feit dat ze dat gif niet in haar bezit had, en dus kon ze alleen hopen dat er in dit schuurtje nog deeltjes arsenigzuur op te sporen waren. Ze nam zich voor terug in Tokio meteen met Mamiya te overleggen.

‘Tussen haakjes: u kreeg naar het schijnt een afscheidsbrief van Junko. Met de post.’

‘O ... Ja, dat is waar.’

‘Kunt u me die laten zien?’

Yoko leek even na te denken en knikte toen. ‘Goed.’

Ze liepen weer naar binnen. Ditmaal werd Kaoru naar Junko’s oude kamer gebracht. Dat was een westerse kamer van ongeveer drie meter bij vier. Het bed en het bureau stonden er nog.

‘Ik bewaar al haar spullen hier samen in deze kamer. Vroeg of laat zal ik het een en ander moeten opruimen, maar ja ...’ Yoko trok een la van het bureau open en pakte er de envelop uit die helemaal bovenaan lag.

‘Deze is het.’

‘Mag ik even?’ zei Kaoru en ze pakte hem aan.

De inhoud verschilde niet veel van wat ze van Kusanagi had gehoord. Over het motief voor Junko’s zelfmoord stond er dus niets concreets. Ze liet alleen weten dat niets haar nog bond aan deze wereld.

'Ik vraag me af of ik niets had kunnen doen. Als ik niet zo onoplettend geweest was, had ik haar leed misschien opgemerkt.' Yoko's stem trilde.

Kaoru wist niet wat ze moest zeggen en wilde de afscheidsbrief weer in de la leggen. Daar zag ze nog een aantal poststukken liggen.

'Wat zijn dit?'

'Brieven van haar. Omdat ik niet e-mail, stuurde ze me er af en toe een, om te laten weten hoe het met haar ging.'

'Mag ik eens kijken?'

'Ja, ga uw gang. Ik zal u wat thee brengen', zei Yoko en ze ging de kamer uit.

Kaoru trok een stoel naar zich toe, ging zitten en begon de brieven door te nemen. Inhoudelijk beperkten die zich bijna uitsluitend tot mededelingen over wat voor prentenboek ze nu tekende, of wat voor werk ze ditmaal zou doen. Over het bestaan van een vriend of andere persoonlijke relaties repte ze met geen woord.

Toen ze de hoop iets nuttigs te vinden al begon op te geven, viel Kaoru's oog op een ansichtkaart. Er stond een rode dubbeldekker op. Toen ze de met blauwe pen geschreven tekst las, moest ze even slikken. De inhoud luidde als volgt: 'Alles goed daar? Ik ben nu in Londen. Ik ben hier bevriend geraakt met een ander Japans meisje. Ze is afkomstig van Hokkaido en studeert hier. Morgen zal ze me rondleiden in de stad.'

25

'Volgens Yoko Tsukui nam Junko na haar universitaire studies een baan aan, maar drie jaar later gaf ze die op en ging ze twee jaar tekenlessen volgen in Parijs. De ansichtkaart is in die tijd verstuurd.'

Starend naar Kaoru Utsumi's ratelende mond kreeg Kusanagi een naar gevoel. Hij moest toegeven dat hij in een hoekje van zijn geest haar ontdekking niet erg op prijs stelde.

Mamiya liet zijn lijf tegen de leuning van zijn stoel rusten en vouwde zijn dikke armen voor zijn borst.

'Je wilt dus zeggen dat Junko Tsukui en Ayane Mashiba vriendinnen waren?'

'Daar lijkt het toch sterk op. De poststempel op de kaart stemt overeen met de periode waarin mevrouw Mashiba in Londen studeerde. Bovendien is ze afkomstig van Hokkaido. Dat kan volgens mij geen toeval zijn.'

'Ik vraag het me af', zei Kusanagi. 'Volgens mij kan het best toevallig zijn. Hoeveel Japanners studeren er niet in Londen, denk je? Met honderd of tweehonderd ben je er niet, hoor.'

'Nou, nou.' Mamiya wuifde met zijn hand om de gemoederen te bedaren. 'Stel nu dat de twee vriendinnen waren, welk verband zie je dan met deze zaak?' vroeg de chef aan Kaoru Utsumi.

'Momenteel blijft het nog gissen, maar mogelijk kwam de rest van het arsenigzuur dat Junko Tsukui voor haar zelfmoord gebruikte in handen van mevrouw Mashiba.'

'Daarover vraag ik morgen zo vlug mogelijk het advies van onze forensische dienst. Al weet ik niet of ze dat kunnen nagaan. Maar Utsumi, als je redenering klopt, betekent dat wel dat mevrouw Mashiba trouwde met de ex van haar vriendin die zelfmoord pleegde.'

'Dat is zo, ja.'

'Vind je dat niet eigenaardig?'

'Nee.'

'Hoezo?'

'Heel wat vrouwen beginnen iets met de ex van een vriendin. Ik ken er zelf zulke. Sommigen beweren zelfs dat het een voordeel heeft, want door alle informatie die ze van hun vriendin over hem kregen, weten ze al wat voor vlees ze in de kuip hebben.'

'Ook als die vriendin zelfmoord pleegde?' kwam Kusanagi ertussen. 'De oorzaak van haar wanhoopsdaad lag misschien wel bij die man!'

'Je zegt het: misschien. Daarom staat het nog niet vast.'

'Je vergeet iets belangrijks. Meneer en mevrouw Mashiba leerden elkaar op een feestje kennen. Je gaat me dus vertellen dat ze daar stomtoevallig de ex van haar vriendin tegenkwam?'

'Voor twee vrijgezellen is dat niet zo ongewoon.'

'En even toevallig beginnen ze een liefdesrelatie? Dat lijkt me wat te veel van het goede.'

'Wie weet was het allemaal niet zo toevallig.'

'Hoe bedoel je?' vroeg Kusanagi.

Kaoru Utsumi staarde hem aan.

'Wie weet had ze vanaf het begin een oogje op meneer Mashiba. Misschien voelde ze zich al tot hem aangetrokken in de tijd dat Junko Tsukui met hem een relatie had, en zag ze Junko's zelfmoord als een kans om dichter bij hem te komen. Het zou dus kunnen dat hun ontmoeting op het feestje geen samenloop van omstandigheden was.'

'Wat een onzin.' Kusanagi spuwde de woorden eruit. 'Dat soort vrouw is ze niet.'

'Tja, wat voor vrouw is ze dan? Wat weet u dan van haar, meneer Kusanagi?'

'Genoeg!' Mamiya sprong op. 'Utsumi, ik geef toe: je hebt een goede intuïtie, maar je laat je verbeelding een beetje te veel de vrije loop. Wacht daar maar mee tot we meer materieel bewijs hebben. En jij, Kusanagi, luister eerst eens naar de mensen, zonder op alles en nog wat te vitten. Soms ga je tijdens het uitwisselen van verschillende meningen de waarheid zien. Normaal ben je toch een goede luisteraar? Zo ken ik je eigenlijk niet.'

Kaoru Utsumi boog haar hoofd en verontschuldigde zich. Kusanagi knikte stilzwijgend.

Mamiya ging weer op zijn stoel zitten.

'Wat Utsumi zegt is interessant, maar helaas niet echt onderbouwd. En als mevrouw Mashiba de dader is, kan het wel verklaren hoe ze het gif in handen kreeg, maar wat de rest betreft, zie ik geen verband met onze zaak. Of het moet zijn ...' Hij liet zijn ellebogen op het bureau rusten en keek naar Kaoru Utsumi. '... dat je nu gaat suggereren dat ze Yoshitaka Mashiba benaderde om wraak te nemen voor haar vriendin die zelfmoord pleegde?'

'Nee, zo ver zou ik ... Ik denk niet dat iemand uit wraakzucht zou trouwen.'

'Tot zover dan dit rondje fantaseren. Het vervolg is aan de orde wanneer het forensisch team het schuurtje van de Tsukui's doorzocht heeft', besloot Mamiya hun gesprek.

Het was al na middernacht toen Kusanagi voor het eerst in een hele tijd weer eens naar zijn eigen flat terugkeerde. Hij had willen douchen, maar zodra hij zijn jas uittrok, viel hij op het bed. Was zijn vermoeidheid lichamelijk of was hij mentaal uitgeput, hij wist het zelf niet goed.

'Wat weet u dan van haar, meneer Kusanagi?'

Kaoru Utsumi's vraag galmde nog na in zijn oren. Het is waar, ik weet niets, dacht hij. Door wat met haar te praten en haar uiterlijk te zien, was hij in de waan geweest ook Ayanes innerlijk te kennen.

Maar hoe dan ook kon hij zich niet voorstellen dat iemand als zij doodgemoedereerd trouwde met de geliefde van een vriendin die zich het leven benam. Ook als Yoshitaka Mashiba niets met die zelfmoord te maken had, zou ze het toch onvergeeflijk vinden tegenover haar vriendin? Dát soort vrouw was ze, dat moest wel.

Hij kwam half overeind en knoopte zijn das los. Zijn oog viel op de twee prentenboeken op het tafeltje naast hem. Het waren de boeken van Junko Tsukui die hij van uitgeverij Kunugi had gekregen.

Hij ging weer liggen en bladerde achteloos door het boek dat *De sneeuwman viel om* heette. Het ging over een sneeuwman uit Sneeuwland die op een dag vertrok om op reis te gaan, op zoek naar warmere oorden. Op een bepaald moment stond hij voor een keuze: hij wilde nog verder zuidwaarts trekken, maar dan zou hij smelten. De sneeuwman gaf het op en maakte rechtsomkeert, terug naar zijn eigen koude land. En onderweg passeerde hij een huis. Hij gluurde door het raam en zag een gelukkig gezinnetje, vrolijk kletsend rond het haardvuur. Precies omdat het buiten zo koud is, besef je hoe dankbaar je moet zijn voor de warmte, zeiden ze tegen elkaar.

Toen hij de prent op die pagina zag, veerde Kusanagi op van het bed.

Aan de muur van de kamer waar de sneeuwman naar binnen gluurde, hing iets wat hij al eerder had gezien.

Een patroon van bontgekleurde bloemblaadjes dijde gelijkmatig uit tegen een donkerbruine achtergrond, alsof het weerspiegeld werd in een caleidoscoop.

Kusanagi herinnerde zich nog duidelijk zijn gevoel van bewondering toen hij dit patroon voor het eerst te zien kreeg. Hij wist ook nog waar hij het had gezien.

Het was in de slaapkamer van de Mashiba's. Het wandtapijt daar aan de muur had ditzelfde ontwerp.

Die middag had Ayane hem gevraagd een handje te helpen om dat tapijt aan de muur te hangen. Maar plotseling was ze van gedachten veranderd en had ze gezegd dat ze het vandaag maar zo zou laten.

Was dat omdat ze net daarvoor Junko Tsukui's naam had gehoord? Wilde ze vermijden dat Kusanagi dat tapijt zag, omdat ze wist dat het in een prentenboek van haar voorkwam?

Kusanagi zat met zijn hoofd in zijn handen. Zijn oren suisden op het ritme van zijn hartslag.

De volgende ochtend werd Kusanagi gewekt door het rinkelen van zijn mobiele telefoon. Hij keek op de klok en zag dat het even over acht uur was. Hij lag op de bank. Op de salontafel voor hem stonden een fles whisky en een glas. Het glas was halfvol.

Hij herinnerde zich nu dat hij was begonnen te drinken omdat hij niet kon slapen. En waarom hij niet kon slapen, herinnerde hij zich ook maar al te goed. Zijn lichaam voelde zwaar. Moeizaam richtte hij het op en strekte hij zijn hand uit naar de aanhoudend rinkelende telefoon op de tafel. Op het scherm stond UTSUMI.

'Ja, ik ben het.'

'Met Utsumi. Sorry dat ik u zo vroeg in de ochtend bel. Maar ik wilde het u zo vlug mogelijk laten weten.'

'Wat dan?'

'De resultaten zijn binnen. We hebben het rapport van SPring-8. In de waterzuiveraar is arsenigzuur aangetroffen.'

26

Advocatenkantoor Ikai lag op zo'n vijf minuten lopen van het station Ebisu. Het bezette de hele derde etage van een gebouw met zes verdiepingen en aan de receptiebalie zat een vrouw van naar schatting begin twintig, in een grijs pak.

Kusanagi had een afspraak gemaakt, maar toch liet ze hem wachten in de ontvangstkamer. 'Ontvangstkamer' was eigenlijk te veel gezegd: het was een kleine ruimte met alleen een tafeltje en een paar klapstoelen. Hij zag dat er een aantal van die kamertjes was, wat erop wees dat meerdere advocaten aan het kantoor verbonden waren. Dat stelde Ikai dus in staat Yoshitaka Mashiba te helpen bij het beheer van zijn bedrijf, begreep Kusanagi.

Uiteindelijk verscheen Ikai pas na meer dan een kwartier. Toch begroette hij Kusanagi kortweg met 'dag', zonder een woord van verontschuldiging. Wie weet nam hij het van zijn kant Kusanagi kwalijk dat die zo tactloos was hem tijdens zijn werk op te zoeken.

'Is er een doorbraak of zo? Van Ayane heb ik daar anders niets over gehoord', zei Ikai terwijl hij op een stoel ging zitten.

'Ik weet niet of je het een doorbraak kunt noemen, maar er zijn een paar nieuwe feiten aan het licht gekomen. Jammer genoeg kan ik u de details niet vertellen.'

Ikai grijnsde.

'Dat geeft niet. Het is niet mijn bedoeling u informatie te ontfutselen. Ik heb geen tijd om me daarmee bezig te houden. Mashiba's bedrijf is eindelijk een beetje bekomen van de chaos, en ik hoop gewoon dat jullie nu alles vlotjes oplossen. Dus, wat kan ik vandaag voor u doen? Uit onze vorige gesprekken hebt u al wel gesnapt dat ik niet veel afweet van Mashiba's privéleven', zei hij met een blik op zijn horloge. Daarmee wilde hij wellicht duidelijk maken dat dit maar beter vlug achter de rug kon zijn.

'Vandaag kom ik u iets vragen waar u wel goed van op de

hoogte bent. Of misschien beter gezegd: waar alleen u van op de hoogte bent.'

Ikai boog verbaasd zijn hoofd opzij.

'Iets waar alleen ik van op de hoogte ben? Wat mag dat dan wel zijn?'

'Het gaat over de kennismaking tussen Yoshitaka en Ayane Mashiba. U was daarbij aanwezig. Dat zei u toch toen ik u de vorige keer sprak.'

'Gaat het weer daarover?' Ikai liet zijn ongenoegen blijken.

'Zou u me concreet kunnen vertellen hoe de twee zich op die party gedroegen? Eerst en vooral: hoe maakten ze kennis?'

Bij die vraag fronste Ikai achterdochtig zijn wenkbrauwen.

'Is dat van belang?'

Kusanagi bleef zwijgen en grijnsde.

'Geheim van het onderzoek, zeker?' zuchtte Ikai toen hij dat zag. 'Maar ik snap het niet. Dat is zo lang geleden. Volgens mij houdt het geen verband met de zaak.'

'Of het ermee verband houdt, weten ook wij nog niet. We trekken gewoon alle details na. Interpreteert u het zo maar.'

'Als ik u zo bezig zie, heb ik niet echt die indruk ... Maar goed, zeg eens: wat wilt u precies van me horen?'

'U vertelde me al dat het een party was voor mensen die een partner zochten. Naar ik hoorde, organiseren ze bij zulke gelegenheden vaak activiteiten om mannen en vrouwen die elkaar niet kennen met elkaar in gesprek te brengen. Was dat daar ook zo? Bijvoorbeeld: om de beurt zichzelf voorstellen of zo ...'

Ikai wuifde met zijn hand voor zijn gezicht.

'Er was niets van dat alles. Stel het u voor als een doodgewoon lopend buffet. Als er van die rare opgelegde activiteiten waren geweest, had ik nooit deelgenomen.'

Vast niet, dacht Kusanagi en hij knikte.

'En op dat feestje was Ayane dus ook. Had ze iemand bij zich?'

'Nee, blijkbaar was ze alleen gekomen. Ze zat aan de bar een cocktail te drinken, zonder met iemand te praten.'

'Wie opende het gesprek?'

'Mashiba', antwoordde Ikai prompt.

'Hoe ging dat precies?'

'Wij zaten ook aan de bar te drinken. Ze zat twee zitplaatsen van ons vandaan. En toen complimenteerde Mashiba haar opeens met de etui van haar mobiel.'

Kusanagi stopte met noteren.

'De etui van haar mobiel, zegt u?'

'Die had ze op de toog gelegd. Hij was van patchwork gemaakt en er zat een raampje in waardoor je het scherm kon zien. Of hij het nu "mooi" of "bijzonder" noemde, ben ik vergeten, maar in ieder geval: Mashiba sprak haar aan. Daarop antwoordde zij glimlachend dat ze hem zelf had gemaakt. En zo kwam het gesprek op dreef.'

'Zo leerden ze elkaar dus kennen?'

'Ja. Dat die twee zouden trouwen, had ik me toen nooit kunnen voorstellen.'

Kusanagi leunde een beetje naar voren.

'Was dat de enige keer dat u meneer Mashiba vergezelde naar zo'n party?'

'Natuurlijk. Dat was de eerste en de laatste keer.'

'Was meneer Mashiba dat type man? Ik bedoel: gebeurde het wel vaker dat hij terloops vrouwen aansprak die hij niet kende?'

Ikai fronste zijn voorhoofd.

'Daar vraag je me wat. Hij was zeker het type dat zonder schroom een praatje kon maken, ook met een onbekende vrouw, maar echt versieren deed hij niet, ook niet in onze studententijd. Hij zei vaak dat bij een vrouw niet het uiterlijk maar het innerlijk telt, en volgens mij deed hij dat niet voor de schijn maar meende hij het echt.'

'Dat hij op dat feestje Ayane aansprak, was voor zijn doen dus uitzonderlijk?'

'Eigenlijk wel. Ik schrok er zelfs een beetje van. Maar is dat niet wat ze weleens "de inspiratie van het moment" noemen? Hij zal iets gevoeld hebben, zeker? En daardoor vonden ze elkaar. Zo zie ik dat tenminste.'

'Was er op dat ogenblik niets eigenaardigs aan hun gedrag? Hoe onbeduidend het ook mag lijken.'

Ikai kreeg een peinzende uitdrukking op zijn gezicht en schudde toen lichtjes zijn hoofd.

'Ik weet het niet zo goed meer. Die twee zaten trouwens zo gezellig te kletsen dat ik er voor spek en bonen bij zat. Maar zeg eens, meneer Kusanagi, wat hebben deze vragen eigenlijk te betekenen? Een tipje van de sluier kunt u toch wel oplichten?'

Kusanagi glimlachte en stopte zijn notitieboekje in zijn binnenzak.

'Als de tijd rijp is, laten we het daar maar op houden. Sorry voor het storen.' Hij stond op. Maar op weg naar de deur draaide hij zich om. 'Ik zou u willen vragen ons gesprek van vandaag geheim te houden. Ook voor Ayane.'

Ikai's blik werd grimmig.

'Verdenkt de politie haar?'

'Nee, dat wil ik zeker niet gezegd hebben. Maar hoe dan ook, houd het alstublieft voor u.'

Voor Ikai hem kon tegenhouden, haastte Kusanagi zich de kamer uit.

Toen hij het gebouw uit was, bleef hij stilstaan op het trottoir. Ongewild slaakte hij een diepe zucht.

Als hij Ikai mocht geloven, was het niet Ayane die toenadering zocht tot Yoshitaka Mashiba. Het zag ernaar uit dat de twee elkaar toevallig hadden leren kennen op die party.

Maar was dat echt zo?

Toen Kusanagi aan Ayane vroeg of ze Junko Tsukui kende, had ze geantwoord van nee. Dat zat hem dwars. Want alles wees op het tegendeel.

In Junko Tsukui's prentenboek *De sneeuwman viel om* stond precies hetzelfde wandtapijt als dat van Ayane afgebeeld. En het ontwerp daarvan was oorspronkelijk van haar. Ze had het niet ergens op gebaseerd. De patchworkartieste Ayane Mita maakte alleen originele ontwerpen. Junko Tsukui moest het werk van Ayane dus ergens gezien hebben.

Maar voor zover Kusanagi had kunnen nagaan, was dat wandtapijt niet opgenomen in een album met verzameld werk of zo. Als ze het had gezien, moest het op een tentoonstelling in een galerie gebeurd zijn. Op zulke plekken mag je echter geen foto's nemen. En hij kon zich niet voorstellen dat een exacte afbeelding zoals in het prentenboek mogelijk was zonder foto.

Dat betekende bijgevolg dat Junko Tsukui het wandtapijt persoonlijk had mogen bekijken. En uiteraard moest ze daarvoor Ayane op de een of andere manier kennen.

Waarom loog Ayane? Waarom antwoordde ze dat ze Junko Tsukui niet kende? Wilde ze gewoon verbergen dat haar overleden echtgenoot de ex was van een vriendin?

Kusanagi keek op zijn horloge. Het was even over vier. Ik kan maar beter opschieten, dacht hij. Hij had afgesproken om tegen half vijf bij Yukawa te zijn. Maar Kusanagi had lood in zijn schoenen. Hij wilde Yukawa liever niet zien. Die zou zo goed als zeker met een bevinding op de proppen komen die Kusanagi niet aanstond. Toch moest hij wat Yukawa te zeggen had met eigen oren horen. Als rechercheur op deze zaak kon hij daar niet onderuit. En tegelijk voelde hij de aandrang om een eind te maken aan zijn onzekerheid.

27

Yukawa zette het filterzakje in het apparaat en schepte er met een lepel koffiepoeder in. Met die handelingen leek hij behoorlijk vertrouwd.

'Ik zie dat u al helemaal gewonnen bent voor het koffiezetapparaat', zei Kaoru achter hem.

'Ik ben eraan gewend, dat is waar, maar er is me ook een tekortkoming opgevallen.'

'En die is?'

'Dat je van tevoren moet beslissen hoeveel kopjes je gaat zetten. Als je twee, drie kopjes te weinig hebt, kun je gewoon nieuwe maken, maar voor één kopje getroost je je al die moeite niet. Als je daarom dan maar meteen wat extra zet, loop je het risico over te hebben. Weggieten is zonde, en als je hem te lang laat staan, verandert de smaak. Best vervelend allemaal.'

'Vandaag is dat geen probleem. Ik drink het overschot wel.'

'Nou, voor overschot hoeven we ditmaal wellicht niet bang te zijn. Ik heb maar voor vier kopjes gemaakt. Jij, Kusanagi en ik zijn al drie. En het resterende kopje ben ik van plan rustig op te drinken als jullie weer weg zijn.'

Yukawa leek te denken dat ze vlug klaar zouden zijn met hun gesprek. Kaoru vroeg zich af of het wel zo vlot zou verlopen.

'Het hele rechercheteam is u dankbaar, professor. Als u niet zo aangedrongen had, waren we er bij ons onderzoek nooit toe gekomen de waterzuiveraar mee te nemen naar SPring-8.'

'Je hoeft me niet te bedanken. Ik gaf gewoon de raad die ik als wetenschapper hoorde te geven.' Yukawa ging tegenover Kaoru zitten. Op de werktafel stond een schaakbord. Hij pakte het witte paard en begon ermee te friemelen. 'Wel wel, er is dus toch arsenigzuur gedetecteerd, zei je?'

'In SPring-8 hebben we alles tot in de kleinste bestanddelen laten analyseren. We mogen met zekerheid aannemen dat hetzelfde arsenigzuur gebruikt is voor de moord op Yoshitaka Mashiba.'

Yukawa sloeg zijn ogen neer en knikte. Hij zette het schaakstuk weer op het bord.

'Ben je ook te weten gekomen in welk deel van de waterzuiveraar het gedetecteerd is?'

'Volgens het rapport in de nabijheid van de uitgang voor het water. In de zuiveraar zit een filter, maar daar is het niet aangetroffen. Daarom zijn ze bij de forensische dienst van mening dat de dader het arsenigzuur aanbracht bij het verbindingsstuk tussen de zuiveraar en de slang.'

'Ik snap het.'

'Maar het probleem', ging Kaoru verder, 'is dat we nog altijd niet weten op welke wijze. Hoe speelde de dader het klaar? Nu we deze resultaten van SPring-8 hebben, zou u het me toch moeten kunnen vertellen?'

Yukawa stroopte de mouwen van zijn witte jas op en vouwde zijn armen voor zijn borst.

'Zegt jullie forensische dienst dus dat ze het ook niet weten?'

'Daar zeggen ze dat er maar één manier is: even de slang van de zuiveraar afhalen en hem weer aankoppelen na inbrenging van het arsenigzuur. Maar dat zou zeker sporen nalaten.'

'Is het dan zo erg dat je de methode niet kent?'

'Uiteraard. Dan kunnen we het misdrijf niet staven met bewijs, wie ook de verdachte is.'

'Ook al is het gif gedetecteerd?'

'Als de methode niet duidelijk is, kunnen we het nooit halen in de rechtbank. De verdediging zal aanvoeren dat de detectie van het gif veroorzaakt is door een fout aan de kant van de politie.'

'Een fout?'

'Ze zullen zeggen dat het arsenigzuur in de koffie die het slachtoffer dronk mogelijk achteraf per abuis aan de waterzuiveraar kwam vast te zitten. We spreken hier tenslotte op een niveau van moleculen.'

Yukawa leunde achterover op zijn stoel en liet langzaam zijn hoofd op en neer gaan.

'Dat zouden ze inderdaad kunnen aanvoeren. Als de openbare aanklager niet kan aantonen op welke wijze het gif ingebracht is, kan de rechter niet anders dan de verdediging volgen.'

'Daarom is het dus absoluut noodzakelijk de methode te achterhalen. Zeg het me alstublieft. Bij ons forensisch team zitten ze er ook mee in hun maag. Sommigen wilden zelfs met me meekomen om te luisteren naar wat u te zeggen hebt.'

'Dat zou problemen geven. Ik kan het niet maken hier een hele rij politiemensen over de vloer te krijgen.'

'Dat dacht ik ook en dus ben ik alleen gekomen. Alleen Kusanagi komt nog.'

'Laten we dan wachten tot hij er is. Het is me te lastig twee keer dezelfde uitleg te geven.' Yukawa stak een wijsvinger op. 'Ik wil trouwens nog eenmaal iets controleren. Wat denken jullie – of nee, het mag ook je persoonlijke mening zijn – wat denk jij over het motief in deze zaak?'

'Het motief ... amoureuze verwikkelingen, veronderstel ik.'

Bij dat antwoord vertrok Yukawa ontstemd zijn mond.

'Wat moet ik daarmee? Denk je me te paaien met zulke abstracte uitdrukkingen? Ik schiet er niets mee op als je me niet concreet kunt zeggen wie verliefd was op wie en waarom iemand het slachtoffer genoeg haatte om hem te doden.'

'Voorlopig komen we niet verder dan giswerk.'

'Dat geeft niet. Ik zei het toch: het mag je persoonlijke mening zijn.'

'Oké', zei Kaoru en ze liet haar hoofd hangen.

Er steeg hoorbaar stoom op uit het koffiezetapparaat. Yukawa stond op en liep naar het aanrecht om mokken te halen. Terwijl ze hem gadesloeg, begon Kaoru haar uitleg.

'Mijn verdachte is hoe dan ook mevrouw Mashiba. Haar motief is het verraad van haar man. Niet alleen kreeg ze te horen dat hij wilde scheiden omdat ze niet zwanger raakte, ze kwam ook te weten dat hij al een andere vrouw had, en dat zette haar ertoe aan hem om te brengen.'

'Nam ze die beslissing dan op de avond van het etentje bij hen thuis?' vroeg Yukawa terwijl hij koffie inschonk.

'De uiteindelijke beslissing viel die nacht, denk ik. Maar het zou kunnen dat ze al wat eerder moordplannen koesterde. Ze had lucht gekregen van meneer Mashiba's relatie met Hiromi Wakayama. Ze vermoedde ook dat die zwanger was. Zijn aankondiging dat hij haar zou verlaten was dus vast het extra duwtje dat ze nog nodig had.'

Yukawa bracht de twee mokken koffie mee en zette er een neer voor Kaoru.

'En hoe zit het met die vrouw, Junko Tsukui? Heeft die niets met de zaak te maken? Kusanagi is vandaag toch ook weer inlichtingen gaan inwinnen in verband daarmee?'

Dat Junko Tsukui en Ayane Mashiba elkaar hoogstwaarschijnlijk kenden, had Kaoru meteen bij haar aankomst al aan Yukawa verteld.

'Uiteraard denk ik niet dat het er helemaal los van staat. Ik neem aan dat bij dit misdrijf hetzelfde arsenigzuur gebruikt is als bij mevrouw Tsukui's zelfmoord. Door haar vriendschap met mevrouw Tsukui had mevrouw Mashiba de gelegenheid het in handen te krijgen.'

Yukawa pakte zijn mok koffie op en keek Kaoru verbaasd aan.

'En verder?'

'Hoezo en verder ...?'

'Is dat het enige aandeel van Junko Tsukui? Speelt ze geen rol in het motief voor het misdrijf?'

'Daarover kan ik nog niets ...'

Yukawa lachte zuinig en slurpte van zijn koffie.

'Als het zo zit, kan ik je de truc nog niet vertellen.'

'Waarom niet?'

'Dat zou uiterst riskant zijn. Je hebt de kern van de zaak niet door.'

'En u wel, professor?'

'In elk geval beter dan jij.'

Kaoru balde haar vuisten en wierp Yukawa een nijdige blik toe. Op dat moment hoorde ze op de deur kloppen.

'Goeie timing. Misschien heeft hij de kern van de zaak wel gesnapt', zei Yukawa. Hij stond op en liep naar de deur.

28

Zodra Kusanagi de kamer binnenkwam, vroeg Yukawa hem of hij iets te weten gekomen was. Na enige aarzeling vertelde Kusanagi wat hij van Ikai had gehoord.

'Het was Yoshitaka Mashiba die het gesprek aanknoopte. Utsumi's theorie dat Ayane die party gebruikte om Yoshitaka Mashiba te benaderen is daarmee ontkracht', zei hij, vanuit zijn ooghoeken naar zijn jongere vrouwelijke collega spiedend.

'Een theorie mag u dat niet noemen. Ik zei alleen dat de mogelijkheid bestond.'

'O, oké. Wel, die mogelijkheid is in ieder geval weg. Wat nu gedaan, denk je?' Kusanagi keek Kaoru Utsumi ditmaal recht in het gezicht terwijl hij het vroeg.

Yukawa reikte hem de koffie aan die hij net had ingeschonken.

'Dank je', zei Kusanagi en hij pakte de mok aan.

'Wat denk jij er zelf van?' vroeg Yukawa. 'Als je die advocaat Ikai mag geloven, ontmoetten meneer en mevrouw Mashiba elkaar voor het eerst op dat feestje. Met andere woorden: het was stom toeval dat het ex-liefje van meneer Mashiba een vriendin van zijn vrouw was. Kun je daarmee leven?'

Kusanagi antwoordde niet meteen. Hij nam eerst een slok koffie en ordende nog een keer zijn gedachten.

Yukawa grijnslachte.

'Je lijkt geen geloof te hechten aan de uitleg van de advocaat?'

'Ik denk niet dat Ikai liegt', zei Kusanagi. 'Maar er is ook geen bewijs dat het echt gebeurde zoals hij zei.'

'Dat wil zeggen?'

Kusanagi liet even een stilte vallen en zei toen: 'Misschien was het komedie.'

'Komedie?'

'Een toneelstukje om het te doen voorkomen alsof het hun eerste ontmoeting was. De twee hadden eerder al een relatie maar hielden die verborgen, en dus creëerden ze een situatie waarbij ze elkaar zogenaamd leerden kennen. Ikai werd meegenomen als een soort ooggetuige. In die optiek houdt het steek. Het verhaal over een etui op de toog dat de vonk tussen de twee doet overslaan, is hoe dan ook te mooi om waar te zijn.'

'Prachtig.' Yukawa's ogen blonken. 'Ik ben het met je eens. Laten we ook een vrouwelijke opinie vragen', zei hij en hij keerde zich naar Kaoru Utsumi.

Die knikte eveneens instemmend.

'Het is het overwegen waard. Maar waarom zoiets doen?'

'Precies. Waarom moesten de twee die vertoning opvoeren?' Yukawa keek naar Kusanagi. 'Hoe zie jij dat?'

'De reden is simpel. Omdat ze de waarheid niet konden bekendmaken.'

'De waarheid?'

'Over hoe ze in werkelijkheid kennismaakten. Ik denk dat ze elkaar via Junko Tsukui leerden kennen. Maar ze deinsden ervoor terug daar openlijk voor uit te komen. Ze was tenslotte de ex van Yoshitaka Mashiba. Daarom wilden ze onder heel andere omstandigheden "kennismaken". En daartoe gebruikten ze de dating party.'

Yukawa knipte met zijn vingers.

'Een prima redenering. Er valt niets tegen in te brengen. Goed, wanneer maakten de twee dan in werkelijkheid kennis? Of nee, sinds wanneer was er iets meer tussen hen, dat is van belang. Concreet gesproken: was het voor of na Junko's zelfmoord?'

Kaoru Utsumi haalde diep adem. Ze rechtte haar rug en keek naar Yukawa.

'Mevrouw Tsukui pleegde zelfmoord omdat meneer Mashiba en Ayane een affaire hadden, is dat waar u op aanstuurt?'

'Is dat niet de meest voor de hand liggende verklaring? Ze werd tegelijk verraden door haar geliefde en door haar vriendin. Ik veronderstel dat zoiets een serieuze schok was.'

Terwijl hij naar Yukawa luisterde, voelde Kusanagi zijn hart wegzinken in diepe duisternis. Te vergezocht vond hij de redenering van zijn vriend niet. Hetzelfde idee spookte al door zijn eigen hoofd sinds het moment dat hij Ikai zijn verhaal hoorde doen.

'Zo wordt de betekenis van de dating party een stuk duidelijker, nietwaar?' zei Kaoru Utsumi. 'Ook al lekte de eerdere relatie tussen meneer Mashiba en Junko Tsukui uit en raakte bovendien bekend dat mevrouw Tsukui en mevrouw Mashiba bevriend waren, met meneer Ikai als getuige konden de twee nog altijd de indruk wekken louter toevallig een stel te zijn, en zo zou ook niemand een verband leggen met de zelfmoord van mevrouw Tsukui een paar maanden daarvoor.'

'Mooi, mooi. Dat verhoogt de precisie van de redenering aanzienlijk.' Yukawa knikte tevreden.

'Als we het mevrouw Mashiba zelf eens vroegen?' stelde Kaoru Utsumi voor aan Kusanagi.

'En hoe pakken we dat aan?'

'Waarom laat u haar bijvoorbeeld het prentenboek niet zien dat u ontdekte? Er staat een wandtapijt in afgebeeld dat enig is in zijn soort. Dat kan alleen als Junko Tsukui mevrouw Mashiba kende.'

Kusanagi schudde zijn hoofd.

'Dan zal ze antwoorden dat ze ook niet weet hoe dat komt, dat ze geen flauw idee heeft.'

'Maar ...'

'Ze bleef tot nu toe alles achterhouden. Zowel de informatie over de ex van Yoshitaka Mashiba als het feit dat die vrouw een vriendin was van haarzelf. Ik kan niet geloven dat ze nu zomaar haar houding zal aanpassen omdat ze met een prentenboek geconfronteerd wordt. Zo laten we ons alleen maar in de kaart kijken.'

'Ik geef Kusanagi gelijk.' Yukawa boog zich naar het schaakbord en pakte een zwart stuk. 'Om deze dader te verschalken moet je hem met één zet uitschakelen. Als je hem ook maar een beetje speling gunt, loop je het gevaar dat je hem nooit meer schaakmat kunt zetten.'

Kusanagi keek naar zijn vriend de academicus.

'Zij is dus toch de dader, zeg je?'

Yukawa wendde zonder onmiddellijk te antwoorden zijn ogen af en stond op.

'De essentie is dit: als de Mashiba's een dergelijk verleden hebben, hoe is dat dan gelinkt aan deze zaak? Of is er buiten het gif, dat arsenigzuur dus, geen connectie?'

'Door hun toedoen was haar vriendin tot zelfmoord gedreven. Maar ondanks die gemeenschappelijke band had haar man haar verraden. Maakte dat het voor mevrouw Mashiba niet des te onvergeeflijker?' zei Kaoru Utsumi met een peinzende blik.

'Op die manier dus. Daar kan ik psychologisch wel inkomen', zei Yukawa.

'Nee, volgens mij denkt zij anders', zei Kusanagi. 'Ooit verraadde ze een vriendin door haar geliefde te stelen. Daarom werd ze nu zelf door haar assistente verraden en van haar man bestolen.'

'Ze dacht dus: je oogst wat je zaait? En daarom legt ze zich neer bij het onvermijdelijke en koestert ze niet eens een wrok tegen haar man en zijn minnares, is dat het wat je wilt zeggen?'

'Dat nu ook weer niet, maar ...'

'In heel jullie verhaal zit me één ding dwars.' Yukawa ging met zijn rug naar een schoolbord staan en staarde beurtelings naar de twee. 'Waarom ruilde Yoshitaka Mashiba zijn vriendin Junko Tsukui in voor Ayane?'

'Hij werd eenvoudig verliefd op een ander en ...' Kaoru Utsumi sloeg een hand voor haar mond. 'Of nee, het is iets anders ...'

'Ja, het is iets anders', zei Kusanagi. 'Allicht was het omdat ze niet zwanger werd. Yoshitaka Mashiba wilde met haar trouwen zodra ze een kind verwachtte. Maar dat leek er niet van te komen en dus stapte hij over op een andere partner. Daar durf ik op te wedden.'

'Op basis van wat ik tot dusver hoorde, lijkt dat inderdaad zo. Nu, zou Ayane zich daar op dat moment bewust van geweest zijn? Dat meneer Mashiba dus met Junko Tsukui brak en voor haar koos, simpelweg omdat hij verwachtte dat zij hem wel een kind zou schenken?'

'Dat, eh ...' stamelde Kusanagi.

'Dat denk ik niet', zei Kaoru Utsumi kordaat. 'Geen enkele vrouw zou blij zijn om zo'n reden gekozen te worden. Als ze zich daar al bewust van werd, dan waarschijnlijk vlak voor ze trouwde. Volgens mij toen ze die afspraak maakten uit elkaar te gaan als ze niet binnen het jaar een kind verwachtte.'

'Dat denk ik ook. Oké, laten we dan nog een keer nadenken over het motief. Daarnet zei Utsumi dat meneer Mashiba's verraad het motief was, maar was zijn daad wel echt verraad? Zijn vrouw was ook na een jaar nog niet zwanger, en dus besloot hij te scheiden en zich aan een andere vrouw te binden – is dat niet gewoon de uitvoering van wat ze bij het begin van hun huwelijk afspraken?'

'Dat is wel zo, maar emotioneel kun je zoiets niet aanvaarden.'

Bij die woorden van Kaoru Utsumi ontspande Yukawa zijn mondhoeken.

'Ik kan het dus als volgt herformuleren: mevrouw Mashiba's motief, ervan uitgaande dat zij de dader is, is dat ze de afspraak met haar man niet wilde nakomen. Juist?'

'Daar komt het op neer, ja.'

'Waar stuur je op aan?' Kusanagi keek zijn vriend in het gezicht.

'Stel je eens voor hoe mevrouw Mashiba zich voelde aan de vooravond van haar huwelijk. Met welke gedachten maakte ze die afspraak? Was ze vol optimisme dat ze binnen het jaar wel in blijde verwachting zou zijn? Of rekende ze erop dat haar man toch niet zou aandringen dat ze zich aan de afspraak hielden als een kind uitbleef?'

'Allebei, denk ik', antwoordde Kaoru Utsumi.

'Goed, ook als ze niet zwanger werd, zou het wel loslopen, dacht ze dus. Dan vraag ik je: was het ook daarom dat ze niet naar de dokter ging?'

'De dokter?' Kaoru Utsumi fronste haar wenkbrauwen.

'Ik heb jullie tot nu toe niet horen zeggen dat mevrouw Mashiba in dat ene jaar een vruchtbaarheidsbehandeling onderging. Gezien die afspraak zou ik verwachten dat ze uiterlijk een paar maanden na haar huwelijk een gynaecoloog opzocht.'

'Volgens wat ze Hiromi Wakayama vertelde, was dat omdat zo'n behandeling tijd vergt, en dus hadden ze dat van meet af aan uit hun hoofd gezet, maar ...'

'Dat gold voor meneer Mashiba, ja. In plaats van al dat lastige gedoe was het eenvoudiger gewoon van vrouw te wisselen. Maar wat als we het van haar kant bekijken? Zou ze zich normaal gesproken niet aan elke strohalm vastklampen?'

'Nu je het zegt, ja', mompelde Kusanagi.

'Waarom ging mevrouw Mashiba niet naar de dokter? Daar ligt de sleutel van deze hele zaak.' Yukawa duwde met een vingertop zijn bril op zijn plaats. 'Denk maar eens na. Als mensen die naar de dokter zouden moeten gaan dat niet doen, ook al hebben ze er het geld en de tijd voor, wat is dan doorgaans de reden?'

Kusanagi dacht diep na. Hij probeerde zich in de gevoelens van Ayane te verplaatsen. Maar hij kon geen antwoord bedenken op Yukawa's vraag.

Toen veerde Kaoru Utsumi plotseling op.

'Omdat het niets zou uithalen als ze ging ... Is het dat?'

'Niets zou uithalen? Hoezo?' vroeg Kusanagi.

'Omdat ze al wist dat het toch geen effect zou hebben. In zo'n geval zien mensen op tegen een bezoek aan de dokter.'

'Precies', zei Yukawa. 'Mevrouw Mashiba wist dat het vergeefse moeite was naar de dokter te gaan. Daarom ging ze niet. Dat is de meest logische verklaring.'

'Ze ... U bedoelt dus dat mevrouw Mashiba onvruchtbaar is?'

'Ze was de dertig voorbij, nietwaar? Ze moest dus al eerder bij de gynaecoloog geweest zijn, dat kan bijna niet anders. Ik vermoed dat er haar toen op gewezen is dat ze geen kinderen kon krijgen. En dus was het zinloos nog medische hulp te zoeken.

Niet alleen dat, ze liep ook het risico dat haar man het te weten kwam van haar onvruchtbaarheid.'

'Wacht even. Ze stemde dus in met die afspraak in de wetenschap dat ze toch niet zwanger zou worden?' vroeg Kusanagi.

'Zo ziet het er naar uit. Kortom, haar enige hoop was dat haar man zou willen terugkomen van hun afspraak. Maar dat deed hij dus niet. Hij wilde wel doordrijven wat ze afgesproken hadden. En dus besloot ze hem te doden. Wel, nu wil ik jullie vragen: wanneer kwam dat moordplan eigenlijk in haar op?'

'Nou, toen ze de relatie tussen Yoshitaka Mashiba en Hiromi Wakayama ...'

'Nee, niet waar', onderbrak Kaoru Utsumi Kusanagi. 'Het besluit haar man te doden als die bij hun afspraak bleef, nam ze al op het moment dat ze die afspraak maakten.'

'Op dat antwoord zat ik te wachten.' Yukawa keek weer ernstig. 'We kunnen het dus zo samenvatten: mevrouw Mashiba kon voorzien dat ze binnen het jaar mogelijk reden kreeg haar man te doden. Ze kon met andere woorden toen ook al met de voorbereidingen op de moord beginnen.'

'Voorbereidingen op de moord?' Kusanagi zette grote ogen op.

Yukawa keek naar Kaoru Utsumi.

'Je deelde me zonet de bevindingen van de forensische dienst mee. Er was maar één manier om het gif in de waterzuiveraar te krijgen: de slang losmaken en weer aansluiten na inbrenging van het gif – zo was het toch? Jullie mensen vergissen zich niet. Dat klopt helemaal. De dader bracht een jaar geleden op die wijze het gif aan.'

'Dat kun je niet ...' zei Kusanagi, maar verder kon hij geen woord meer uitbrengen.

'Maar als ze dat deed, kon ze de waterzuiveraar niet gebruiken', zei Kaoru Utsumi.

'Precies. Mevrouw Mashiba heeft een jaar lang de zuiveraar niet één keer gebruikt.'

'Dat is absurd. De filter droeg sporen van gebruik.'

'Dat vuil was niet van het afgelopen jaar. Dat zat er al van het jaar daarvoor aan.' Yukawa trok een la van zijn bureau open en pakte er een formulier uit. 'Ik had je gevraagd het serienummer van de filter na te trekken, hè? Ik gaf dat nummer door aan de fabrikant en vroeg wanneer hij ongeveer op de markt kwam. Het antwoord was: twee jaar geleden. En ze vertelden erbij dat ze zich niet konden voorstellen dat dat serienummer op een filter stond die vorig jaar geïnstalleerd was. Meteen nadat mevrouw Mashiba een jaar geleden de filter van de waterzuiveraar liet vervangen, plaatste ze vermoedelijk zelf de oude filter terug. Allicht was ze bang dat haar list doorzien zou worden als na het misdrijf bleek dat de filter nog zo goed als nieuw was. En op dat moment bracht ze dus het arsenigzuur in.'

'Onmogelijk', zei Kusanagi, zijn stem schor. 'Dat is onmogelijk. Dat ze het gif al een jaar geleden inbracht en vervolgens niet één keer de waterzuiveraar gebruikte ... dat is gewoon ondenkbaar. Ook als zij hem niet gebruikte, kon een ander dat misschien toch doen? Dat risico kon ze niet lopen.'

'Het was inderdaad een riskante methode. Maar ze speelde het klaar', zei Yukawa ijzig. 'Een jaar lang ging ze onder geen beding het huis uit als haar man er was en kon niemand in de buurt van de zuiveraar komen. Ook bij etentjes deed ze al het kookwerk zelf. Ze had altijd petflessen in voorraad en vermeed zo dat er niet genoeg mineraalwater te drinken was. Het waren allemaal inspanningen om deze truc te doen slagen.'

Kusanagi schudde zijn hoofd. En hij schudde het opnieuw en opnieuw.

'Wat een onzin ... Dat is onbestaanbaar. Het kan niet. Niemand doet zoiets.'

'Het kan wel', zei Kaoru Utsumi. 'Op verzoek van professor Yukawa deed ik navraag naar mevrouw Mashiba's huwelijksleven. Ook Hiromi Wakayama hoorde ik daarover uit. Ik snapte de bedoeling niet, maar nu heb ik het eindelijk door. U wilde controleren of buiten mevrouw Mashiba iemand de kans had de waterzuiveraar aan te raken, nietwaar professor?'

'Zo is dat. De bepalende factor was haar gedrag wanneer meneer Mashiba vrij had. Ze zat op de bank in de living de hele dag patchwork te doen, weet je nog? Ik was zelf in dat huis en dus kon ik vaststellen waarom ze die plek koos. Terwijl ze dat patchwork deed, lette ze er ook op dat haar man niet naar de keuken ging.'

'Nonsens. Je beeldt je maar wat in', kreunde Kusanagi.

'Als je logisch denkt, was dat de enige mogelijke manier. Er was wel een verschrikkelijke wraaklust en ontzettend veel wilskracht voor nodig, moet ik zeggen.'

'Nonsens', herhaalde Kusanagi. Maar zijn stem klonk zwak.

Wanneer was het ook weer, dat Ikai het had over Ayanes toegewijde gedrag?

'Als echtgenote was ze volmaakt. Ze gaf al haar werk buitenshuis op en wijdde zich aan het huishouden. Als Mashiba er was, zat ze met haar patchwork op de bank in de living en hield zich ondertussen paraat om haar man ieder moment van dienst te zijn.'

Kusanagi herinnerde zich bovendien wat hij in het ouderlijk huis van Ayane had gehoord. Volgens haar ouders was ze oorspronkelijk allesbehalve een keukenprinses en volgde ze voor ze trouwde nog snel een kookcursus om bij te leren.

Beide uitspraken hielden steek als je ze zag in het licht van haar strategie om iedereen de toegang tot de keuken te beletten.

'Dus toen ze meneer Mashiba wilde doden, hoefde ze eigenlijk niets meer te doen', zei Kaoru Utsumi.

'Precies: ze hoefde niets te doen. Haar man alleen thuis laten, dat volstond. Of nee, één ding deed ze toch. Een paar van de flessen water die ze in voorraad had, maakte ze leeg. Ze liet er hooguit twee staan. Zolang meneer Mashiba daarvan dronk, zou er niets gebeuren. De eerste keer dat hij koffiezette, zal hij ook wel flessenwater gebruikt hebben. Maar toen hij de tweede keer zelf zette, koos hij voor de waterzuiveraar. Naar ik vermoed wilde hij zijn laatste flessenwater sparen om te drinken. Het moment waarop het gif in werking moest treden, was na een jaar wachten eindelijk gekomen.' Yukawa pakte de mok koffie die op zijn bureau stond. 'Dit hele jaar door kon mevrouw Mashiba haar man op ieder moment ombrengen. Daarbij bleef ze er nauwlettend op toezien dat hij het gif niet per vergissing innam. Anderen steken al hun vernuft en energie in hoe ze iemand zullen ombrengen. Maar deze dader deed het tegendeel. Ze deed alle moeite om hem te sparen. Zo'n dader zul je nergens anders vinden, vroeger niet en nu niet. Ook al is het theoretisch mogelijk, praktisch gaat het je denkvermogen te boven. Daarom noemde ik het een denkbeeldige oplossing.'

Kaoru Utsumi kwam vlak voor Kusanagi staan.

'Laten we onmiddellijk mevrouw Mashiba verzoeken zich vrijwillig te melden.'

Kusanagi zag de triomf op haar gezicht en verplaatste vlug zijn blik naar Yukawa.

'Is er bewijs? Kunnen we aantonen dat ze een dergelijke truc toepaste?'

Daarop zette de fysicus zijn bril af en legde die op het bureau naast hem.

'Bewijs heb ik niet. Dat kan ook niet.'

Kaoru Utsumi keerde zich geschrokken naar hem. 'Nee?'

'Denk even na; dat spreekt toch voor zich? Als ze iets gedaan had, waren daar misschien sporen van terug te vinden. Maar ze heeft niets gedaan. Niets doen was namelijk haar methode van doden. Bijgevolg is het zinloos sporen te willen zoeken van haar daden. Het enige materiële bewijs is het arsenigzuur dat in de waterzuiveraar gedetecteerd is, maar je legde me eerder zelf al uit dat dat op zich niet afdoend is. Ook het serienummer van de filter is niet meer dan middellijk bewijs. Kort gezegd: hard maken dat ze de truc toepaste, is feitelijk onmogelijk.'

'Maar dat ...' Kaoru Utsumi verstomde.

'Daarom zei ik het al: dit is de perfecte misdaad.'

29

Kaoru zat op het bureau van Meguro documenten te ordenen, toen Mamiya arriveerde en haar wenkte met zijn ogen. Ze stond op en liep naar hem toe.

'Ik kom net terug van een bespreking met de korpschef en de anderen', begon hij zodra hij was gaan zitten. Hij keek ontstemd.

'Het aanhoudingsbevel?' vroeg Kaoru.

Mamiya schudde één keer lichtjes zijn hoofd.

'Zoals de zaken er nu voor staan, lukt het niet. We hebben te weinig om haar als dader aan te wijzen. Professor Galileo's redenering is zoals steeds prachtig, maar zonder enig bewijs kunnen we geen aanklacht indienen.'

'Dus toch?' Kaoru liet haar hoofd hangen. Yukawa had gelijk gehad.

'De korpschef en de commissaris zitten ook met de handen in het haar. Een jaar van tevoren gif aanbrengen en er dan voor zorgen dat het onaangeroerd blijft tot het beslissende moment, wat is dat ook voor een misdrijf? Ze konden het allebei maar half geloven. Net als ik, eerlijk gezegd. Ik geef toe: ik zie evenmin een alternatief, maar toch vind ik het moeilijk aan te nemen. Het klinkt gewoon té onwaarschijnlijk.'

'Ik kon het ook niet geloven toen professor Yukawa ermee kwam aanzetten.'

'Sommige mensen bedenken echt de waanzinnigste dingen. Dat geldt uiteraard voor die Ayane, maar wat de professor door deductie achterhaalde, is ook niet mis. Je vraagt je af wat er omgaat in zijn hoofd', zei Mamiya, waarna hij een sip gezicht trok. 'We weten natuurlijk nog niet of de redenering van de professor wel klopt, hè. Zolang dat niet duidelijk is, kunnen we Ayane Mashiba niets maken.'

'Hoe zit het met het spoor van Junko Tsukui? Ik vernam dat het forensisch team haar ouderlijk huis in Hiroshima doorzocht?'

Mamiya knikte.

'Ze stuurden het lege blik waar het arsenigzuur in gezeten had naar SPring-8. Maar ook al detecteren ze arsenigzuur en stemt dat overeen met het gif dat gebruikt is in deze zaak, dan nog vormt dat geen sluitend bewijs. Misschien is het niet eens middellijk bewijs. Want als Junko Tsukui zijn ex-vriendin was, bestaat de kans dat Yoshitaka Mashiba zelf het arsenigzuur in zijn bezit had.'

Kaoru slaakte een diepe zucht.

'Waar halen we dan in hemelsnaam wel een bewijs? Vertel me alstublieft wat we nog nodig hebben. Geef me een aanwijzing en ik doe alles om het te vinden. Of zegt u net als professor Yukawa dat dit de perfecte misdaad is?'

Mamiya trok een grimas.

'Hou toch op met dat gezeur. Dat we niet weten hoe we het misdrijf kunnen bewijzen, is toch precies het probleem? Momenteel is het enige wat we een bewijsstuk zouden kunnen noemen, de waterzuiveraar. Er is immers arsenigzuur in aangetroffen. De korpschef is van oordeel dat we eerst en vooral daar de bewijskracht van moeten verhogen.'

Toen ze haar superieur zo hoorde praten, beet Kaoru onwillekeurig op haar lip. Het klonk alsof hij zijn nederlaag toegaf.

'Trek niet zo'n gezicht. Ik geef het nog niet op, hoor. We vinden vast wel iets. Zo eenvoudig is de perfecte misdaad niet te verwezenlijken.'

Kaoru knikte zwijgend, waarna ze met een nieuwe hoofdbuiging naar Mamiya wegliep. Wat niet betekende dat ze de mening van haar chef deelde.

Ze wist ook wel dat het allemaal niet zo eenvoudig te verwezenlijken was. Wat Ayane Mashiba gedaan had, was zo moeilijk dat je het onuitvoerbaar voor een gewone sterveling mocht noemen, en juist daarom was ze bang dat het weleens de perfecte misdaad kon zijn.

Terug op haar plaats haalde ze haar mobiele telefoon tevoorschijn en checkte haar mails. Ze hoopte dat er bruikbare informatie was binnengekomen van Kusanagi. Maar het enige bericht was van haar moeder.

30

Toen hij aankwam op de plaats van de afspraak, een koffiehuis, was Hiromi Wakayama er al. Kusanagi haastte zich naar haar toe.

'Sorry dat ik u liet wachten.'

'Geen probleem, ik ben hier ook pas.'

'Het spijt me echt dat ik u nogmaals moet lastigvallen. Ik houd het zo kort mogelijk.'

'Zit er maar niet over in. Ik zit nu zonder werk, dus tijd heb ik zat.' Hiromi Wakayama lachte zuinig.

Vergeleken bij hun laatste ontmoeting merkte hij wat meer blos op haar gezicht. Een teken dat ze er mentaal weer bovenop komt, veronderstelde Kusanagi.

De serveerster kwam naar hen toe en dus bestelde Kusanagi een koffie. 'En voor u melk?' vroeg hij vervolgens aan Hiromi Wakayama.

'Nee, citroenthee graag', antwoordde ze.

Toen de serveerster weer weg was, lachte Kusanagi naar haar.

'Sorry. Ik herinnerde me dat u de vorige keer melk vroeg.'

'Ja', knikte ze. 'Maar speciaal lekker vind ik het niet. En ik probeer nu zo weinig mogelijk melk te drinken.'

'O? Is daar een bepaalde reden voor?'

Hiromi Wakayama boog haar hoofd opzij.

'Moet ik zelfs over zulke dingen vragen beantwoorden?'

'Eh, nee, laat maar.' Kusanagi zwaaide met zijn hand. 'U zei dat u tijd had en dus dacht ik rustig wat te kletsen. Maar ik kom ter zake. Vandaag wilde ik u iets vragen over de keuken bij de Mashiba's. U weet dat daar een waterzuiveraar aan de waterleiding gekoppeld is?'

'Dat weet ik, ja.'

'Hebt u die ooit gebruikt?'

'Nee', antwoordde Hiromi Wakayama klaar en duidelijk.

'Dat was wel heel snel. Ik zou verwachten dat u daar normaal even over moet nadenken.'

'Nou ja', zei ze. 'Ik heb nauwelijks een voet in die keuken gezet. Ik hielp ook nooit bij het koken. Waarom zou ik dus die waterzuiveraar gebruiken? Ik denk dat ik het ook al tegen mevrouw Utsumi zei, maar de enige keren dat ik in de keuken kwam, was om op verzoek van mevrouw Mashiba koffie of thee te zetten. En ook dat was uitsluitend wanneer ze zelf haar handen niet vrij had omdat ze bezig was iets anders klaar te maken.'

'Dus u was nooit alleen in de keuken?'

Hiromi Wakayama keek hem argwanend aan.

'Ik begrijp niet goed waar u met die vraag naartoe wilt?'

'Dat hoeft u ook niet te begrijpen. Kunt u zich proberen te herinneren of u ooit alleen in de keuken was?'

Ze trok rimpels tussen haar wenkbrauwen en dacht even diep na voor ze Kusanagi aankeek.

'Waarschijnlijk niet, nee. Ik ging ervan uit dat ik er zonder mevrouw Mashiba's toestemming niet naar binnen mocht.'

'Had ze dat gezegd?'

'Niet met zo veel woorden, maar die indruk had ik. En ze zeggen toch vaak dat voor een huisvrouw de keuken haar burcht is?'

'Ik snap het.'

Hun drankjes werden gebracht. Hiromi Wakayama deed een schijfje citroen in haar thee en begon er smakelijk van te drinken. Ook nu had haar gelaatsuitdrukking iets fleurigs.

Dat stond in schril contrast met Kusanagi's eigen bedrukte gemoed. Wat ze zei, staafde Yukawa's theorie.

Hij nam een slok koffie en stond op. 'Ik dank u voor uw medewerking.'

Hiromi Wakayama zette verbaasd grote ogen op. 'Is dit alles?'

'Ik weet genoeg. Neemt u zelf rustig de tijd.' Hij pakte de rekening van tafel en liep naar de uitgang.

Toen hij buiten uitkeek naar een taxi, ging zijn mobiele telefoon. Het was Yukawa.

Hij zei dat hij Kusanagi wilde spreken over de fameuze truc.

'Ik wil zo snel mogelijk iets natrekken. Kunnen we elkaar ergens zien?'

'In dat geval kom ik wel naar je toe. Maar wat wil je nog natrekken? Je was toch zeker van je zaak?'

'Natuurlijk ben ik zeker. Precies daarom wil ik het natrekken. Kom zo vlug je kunt', zei Yukawa en meteen daarop verbrak hij de verbinding.

Zo'n half uur later liep Kusanagi door de poort van de Keizerlijke Universiteit.

'In de veronderstelling dat die truc toegepast is, blikte ik nog eens terug op deze zaak en toen bleef ik met één ding in mijn maag zitten. Ik dacht dat het jullie misschien kon helpen bij jullie onderzoek en daarom nam ik onmiddellijk contact op', stak Yukawa van wal zodra hij Kusanagi's gezicht zag.

'Het lijkt nogal belangrijk.'

'Dat is het ook. Wat ik dus bij jou wilde natrekken, is wat Ayane deed toen ze na de moord voor het eerst weer haar huis binnenging. Jullie waren daar toen toch bij?'

'Dat klopt. Utsumi en ik brachten haar naar huis.'

'Wat is het eerste wat ze toen deed?' vroeg Yukawa.

'Het eerste? Wel, ze bekeek de plaats delict ...'

Yukawa schudde geïrriteerd zijn hoofd bij Kusanagi's antwoord.

'Ik wed dat ze eerst naar de keuken ging. En daar liet ze water uit de kraan stromen. Of heb ik het mis?'

Kusanagi keek verrast op. Hij zag het tafereel nu weer duidelijk voor zich.

'Je hebt gelijk. Dat deed ze inderdaad. Ze haalde water.'

'Waar gebruikte ze het voor? Als mijn theorie klopt, was het een vrij grote hoeveelheid.' Yukawa's ogen blonken.

'Ze gaf het aan de bloemen. Ze zag hoe verlept die waren en zei dat ze niet kon verdragen dat ze er zo bij stonden. Ze deed water in een emmer en begoot daar de bloembakken op het balkon mee.'

'Dat is het!' Yukawa stak een wijsvinger uit naar Kusanagi.

'Dat was de voltooiing van de truc.'

'De voltooiing van de truc?'

'Ik probeerde me te verplaatsen in de gedachten van de dader. Ze verliet het huis met het gif in de zuiveraar. En zoals beoogd kwam haar doelwit om door daar water uit te drinken. Maar ze kon nog niet gerust zijn. Want wie weet zaten er nog restjes gif in de zuiveraar.'

Kusanagi strekte onwillekeurig zijn rug. 'Dat is inderdaad zo, ja.'

'Voor onze dader was het een risico dat zo te laten. Het gevaar bestond dat iemand er per ongeluk van dronk, zodat er een tweede slachtoffer zou vallen. Uiteraard zou de politie dan ook achter de truc komen. Ze moest dus iets verzinnen om het bewijsmateriaal zo vlug mogelijk te doen verdwijnen.'

'Vandaar het water voor de bloemen ...'

'Op dat moment haalde ze het water uit de zuiveraar. Als ze het liet stromen tot ze een emmer vol had, zou het aanwezige arsenigzuur zo goed als volledig weggespoeld worden. Of toch voldoende om niet opgespoord te kunnen worden zonder de hulp van SPring-8. Met de smoes dat ze de bloemen water gaf, slaagde ze er dus boudweg in voor de ogen van het rechercheteam het bewijsmateriaal te doen verdwijnen.'

'Dus dat water toen ...'

'Als dat water er nog was, kon het dienen als bewijsmateriaal', zei Yukawa. 'De detectie van minieme deeltjes arsenigzuur in de zuiveraar was op zich niet voldoende om de truc te bewijzen, weet je nog? Mijn theorie zal pas goed en wel gestaafd zijn als aangetoond wordt dat op de dag van de moord water uit de zuiveraar kwam dat een dodelijke dosis arsenigzuur bevatte.'

'Zoals ik net al zei, is dat water over de bloemen uitgegoten.'

'Dan moet je de aarde in de bloembakken en de potten onderzoeken. Bij SPring-8 kunnen ze het arsenigzuur wel voor je vinden. Het zal misschien moeilijk aan te tonen zijn dat het afkomstig is van het water dat mevrouw Mashiba toen uitgoot, maar volgens mij heb je zo toch iets van bewijs.'

Toen hij Yukawa dat hoorde zeggen, ging in Kusanagi's achterhoofd een belletje rinkelen. Er was iets wat hij zich meende te herinneren, maar waar hij toch niet op kon komen; iets wat hij wist, maar waarvan hij was vergeten dat hij het wist.

Dun als een visgraatje dwarrelde die herinnering dan toch neer in zijn gedachten. Kusanagi hapte naar adem en staarde Yukawa aan.

'Wat is er?' vroeg Yukawa. 'Zit er iets op mijn gezicht?'

'Nee.' Kusanagi schudde zijn hoofd. 'Ik wil je ... of nee, ik wil professor Yukawa van de Keizerlijke Universiteit een gunst vragen. Een verzoek als lid van het team van rechercheafdeling 1 van de hoofdstedelijke politie.'

Yukawa's blik verstrakte. Met een vingertop duwde hij zijn bril op zijn plaats. 'Ik luister.'

31

Kaoru bleef voor de deur staan. Het bordje van ANNE'S HOUSE hing er nog steeds. Maar volgens Kusanagi werden er in de studio nog nauwelijks lessen patchwork gegeven.

Toen ze zag dat Kusanagi haar toeknikte, drukte ze op de bel. Ze wachtte even, maar er kwam geen antwoord en dus bracht ze haar vinger naar de knop om nog een keer aan te bellen. Op dat ogenblik hoorde ze een stem 'ja?' roepen. Het was zonder twijfel Ayanes stem.

'Utsumi van de hoofdstedelijke politie', zei Kaoru met haar mond zo dicht mogelijk bij de microfoon. Dat deed ze uit voorzorg, opdat de buren het niet zouden horen.

Na een ogenblik stilte kwam er een reactie: 'O, mevrouw Utsumi. Wat kan ik voor u doen?'

'Ik wilde u een paar dingen vragen. Kan dat?'

Opnieuw stilte. In Kaoru's geest doemde het beeld op van Ayane aan de andere kant van de intercom, grondig wikkend en wegend.

'Goed, ik zal even openmaken.'

Kaoru wisselde een blik uit met Kusanagi. Hij knikte even.

Ze hoorden de deur van het slot draaien en Ayane deed open. Toen ze Kusanagi zag, leek ze even te schrikken. Ze had wellicht gedacht dat Kaoru alleen was.

Kusanagi keek Ayane aan en boog zijn hoofd. 'Sorry dat we zo plotseling binnenvallen.'

'U bent er ook, meneer Kusanagi.' Ayane toverde een glimlach om haar lippen. 'Komt u binnen, alstublieft.'

'Wel, eigenlijk', zei Kusanagi, 'wilden we u vragen met ons mee te komen naar het bureau van Meguro.'

De lach verdween van Ayanes gezicht. 'Naar de politie?'

'Ja. Daar willen we graag een keer rustig met u praten. In feite gaat het om een wat delicate kwestie, ziet u.'

Ayane keek Kusanagi priemend aan. Dat zette Kaoru ertoe

aan van opzij ook naar haar oudere collega te kijken. Zijn ogen straalden droefheid, spijt en ook mededogen uit. De grote vastberadenheid die hij met zich meedroeg zou nu ongetwijfeld ook wel tot Ayane doordringen.

'Ach zo?' antwoordde ze. Haar ogen kregen weer hun vriendelijke glans. 'In dat geval ga ik met u mee. Maar ik heb even tijd nodig om me klaar te maken, dus mag ik u vragen binnen te wachten? Als ik mensen buiten laat staan, voel ik me ongemakkelijk.'

'Goed, dan gaan we wel naar binnen', antwoordde Kusanagi.

'Alstublieft.' Ayane deed de deur wijder open.

Binnen was het mooi opgeruimd. Een deel van het meubilair en het huisraad had ze kennelijk van de hand gedaan. Maar de grote tafel, die ook dienstdeed als werkblad, stond nog onveranderd in het midden van de kamer.

'Dat wandtapijt hangt er nog altijd niet, zie ik', zei Kusanagi terwijl hij naar de muur keek.

'Ik vind maar niet de tijd', antwoordde Ayane.

'O nee? Dat patroon is zo prachtig, u zou het moeten ophangen, echt. Het design had zo in een prentenboek kunnen staan.'

Ayane keek naar hem terug, haar wangen nog even ontspannen. 'Dank u.'

Kusanagi's blik verplaatste zich naar het balkon.

'U hebt de bloemen mee hiernaartoe gebracht?'

Toen ze dat hoorde, gluurde Kaoru ook in die richting. Aan de andere kant van de glazen deur kon ze bloemen in allerlei kleuren zien.

'Ja, voor een deel in elk geval', antwoordde Ayane. 'Ik liet ze door een verhuisbedrijf overbrengen.'

'O? En u gaf ze zo te zien pas water?' Kusanagi keek naar de vloer. Voor de balkondeur stond een grote gieter.

'Dat klopt. Die gieter is een hele hulp. Dankuwel.'

'Geen dank, ik ben blij dat hij van pas komt.' Kusanagi draaide zich om naar Ayane. 'Let u maar niet op ons en maakt u zich rustig klaar, alstublieft.'

'Goed.' Ayane knikte en liep in de richting van de kamer ernaast. Maar voor ze de deur opendeed, keek ze om.

'Hebt u iets ontdekt?'

'Hoe bedoelt u?' vroeg Kusanagi.

'Iets wat relevant is voor de zaak ... Nieuwe feiten, of een bewijs of zo? Word ik daarom bij de politie ontboden?'

Kusanagi wierp Kaoru een vluchtige blik toe en keek toen weer naar Ayane.

'Nou, daar komt het op neer, ja.'

'Dat maakt me nieuwsgierig. Kunt u me niet vertellen wat die ontdekking is? Of moet dat ook wachten tot we op het politiebureau zijn?' Ayanes toon was opgewekt, alsof ze hengelde naar een leuke anekdote.

Kusanagi sloeg zijn ogen neer en zweeg een poosje voor hij antwoordde.

'Het is nu duidelijk waar het gif aangebracht was. Vanuit verschillende wetenschappelijke oogpunten kunnen we met zekerheid aannemen dat het in de waterzuiveraar zat.'

Kaoru sloeg de hele tijd Ayanes gezicht gade, maar ze vertrok geen spier. Ze bleef Kusanagi met heldere ogen aankijken.

'Ach zo? In die waterzuiveraar?' In haar stem klonk geen paniek door.

'Het probleem is de wijze waarop het gif in de zuiveraar terechtkwam. Gezien de omstandigheden is er maar één methode mogelijk. En zodoende wordt ook het aantal verdachten beperkt. Tot slechts één persoon eigenlijk.' Kusanagi staarde Ayane aan. 'Daarom verzoeken we u met ons mee te komen.'

Ayanes wangen kleurden een heel klein beetje rood. Maar de glimlach week niet van haar lippen.

'Hebt u bewijs dat het gif in de waterzuiveraar gestopt is?'

'Na minutieuze analyse is arsenigzuur gedetecteerd. Maar dat op zich kun je geen bewijs noemen. Hoe dan ook, alles wijst erop dat de dader dat gif al een jaar geleden aanbracht. Het was dus nodig aan te tonen dat het ook op de dag van de moord nog werkzaam was. Met andere woorden: dat de waterzuiveraar een jaar lang niet één keer gebruikt was, zodat het aanwezige arsenigzuur ook niet wegspoelde.'

Ayanes lange wimpers trilden. Kaoru wist zeker dat de woorden 'een jaar geleden' haar die reactie ontlokten.

'En dat kon u aantonen?'

'U lijkt niet verbaasd', zei Kusanagi. 'Toen ik die theorie dat de dader het gif een jaar geleden aanbracht voor het eerst hoorde, kon ik mijn eigen oren niet geloven.'

'Door al wat u zegt, ben ik te overrompeld om nog mijn emoties te uiten.'

'O?'

Kusanagi keek naar Kaoru en gaf haar een teken met zijn ogen. Ze haalde een plastic zakje tevoorschijn uit de tas die ze bij zich had.

Op dat ogenblik verdween voor het eerst de glimlach om Ayanes mond. Ze leek de inhoud van het plastic zakje te hebben herkend.

'U weet natuurlijk wat dit is?' zei Kusanagi. 'Het is het lege blik dat u vroeger gebruikte om de planten water te geven. In de bodem zijn met een priem gaatjes gemaakt.'

'Dat had u toch weggegooid ...'

'Ik heb het bewaard. Zonder het af te wassen bovendien.' Om Kusanagi's mondhoeken krulde zich even een flauwe glimlach, maar hij trok onmiddellijk weer een streng gezicht. 'Herinnert u zich Yukawa nog? Mijn vriend de fysicus. Ik heb dit blik laten onderzoeken aan zijn universiteit. Om bij het besluit te beginnen: er is arsenigzuur in gedetecteerd. Toen we het ook op andere bestanddelen onderzochten, werd duidelijk dat het ging om water dat door de waterzuiveraar bij u thuis gestroomd was. Ik weet zelf nog goed wanneer u dat blik voor het laatst gebruikte. U gaf water aan de bloemen op het balkon boven. Toen kwam Hiromi Wakayama eraan en stopte u met sproeien. Daarna is dit blik niet meer gebruikt. Omdat ik die gieter kocht. Het blik lag onaangeroerd in een la van mijn bureau.'

Ayane sperde haar ogen open. 'In een la? Waarom?'

Deze vraag negeerde Kusanagi. In plaats daarvan zei hij beheerst: 'Uit dit alles kunnen we afleiden dat er zonder enige twijfel arsenigzuur in de waterzuiveraar zat en dat het water uit die zuiveraar op de dag van de moord een dodelijke dosis van dat zuur bevatte. Daarbij tonen verschillende bewijzen aan dat het arsenigzuur een jaar geleden aangebracht is. Degene die daartoe in staat was, moest er bovendien een jaar lang op toezien dat de waterzuiveraar door niemand gebruikt werd, en dan komt maar één persoon in aanmerking.'

Kaoru observeerde Ayane nauwlettend. Hun verdachte, bevallig als ze was, sloeg haar ogen neer en kneep haar lippen op elkaar. Eromheen speelde nog een vage glimlach, maar haar aureool van elegantie begon langzaam een schaduw te vertonen, alsof de zon onderging.

'Over de details kunnen we het op het bureau hebben', rondde Kusanagi af.

Ayane hief haar gezicht op. Ze slaakte een diepe zucht, keek Kusanagi recht in de ogen en knikte.

'Begrepen. Maar kunt u nog heel even wachten?'

'Geen probleem. Neem gerust uw tijd om u klaar te maken.'

'Dat is niet het enige. Ik wil de bloemen verder water geven. Daar was ik net mee bezig.'

'O ... doet u dat dan maar.'

'Neem me niet kwalijk', zei Ayane en ze schoof de deur naar het balkon open. Ze tilde met beide handen de grote gieter op en begon rustig te sproeien.

32

Die dag gaf ik ook net water ... Ayane moest denken aan zowat een jaar geleden. De dag dat ze van Yoshitaka de harde waarheid vernam. Terwijl ze naar hem luisterde, staarde ze naar de viooltjes in de bloembak. Het waren de bloemen waar haar goede vriendin Junko Tsukui zo van hield. Daarom had die als pseudoniem voor 'Sumire Kocho' gekozen, naar die andere benaming voor viooltje.

Ayane had Junko leren kennen in een boekhandel in Londen. Ze was op zoek naar ontwerpen voor haar patchwork. Net toen ze een fotoboek wilde pakken, stak een andere vrouw ook haar hand uit naar datzelfde boek. Het was een Japanse, die een paar jaar ouder leek dan zijzelf.

Ze kon het onmiddellijk goed vinden met Junko en ze beloofden elkaar zeker weer te zien als ze terug in Japan waren. Ze slaagden er ook in zich aan die belofte te houden, toen Ayane naar Tokio verhuisde en ook Junko niet veel later in de hoofdstad kwam wonen.

Ze hadden allebei hun werk en dus konden ze elkaar niet zo vaak zien, maar voor Ayane was Junko haar hartsvriendin. En ze was er vast van overtuigd dat ze dat op haar beurt ook voor Junko was. Junko was immers nog mensenschuwer dan zij.

Op een dag zei Junko dat ze Ayane aan iemand wilde voorstellen. Hij was de directeur van een bedrijf dat op het internet een animatiefilmpje had lopen, waarvoor zij het figuurtje had ontworpen.

'Toen hij mijn advies vroeg over bijkomende artikelen rond het figuurtje en ik hem vertelde dat een kennis van me specialist was in patchwork, zei hij dat hij je graag wilde ontmoeten. Sorry voor de moeite, maar zou je gewoon een keertje willen kennismaken?'

Op die manier had Junko het haar verontschuldigend gevraagd aan de telefoon. Ayane had bereidwillig ingestemd. Ze had geen reden om te weigeren.

En zo had ze Yoshitaka Mashiba dus leren kennen. Hij beschikte over een bijzondere aantrekkingskracht. Als hij een idee wilde overbrengen, was zijn gezicht vol expressie en zijn ogen liepen over van zelfvertrouwen. Hij kon ook handig anderen tot praten bewegen. Door gewoon een paar minuten met hem te keuvelen, kreeg ze zowaar de illusie dat ze zelf een vlotte prater was.

Na die bijeenkomst liet Ayane zich ontglippen dat ze hem 'geweldig' vond. Toen ze dat hoorde, glimlachte Junko verheugd. 'Ja, hè', zei ze en op het moment dat Ayane de blik in haar ogen zag, raadde ze Junko's gevoelens voor Yoshitaka.

Waarom had ze haar dat toen niet duidelijk gevraagd? Tot op de dag van vandaag betreurde Ayane dat. Ze had gewoon één simpele vraag moeten stellen: 'Heb je iets met hem?' Maar dat deed ze niet, en zo had Junko er ook niets over gezegd.

Het idee om patchwork op te nemen in de merchandising rond dat figuurtje werd uiteindelijk afgeblazen. Yoshitaka belde haar daar persoonlijk over op. Hij verontschuldigde zich voor haar verloren tijd en zou haar binnenkort zeker op een etentje trakteren om het goed te maken.

Ze dacht dat hij dat gewoon uit beleefdheid zei, maar niet veel later belde hij om haar daadwerkelijk uit te nodigen. Hij liet bovendien doorschemeren dat hij Junko niet had meegevraagd. Daardoor maakte Ayane zichzelf wijs dat de twee toch niets met elkaar hadden.

Ze vertrok dan ook in opperbeste stemming naar haar etentje met Yoshitaka. En de tijd die ze met z'n tweeën doorbrachten was nog duizend keer beter dan bij die eerste ontmoeting.

Ayanes gevoelens voor Yoshitaka werden in een mum van tijd sterker. En tegelijkertijd vervreemdde ze van Junko. Ze wist dat die zich ook tot Yoshitaka aangetrokken voelde, en daarom zag ze er ergens tegenop nog contact met haar op te nemen.

Bij hun eerste weerzien in een paar maanden schrok Ayane toen ze Junko zag. Ze was erg mager en haar huid was ruw. Ayane vroeg bezorgd of ze problemen had met haar gezondheid, maar Junko antwoordde eenvoudigweg dat alles in orde was.

Terwijl ze bijpraatten over de recentste gebeurtenissen, leefde Junko stukje bij beetje op. Maar net toen Ayane haar relatie met Yoshitaka wilde opbiechten, verschoot Junko plotseling van kleur.

Ayane vroeg wat er scheelde. Junko antwoordde dat het niets was, waarna ze prompt opstond. Ze zei dat ze er net aan dacht dat ze nog dringend iets te doen had.

Zonder te begrijpen wat er aan de hand was, zag Ayane Junko in een taxi verdwijnen. Later zou blijken dat dit hun definitieve afscheid was.

Vijf dagen later arriveerde een postpakket bij Ayane. In de kleine doos zat een plastic zakje met wit poeder. Op het zakje was met viltstift ARSEEN (GIFTIG) geschreven. De afzender was Junko.

Ze vond het alarmerend en probeerde Junko te bellen. Maar ze kreeg geen verbinding. Omdat ze zich zorgen maakte, ging ze naar haar flat. Daar trof ze de politie aan, bezig met het doorzoeken van de kamer. Van een van de toegestroomde omstanders kwam ze te weten dat de bewoonster zelfmoord had gepleegd door gif in te nemen.

De schok was zo groot dat Ayane zich niet herinnerde waar ze daarna allemaal had gelopen. Toen ze het goed en wel besefte, was ze weer thuis beland. Daar keek ze nog eens aandachtig naar wat Junko haar had opgestuurd.

Terwijl ze zich het hoofd brak over welke boodschap erachter kon zitten, schoot haar opeens iets te binnen. Bij hun laatste ontmoeting had Ayane de indruk dat Junko naar haar mobiele telefoon zat te staren. Ayane haalde het toestel tevoorschijn. Er hing een riempje aan, dat ze had gekocht omdat Yoshitaka er net zo een had.

Had Junko zelfmoord gepleegd omdat ze zich realiseerde dat Yoshitaka een relatie had met haar? Die omineuze gedachte spookte door Ayanes hoofd. Als het niet meer dan een eenzijdige verliefdheid was, had Junko zich nooit van het leven beroofd. Tussen haar en Yoshitaka moest er dus een diepere band geweest zijn.

Ayane kon het niet aan naar de politie te gaan. Ook op Junko's begrafenis bleef ze weg. Het idee dat zij Junko mogelijk tot zelfmoord had gedreven, maakte haar bang om achter de waarheid te komen.

Om diezelfde reden vond ze ook niet de moed Yoshitaka te vragen wat er tussen hem en Junko was geweest. Daar speelde uiteraard ook de angst in mee dat die vraag weleens het einde van hun relatie zou kunnen betekenen.

Een poosje later deed Yoshitaka haar een merkwaardig voorstel. Het kwam erop neer dat ze apart naar een dating party zouden gaan en daar zouden doen alsof ze elkaar voor het eerst tegenkwamen. De bedoeling was, zo zei hij, 'complicaties te vermijden'.

'Mensen met te veel vrije tijd vragen een stel toch altijd hoe hun relatie begonnen is? Ik wil niet dat ze zich daarmee bemoeien. Bij een dating party is de uitleg simpel.'

In dat geval konden ze die uitleg toch ook gewoon geven, zonder dat ze echt aan zo'n party deelnamen, dacht ze, maar Yoshitaka had zelfs voor een getuige gezorgd, in de persoon van Ikai. Die grondigheid was in zekere zin wel typisch voor hem, maar Ayane vroeg zich toch ook af of hij zo Junko's schaduw niet wilde wegwissen uit zijn eigen verleden. Het bleef echter bij een vermoeden dat ze nooit hardop uitsprak. Ze ging naar het feestje zoals hij haar had gevraagd, en ze speelden hun 'geensceneerde ontmoeting' volgens het draaiboek dat ze hadden afgesproken.

Daarna ging het snel met hun relatie. Een half jaar na de party kreeg Ayane een aanzoek van Yoshitaka.

Ondanks het geluksgevoel waarin ze zich koesterde, knaagde aan Ayanes gemoed ook twijfel, die met de dag groter werd. Natuurlijk had het met Junko te maken. Waarom maakte ze een einde aan haar leven? Welke relatie had ze met Yoshitaka?

Ayane hinkte op twee gedachten: ze wilde de waarheid weten en tegelijk ook niet. Ondertussen naderde de afgesproken huwelijksdatum.

Op een van die dagen had Yoshitaka een schokkende mededeling voor haar. Of nee, misschien klonk het voor hem niet eens onredelijk. In feite sprak hij heel luchtig zijn voorstel uit: 'Als we trouwen en je bent binnen het jaar niet zwanger, laten we dan uit elkaar gaan.'

Ayane kon haar oren niet geloven. Ze had nooit gedacht dat hij het al over een scheiding zou hebben nog voor ze getrouwd waren.

Ze dacht dat het een grapje was, maar dat bleek niet zo te zijn.

'Zo heb ik er altijd al over gedacht. Een jaar is de limiet. Zonder voorbehoedmiddelen krijgen de meeste echtparen binnen die tijd een kind. Anders zit het er dik in dat een van beiden een probleem heeft. En ik heb me vroeger laten onderzoeken: bij mij is er geen probleem.'

Toen ze hem dat hoorde zeggen, voelde Ayane een huivering over haar hele lijf. Ze keek hem strak aan en vroeg: 'Heb je dat ook tegen Junko gezegd?'

'Hè?' Yoshitaka's blik dwaalde weg. Hij vertoonde een voor hem zeldzame openlijke paniekreactie.

'Alsjeblieft, antwoord eerlijk. Je had toch iets met Junko?'

Yoshitaka fronste misnoegd zijn wenkbrauwen. Maar hij deed geen poging haar voor te liegen. Ondanks de merkbare wrevel op zijn gezicht antwoordde hij: 'Goh, ja. Ik had gedacht dat het eerder zou uitkomen. Ik nam aan dat een van jullie tweeën het wel over mij zou hebben.'

'Speelde je dubbelspel?'

'Nee, dat niet. Toen ik met jou iets begon, was ik al van plan bij Junko weg te gaan. Dat zweer ik.'

'Wat zei je toen je met haar brak?' vroeg Ayane terwijl ze haar toekomstige echtgenoot aanstaarde. 'Met een vrouw die geen kinderen kan krijgen, kan ik niet trouwen. Was dat het?'

Yoshitaka haalde zijn schouders op.

'Niet in die bewoordingen, maar het kwam er wel op neer. Ik noemde het de tijdslimiet.'

'De tijdslimiet ...'

'Ze was vierendertig. We gebruikten geen voorbehoedmiddelen en toch werd ze maar niet zwanger. Het was het moment om het op te geven.'

'En toen koos je mij?'

'Was dat dan zo verkeerd? Bij iemand blijven zonder kans op succes heeft geen zin. Dat soort vergeefse moeite is tegen mijn principe.'

'Waarom hield je het al die tijd verborgen?'

'Omdat ik er de noodzaak niet van inzag het erover te hebben. Zoals ik net al zei, was ik erop voorbereid dat het hoe dan ook zou uitkomen. Als het zover is, zal ik het wel uitleggen, dacht ik. Ik heb jou niet verraden en niet bedrogen. Dat kan ik je verzekeren.'

Ayane keerde Yoshitaka de rug toe en keek naar de bloemen op het balkon. Haar blik viel op de viooltjes. Junko's geliefde viooltjes. Terwijl ze ernaar keek, dacht ze aan haar. Ze stelde zich haar verbittering voor en kreeg tranen in haar ogen.

Na het nieuws dat Yoshitaka bij haar wegging, had Junko ongetwijfeld tijd nodig om haar gevoelens te verwerken. In die toestand had ze Ayane gezien en was ze zich door het riempje aan haar mobiel bewust geworden van haar relatie met Yoshitaka. Door die schok had ze besloten zich het leven te benemen, maar voor ze stierf had ze op haar manier Ayane nog een boodschap willen sturen. Dat was het arsenigzuur. Ze deed dat echter niet uit wrok omdat haar geliefde haar was ontstolen. Het was een waarschuwing.

Vroeg of laat zul je hetzelfde lot ondergaan ... Dat wilde ze meedelen.

Voor Ayane was Junko de enige persoon bij wie ze terechtkon met al haar zorgen. Ze was ook de enige die ze ooit had verteld dat ze door een aangeboren afwijking geen hoop had ooit kinderen te krijgen. Daardoor kon Junko voorzien dat Ayane in de nabije toekomst op haar beurt door Yoshitaka aan de kant zou worden geschoven.

'Luister je wel naar wat ik zeg?' zei Yoshitaka.

Ze draaide zich om.

'Ja hoor. Natuurlijk luister ik.'

'Waarom reageer je dan zo traag.'

'Ik was even elders met mijn gedachten.'

'O? Zo ken ik je niet.'

'Nou ja, het overviel me wel.'

'Echt? Maar je wist toch heel goed wat mijn levensplan is?'

Yoshitaka zette zijn kijk op het huwelijk uiteen. Die hield in dat een huwelijk zonder kinderen geen enkele zin had.

'Zeg me eens, Ayane, waar klaag je in godsnaam over? Je hebt toch alles gekregen wat je hartje begeerde? Als je toch nog iets verlangt, mag je zeker niet twijfelen het me te vertellen. Ik ben van plan voor je te doen wat ik kan. Hou toch op met dat gepieker over alles en nog wat en denk aan je nieuwe leven. Of heb je een andere keus?'

Hij besefte helemaal niet hoe hij het hart van zijn geliefde kwetste. Het was waar, dankzij zijn steun kon Ayane allerlei dromen in vervulling doen gaan. Maar hoe kon ze nadenken over haar toekomstige huwelijksleven als het al vaststond dat ze na een jaar uit elkaar zouden gaan?

'Mag ik je voor alle duidelijkheid één ding vragen? Ook al lijkt het voor jou misschien futiel', vroeg Ayane aan Yoshitaka. 'Je liefde voor mij? Wat is daar van geworden?'

Dat hij Junko aan de kant schoof en haar koos, was dat gewoon omdat hij dacht dat zij hem een kind kon schenken en niet omdat hij haar liefhad? Dat bedoelde ze met die vraag.

Met een verwarde uitdrukking op zijn gezicht had hij daarop geantwoord: 'Die is onveranderd.' En hij voegde eraan toe: 'Dat kan ik je verzekeren. Ik hou nog steeds evenveel van je.'

Toen ze die woorden hoorde, nam Ayane een besluit. Ze zou met hem trouwen. Maar dat was niet zomaar omdat ze met hem wilde samenleven. Ze deed het om twee tegenstrijdige gevoelens te verzoenen: liefde en haat.

Als echtgenote steeds aan zijn zijde zijn, maar ook zijn lot in handen hebben – dat was het huwelijksleven dat ze voor ogen had. Een leven waarin ze hem uitstel van executie gaf.

Op het moment dat ze het arsenigzuur in de waterzuiveraar stopte, was ze bloednerveus. Voortaan mocht niemand nog in de keuken komen. Maar tegelijk voelde ze ook blijdschap: ze had Yoshitaka in haar macht.

Als hij thuis was, zorgde ze ervoor altijd op de bank te zitten. Ook om naar het toilet of in bad te gaan, koos ze zorgvuldig momenten waarop hij zeker niet in de buurt van de keuken zou komen.

Na hun huwelijk bleef hij lief voor haar. Als echtgenoot gedroeg hij zich onberispelijk. Zolang zijn liefde voor haar inderdaad niet veranderde, was Ayane van plan iedereen weg te houden van de waterzuiveraar. Hoe onvergeeflijk zijn behandeling van Junko ook was, als hij haar niet hetzelfde aandeed, mocht het eeuwig zo blijven duren. Haar man stond op het schavot, en iedere dag weer redde ze hem van de galg; dat was Ayanes huwelijksleven.

Maar natuurlijk had ze niet echt verwacht dat Yoshitaka zijn kinderwens zou opgeven. Toen ze vermoedens kreeg over zijn relatie met Hiromi Wakayama, besefte ze dan ook dat het onvermijdelijke moment gekomen was.

De avond dat ze de Ikai's bij hen thuis uitnodigden voor een etentje, kreeg ze van Yoshitaka te horen dat hij haar verliet. Zijn toon was ronduit zakelijk.

'Ik denk dat je het ook wel weet, maar binnenkort verstrijkt de tijdslimiet. Ik zou willen dat je je klaarmaakt om te vertrekken.'

Ayane glimlachte en ze antwoordde: 'Ik zou eerst nog één ding van je willen vragen.'

'Wat dan?' vroeg hij.

Terwijl ze haar echtgenoot in de ogen keek, zei ze: 'Vanaf

morgen wil ik voor een paar dagen ergens naartoe. Maar ik ben bang je hier alleen thuis te laten.'

'Is dat het maar?' lachte hij. 'Ik red me wel alleen, hoor.'

Ayane knikte. 'Oké dan.' Op dat moment liep de redding van haar man ten einde.

33

De wijnbar bevond zich in de kelderverdieping. Voorbij de deur was er een toog en achterin stonden drie tafeltjes op een rij. Kusanagi en Yukawa zaten tegenover elkaar, op de stoelen het dichtst bij de muur.

'Sorry dat ik zo laat ben.' Kaoru maakte een hoofdbuiging en ging naast Kusanagi zitten.

'En de resultaten?' vroeg Kusanagi.

Kaoru knikte nadrukkelijk.

'Goed nieuws. Ze hebben een identieke substantie aangetroffen.'

'Wel wel.' Kusanagi sperde zijn ogen open.

Het blik uit het schuurtje van Junko Tsukui's ouderlijk huis was naar SPring-8 gebracht en daar hadden ze er sporen van hetzelfde arsenigzuur in gevonden dat ook was gebruikt bij de moord op Yoshitaka Mashiba. Dat bevestigde Ayane Mashiba's bekentenis dat ze het arsenigzuur dat ze in de waterzuiveraar stopte, met de post van Junko had opgestuurd gekregen.

'Het ziet ernaar uit dat de zaak goed en wel opgelost is', zei Yukawa.

'Zo is dat. Mooi, nu Utsumi er ook is, kunnen we erop klinken.' Kusanagi riep de ober en bestelde champagne. 'Ik moet zeggen: ditmaal heb je me echt uit de nood geholpen. Mijn dank daarvoor. Vanavond trakteer ik, dus laat je maar gaan en drink.'

Yukawa keek bedenkelijk bij die woorden.

'Niet "ditmaal" maar "alweer" zul je bedoelen. Trouwens, ik heb de indruk dat ik niet jou maar Utsumi mijn medewerking verleend heb.'

'Ach wat, wie maalt om zulke details? Kom, de champagne is er. Proost!' riep Kusanagi uit en de drie staken hun glazen bij elkaar.

'Wel goed dat je dat ding bewaard had', zei Yukawa.

'Dat ding?'

'Ja, dat lege blik dat mevrouw Mashiba gebruikte om water te sproeien. Dat had je toch bewaard?'

'O, dat?' Kusanagi's gezicht betrok en hij sloeg zijn ogen neer.

'Ik wist dat je in haar plaats de bloemen water gaf, maar niet dat je een gieter aangeschaft had. Maar los daarvan: waarom bewaarde je zoiets? Volgens Utsumi had je het in een la van je bureau gestopt?'

Kusanagi wierp een vluchtige blik op Kaoru. Ze keek weg.

'Dat was ... nou ja, intuïtie.'

'Intuïtie? De reukzin van de speurneus, bedoel je?'

'Ja. Je weet maar nooit of iets nog van pas kan komen als bewijsstuk en dus gooien we dingen niet overhaast weg voor een zaak opgelost is. Dat is een vuistregel van politieonderzoek.'

'Hm, een vuistregel, hè?' Yukawa haalde zijn schouders op en nam een slok champagne. 'Ik dacht anders dat je het als een soort aandenken meegenomen had.'

'Wat bedoel je daar nu mee?'

'O, niets.'

'Mag ik u op mijn beurt iets vragen, professor?' vroeg Kaoru.

'Ga je gang.'

'Hoe kwam u bij die truc? Als u zegt dat hij u zomaar te binnen schoot, heb ik daar uiteraard vrede mee.'

Yukawa slaakte hardop een zucht.

'Ideeën borrelen niet "zomaar" op. Ze ontstaan na uitvoerige observatie en denkwerk. Het eerste wat me dwarszat, was de staat van die fameuze waterzuiveraar. Ik had het met eigen ogen kunnen zien en dus was me bijgebleven dat hij helemaal onder het stof zat en duidelijk lange tijd niet meer aangeraakt was.'

'Dat weet ik. Precies daarom hadden we niet door op welke wijze het gif aangebracht was.'

'Maar ik vroeg me af waarom hij zich eigenlijk in die staat bevond. Volgens wat jij me zei, gaf mevrouw Mashiba de indruk nogal op netheid gesteld te zijn. Jijzelf ging haar trouwens verdenken doordat ze de champagneglazen niet op hun plaats gezet had, weet je nog? Zo'n vrouw maakt normaal gesproken toch overal schoon, dacht ik, ook onder het aanrecht.'

'Hm ...'

'Dus stelde ik me de vraag: wat als ze het met opzet deed? De zuiveraar niet schoonmaken en hem onder het stof laten zitten dus. En als dat zo was, met welke bedoeling? Toen ik daarover nadacht, kreeg ik de inval die voor de ommekeer zorgde.'

Kaoru staarde naar de academicus en schudde lichtjes haar hoofd.

'U doet uw naam alle eer aan.'

'Zo lovenswaardig is dat allemaal niet. Maar hoe dan ook, vrouwen zijn echt om bang van te worden. Dat ze een truc kon bedenken die zo onberedeneerbaar is, zo vol tegenstrijdigheden.'

'Over tegenstrijdigheden gesproken, Hiromi Wakayama heeft naar het schijnt beslist de baby te houden.'

Yukawa keek verwonderd naar haar terug.

'Dat vind ik niet bepaald tegenstrijdig. Is dat niet gewoon haar moederinstinct?'

'Ayane Mashiba zou degene zijn die haar overhaalde hem te houden.'

Bij die mededeling verstarde een ogenblik de uitdrukking van de fysicus. Daarop begon hij langzaam zijn hoofd te schudden.

'Dat is ... wel degelijk een tegenstrijdigheid. Het is onbegrijpelijk.'

'Zo zitten vrouwen nu eenmaal in elkaar.'

'Wat je zegt. Dat we deze zaak toch op een logische manier wisten op te lossen is bijna een mirakel te noemen. Kusanagi, ik had niet gedacht dat ...' Yukawa brak plotseling zijn zin af.

Kaoru keek opzij. Kusanagi was met zijn kin op zijn borst in slaap gevallen.

'De ontrafeling van de perfecte misdaad sloeg meteen ook zijn liefde aan diggelen. Geen wonder dat hij doodop is. Laten we hem maar wat rust gunnen', zei Yukawa, en hij zette zijn glas aan zijn lippen.

Verklarende woordenlijst

assamthee – Indiase zwarte thee, uit de staat Assam.

bento – Gevarieerde verpakte maaltijd om mee te nemen, meestal voor de lunch.

chai – Algemeen Indiaas woord voor thee, buiten India doorgaans gebruikt voor pittige Indiase kruidenthee.

daifuku – Japanse zoetigheid, bestaande uit *mochi* (kleverig kneedsel van gestoomde en gestampte rijst) en een vulling van zoete bonenpasta.

love hotel – Hotel dat in principe bedoeld is voor seksuele doeleinden, en dus niet toegankelijk voor enkelingen. Er kan per uur worden betaald en vaak zijn er themakamers.

Masaharu Fukuyama – Zanger-acteur, die de rol van Manabu Yukawa vertolkt in de verfilmingen van Higashino's boeken met dat personage.

no – Traditioneel Japans theater, vrij statisch en gekenmerkt door de maskers van de acteurs, die een bepaalde emotie uitdrukken.

onsen – Warmwaterbron (en de daaraan verbonden badgelegenheid).

ramen – Dunne tarwenoedels, geserveerd in een soep.

ryokan – Traditionele Japanse herberg, met tatamimatten op de kamers en een gemeenschappelijke badruimte.

Sapporo – Hoofdstad van Hokkaido, het meest noordelijke van de vier hoofdeilanden in de Japanse archipel. Op ruim 800 kilometer en zo'n anderhalf uur vliegen van Tokio.

sensei – Term voor 'leraar', in de brede zin van het woord, die tevens respect uitdrukt.

shiso – Eenjarige plant met bladeren die lijken op die van de brandnetel, vaak gebruikt als garnering.

soba – Soort dunne boekweitnoedels.

teruterubozu – Klein handgemaakt wit poppetje van papier of doek, dat traditioneel door boeren buiten wordt opgehangen om goed weer af te smeken. Letterlijk: 'stralende (kale) monnik'.

tokonoma – Siernis of alkoof in een Japans interieur waar men kunstobjecten of bloemstukken in kan neerzetten.

vergiftigde curry – Tijdens een festival in de zomer van 1998 stierven in de provincie Wakayama vier mensen en werden drieënzestig anderen ziek na het eten van een gemeenschappelijke pot curry. Masumi Hayashi, toen zevenendertig, werd ter dood veroordeeld voor vergiftiging (ze zou zich hebben willen wreken omdat ze zich buitengesloten voelde door haar buren). Hayashi wacht nog steeds op de uitvoering van haar doodstraf en houdt haar onschuld staande.

woeloengthee – (Ook: *oolongthee*) Traditionele Chinese thee, die qua fermentatie tussen groene en zwarte thee in zit. In de zomer meestal koud gedronken.

Keigo Higashino bij De Geus

De fatale toewijding van verdachte X
De ex-man van Yasuko staat plotseling voor de deur. Als hij haar dochter bedreigt, slaan bij Yasuko de stoppen door en vermoordt ze hem. Buurman Ishigami heeft al tijden een zwak voor haar en biedt aan om samen een waterdicht alibi te creëren. Geconfronteerd met tegenstrijdig bewijs van deze brute moord roept de politie de hulp in van een briljante natuurkundige met de bijnaam 'professor Galileo'. Zal het hem lukken de waarheid boven tafel te krijgen of is de toewijding van Ishigami sterker dan ijskoude logica?